Montesquieu

Lettres persanes

Dossier et notes réalisés par
Alain Sandrier

Lecture d'image par
Valérie Lagier

folioplus
classiques

Alain Sandrier, né en 1970, est ancien élève de l'École normale supérieure (Ulm), agrégé de lettres modernes. Il a soutenu en 2001 une thèse sur l'athéisme au XVIIIe siècle, *Le style philosophique du baron d'Holbach* (Honoré Champion, 2004). Spécialiste de l'histoire de l'hétérodoxie, il s'est intéressé à la lutte de Voltaire contre « l'Infâme » et à toutes les formes de contestation de la religion à l'époque classique. Il enseigne actuellement au lycée à La Courneuve.

Conservateur au musée de Grenoble puis au musée des Beaux-Arts de Rennes, **Valérie Lagier** a organisé de nombreuses expositions d'art moderne et contemporain. Elle a créé, à Rennes, un service éducatif très innovant, et assuré de nombreuses formations d'histoire de l'art pour les enseignants et les étudiants. Auteur de plusieurs publications scientifiques et pédagogiques, elle est actuellement conservateur des musées de Vitré.

Couverture: Anonyme, *Louis XIV recevant l'ambassadeur de Perse Mehemet Riza Beg*, Versailles, châteaux de Versailles et de Trianon. Photo © RMN/Gérard Blot.

Sommaire

Sommaire

Lettres persanes

(Édition de 1758)

Quelques réflexions
sur les Lettres persanes

Rien n'a plu davantage dans les Lettres persanes, que d'y trouver, sans y penser, une espèce de roman. On en voit le commencement, le progrès, la fin : les divers personnages sont placés dans une chaîne qui les lie. À mesure qu'ils font un plus long séjour en Europe, les mœurs de cette partie du monde prennent, dans leur tête, un air moins merveilleux et moins bizarre : et ils sont plus ou moins frappés de ce bizarre et de ce merveilleux, suivant la différence de leurs caractères. D'un autre côté, le désordre croît dans le sérail d'Asie, à proportion de la longueur de l'absence d'Usbek ; c'est-à-dire, à mesure que la fureur[1] augmente, et que l'amour diminue.

D'ailleurs, ces sortes de romans réussissent ordinairement, parce que l'on rend compte soi-même de sa situation actuelle ; ce qui fait plus sentir les passions, que tous les récits qu'on en pourrait faire. Et c'est une des causes du succès de quelques ouvrages charmants qui ont paru depuis les Lettres persanes[2].

1. Au sens classique du terme, « folie ».
2. Montesquieu pense en particulier à deux romans épistolaires à succès : Paméla de Samuel Richardson (1740), traduit en français par l'abbé Prévost en 1741, et les Lettres péruviennes de Mme de Graffigny (1747).

Enfin, dans les romans ordinaires, les digressions ne peuvent être permises que lorsqu'elles forment elles-mêmes un nouveau roman. On n'y saurait mêler de raisonnements, parce qu'aucun des personnages n'y ayant été assemblé pour raisonner, cela choquerait le dessein et la nature de l'ouvrage. Mais, dans la forme de lettres, où les acteurs ne sont pas choisis, et où les sujets qu'on traite ne sont dépendants d'aucun dessein ou d'aucun plan déjà formé, l'auteur s'est donné l'avantage de pouvoir joindre de la philosophie, de la politique et de la morale, à un roman ; et de lier le tout par une chaîne secrète et, en quelque façon, inconnue.

Les *Lettres persanes* eurent d'abord un débit si prodigieux, que les libraires mirent tout en usage pour en avoir des suites. Ils allaient tirer par la manche tous ceux qu'ils rencontraient : *Monsieur*, disaient-ils, *faites-moi des lettres persanes*.

Mais ce que je viens de dire suffit pour faire voir qu'elles ne sont susceptibles d'aucune suite, encore moins d'aucun mélange avec des lettres écrites d'une autre main, quelque ingénieuses qu'elles puissent être[1].

Il y a quelques traits que bien des gens ont trouvés trop hardis. Mais ils sont priés de faire attention à la nature de cet ouvrage. Les Persans, qui devaient y jouer un si grand rôle, se trouvaient tout à coup transplantés en Europe, c'est-à-dire, dans un autre univers. Il y avait un temps où il fallait nécessairement les représenter pleins d'ignorance et de préjugés. On n'était attentif qu'à faire voir la génération et le progrès de leurs idées. Leurs premières pensées

1. On peut citer deux suites apocryphes des *Lettres persanes* : *Lettres d'une Turque à Paris, écrites à sa sœur au sérail, pour servir de supplément aux « Lettres persanes »* (1730) de Poullain de Saint-Foix, et les *Letters from a Persain in England to his Friend at Ispahan* (1735) de Sir George Lyttelton, qui paraissent la même année en traduction française sous le titre de *Nouvelles Lettres persanes*.

devaient être singulières : il semblait qu'on n'avait rien à faire qu'à leur donner l'espèce de singularité qui peut compatir avec de l'esprit. On n'avait à peindre que le sentiment qu'ils avaient eu à chaque chose qui leur avait paru extraordinaire. Bien loin qu'on pensât à intéresser quelque principe de notre religion, on ne se soupçonnait pas même d'imprudence. Ces traits se trouvent toujours liés avec le sentiment de surprise et d'étonnement, et point avec l'idée d'examen, et encore moins avec celle de critique. En parlant de notre religion, ces Persans ne devaient pas paraître plus instruits que lorsqu'ils parlaient de nos coutumes et de nos usages. Et, s'ils trouvent quelquefois nos dogmes singuliers, cette singularité est toujours marquée au coin de la parfaite ignorance des liaisons qu'il y a entre ces dogmes et nos autres vérités.

On fait cette justification par amour pour ces grandes vérités, indépendamment du respect pour le genre humain, que l'on n'a certainement pas voulu frapper par l'endroit le plus tendre. On prie donc le lecteur de ne pas cesser un moment de regarder les traits dont je parle comme des effets de la surprise de gens qui devaient en avoir, ou comme des paradoxes faits par des hommes qui n'étaient pas même en état d'en faire. Il est prié de faire attention que tout l'agrément consistait dans le contraste éternel entre les choses réelles, et la manière singulière, naïve, ou bizarre, dont elles étaient aperçues. Certainement la nature et le dessein des lettres persanes sont si à découvert, qu'elles ne tromperont jamais que ceux qui voudront se tromper eux-mêmes.

Lettres persanes

INTRODUCTION

Je ne fais point ici d'épître dédicatoire, et je ne demande point de protection pour ce livre[1] : on le lira, s'il est bon ; et, s'il est mauvais, je ne me soucie pas qu'on le lise.

J'ai détaché ces premières lettres, pour essayer le goût du public : j'en ai un grand nombre d'autres dans mon portefeuille, que je pourrai lui donner dans la suite.

Mais, c'est à condition que je ne serai pas connu : car, si l'on vient à savoir mon nom, dès ce moment je me tais. Je connais une femme qui marche assez bien, mais qui boite dès qu'on la regarde. C'est assez des défauts de l'ouvrage, sans que je présente encore à la critique ceux de ma personne. Si l'on savait qui je suis, on dirait : « Son livre jure avec son caractère[2] ; il devrait employer son temps à quelque chose de mieux ; cela n'est pas digne d'un homme grave. » Les critiques ne manquent jamais ces sortes de réflexions, parce qu'on les peut faire sans essayer beaucoup son esprit.

1. Les auteurs dédiaient traditionnellement leur livre à un grand personnage, pour obtenir sa protection.
2. Le terme est à prendre au sens de « fonction », « dignité » et ne désigne pas la personnalité de l'homme : Montesquieu pense avant tout à sa position de président à mortier du parlement de Bordeaux, charge éminente et austère.

Les Persans qui écrivent ici étaient logés avec moi ; nous passions notre vie ensemble. Comme ils me regardaient comme un homme d'un autre monde, ils ne me cachaient rien. En effet, des gens transplantés de si loin ne pouvaient plus avoir de secrets. Ils me communiquaient la plupart de leurs lettres ; je les copiai. J'en surpris même quelques-unes dont ils se seraient bien gardés de me faire confidence, tant elles étaient mortifiantes pour la vanité et la jalousie persane.

Je ne fais donc que l'office de traducteur : toute ma peine a été de mettre l'ouvrage à nos mœurs. J'ai soulagé le lecteur du langage asiatique, autant que je l'ai pu, et l'ai sauvé d'une infinité d'expressions sublimes, qui l'auraient ennuyé jusque dans les nues[1].

Mais ce n'est pas tout ce que j'ai fait pour lui. J'ai retranché les longs compliments, dont les Orientaux ne sont pas moins prodigues que nous ; et j'ai passé un nombre infini de ces minuties, qui ont tant de peine à soutenir le grand jour, et qui doivent toujours mourir entre deux amis.

Si la plupart de ceux qui nous ont donné des recueils de lettres avaient fait de même, ils auraient vu leurs ouvrages s'évanouir.

Il y a une chose qui m'a souvent étonné ; c'est de voir ces Persans quelquefois aussi instruits que moi-même des mœurs et des manières de la nation, jusqu'à en connaître les plus fines circonstances, et à remarquer des choses qui, je suis sûr, ont échappé à bien des Allemands qui ont voyagé en France. J'attribue cela au long séjour qu'ils y ont fait : sans compter qu'il est plus facile à un Asiatique de s'instruire des mœurs des Français dans un an, qu'il ne l'est à un Français de s'instruire des mœurs des Asiatiques dans quatre ; parce

1. La leçon correcte serait plutôt *envoyé jusque dans les nues,* c'est-à-dire « propulsé dans le ciel ».

que les uns se livrent autant que les autres se communiquent peu.

L'usage a permis à tout traducteur, et même au plus barbare commentateur, d'orner la tête de sa version, ou de sa glose, du panégyrique[1] de l'original, et d'en relever l'utilité, le mérite et l'excellence. Je ne l'ai point fait : on en devinera facilement les raisons. Une des meilleures est que ce serait une chose très ennuyeuse, placée dans un lieu déjà très ennuyeux de lui-même, je veux dire une préface.

1. Éloge excessif, outré.

que les uns se « vanteraient » que les autres se chuchoteraient peut-être.

[...] ouvrage baillmme cour tentiseau, seulement nunude bar-
bare comptait nul ouvrage, il étie flieste, il se verasion ou de se
pleux, au penné d'habitude de l'on fait se « fait relever l'antique
ligamerite et l'atacllérte le « leir habir faut, un air devenir a
fainant les « régions l'une des mentions », et on se serait
une clé fait mais et mey tipe bizarre dans un lien de à très
[...] on à unisseme, le vous offre cette préface.

LETTRE I

USBEK À SON AMI RUSTAN

À *Ispahan*

Nous n'avons séjourné qu'un jour à Com[1]. Lorsque nous eûmes fait nos dévotions sur le tombeau de la vierge qui a mis au monde douze prophètes, nous nous remîmes en chemin ; et hier, vingt-cinquième jour de notre départ d'Ispahan, nous arrivâmes à Tauris[2].

Rica et moi sommes peut-être les premiers, parmi les Persans, que l'envie de savoir ait fait sortir de leur pays, et qui aient renoncé aux douceurs d'une vie tranquille, pour aller chercher laborieusement la sagesse.

Nous sommes nés dans un royaume florissant ; mais nous

1. Aujourd'hui, Qum, ville sainte des chiites, située au nord d'Ispahan. Montesquieu confond Fatmé ou Fathémé, fille de Mahomet, dont descendent les douze califes successeurs du prophète, et Fatmé, vénérée à Qum, fille du septième de ces califes, Mousa Cazem. Le tombeau de cette dernière était situé dans la grande mosquée de Qum. Le rapprochement avec la dévotion mariale, très développée en France depuis le xviie siècle, est souligné par le terme de « vierge ».
2. Aujourd'hui, Tabriz.

n'avons pas cru que ses bornes fussent celles de nos connaissances, et que la lumière orientale dût seule nous éclairer.

Mande-moi ce que l'on dit de notre voyage; ne me flatte point: je ne compte pas sur un grand nombre d'approbateurs. Adresse ta lettre à Erzeron[1], où je séjournerai quelque temps. Adieu, mon cher Rustan, Sois assuré qu'en quelque lieu du monde où je sois, tu as un ami fidèle.

De Tauris,
le 15 de la lune de Saphar 1711.

LETTRE 2

USBEK
AU PREMIER EUNUQUE NOIR
À son sérail d'Ispahan

Tu es le gardien fidèle des plus belles femmes de Perse: je t'ai confié ce que j'avais dans le monde de plus cher: tu tiens en tes mains les clefs de ces portes fatales, qui ne s'ouvrent que pour moi. Tandis que tu veilles sur ce dépôt précieux de mon cœur, il se repose et jouit d'une sécurité entière. Tu fais la garde dans le silence de la nuit, comme dans le tumulte du jour. Tes soins infatigables soutiennent la vertu, lorsqu'elle chancelle. Si les femmes que tu gardes voulaient sortir de leur devoir, tu leur en ferais perdre l'espérance. Tu es le fléau du vice, et la colonne de la fidélité.

Tu leur commandes, et leur obéis; tu exécutes aveuglément toutes leurs volontés, et leur fais exécuter de même les lois du sérail: tu trouves de la gloire à leur rendre les

1. Chef-lieu de l'Arménie turque.

services les plus vils : tu te soumets, avec respect et avec crainte, à leurs ordres légitimes : tu les sers comme l'esclave de leurs esclaves. Mais, par un retour d'empire, tu commandes en maître comme moi-même, quand tu crains le relâchement des lois de la pudeur et de la modestie.

Souviens-toi toujours du néant d'où je t'ai fait sortir, lorsque tu étais le dernier de mes esclaves, pour te mettre en cette place, et te confier les délices de mon cœur : tiens-toi dans un profond abaissement auprès de celles qui partagent mon amour ; mais fais-leur, en même temps, sentir leur extrême dépendance. Procure-leur tous les plaisirs qui peuvent être innocents : trompe leurs inquiétudes : amuse-les par la musique, les danses, les boissons délicieuses : persuade-leur de s'assembler souvent. Si elles veulent aller à la campagne, tu peux les y mener : mais fais faire main basse [1] sur tous les hommes qui se présenteront devant elles. Exhorte-les à la propreté, qui est l'image de la netteté de l'âme : parle-leur quelquefois de moi. Je voudrais les revoir dans ce lieu charmant qu'elles embellissent. Adieu.

De Tauris,
le 18 de la lune de Saphar 1711.

LETTRE 3

ZACHI À USBEK

À Tauris

Nous avons ordonné au chef des eunuques de nous mener à la campagne ; il te dira qu'aucun accident ne nous est arrivé. Quand il fallut traverser la rivière et quitter nos

1. Expression militaire qui signifie ici « faire exécuter ».

litières, nous nous mîmes, selon la coutume, dans des boîtes [1] : deux esclaves nous portèrent sur leurs épaules, et nous échappâmes à tous les regards.

Comment aurais-je pu vivre, cher Usbek, dans ton sérail d'Ispahan ? dans ces lieux qui, me rappelant sans cesse mes plaisirs passés, irritaient tous les jours mes désirs avec une nouvelle violence ? J'errais d'appartements en appartements, te cherchant toujours, et ne te trouvant jamais ; mais rencontrant partout un cruel souvenir de ma félicité passée. Tantôt je me voyais en ce lieu où, pour la première fois de ma vie, je te reçus dans mes bras ; tantôt dans celui où tu décidas cette fameuse querelle entre tes femmes : chacune de nous se prétendait supérieure aux autres en beauté : nous nous présentâmes devant toi, après avoir épuisé tout ce que l'imagination peut fournir de parures et d'ornements : tu vis avec plaisir les miracles de notre art ; tu admiras jusqu'où nous avait emporté l'ardeur de te plaire. Mais tu fis bientôt céder ces charmes empruntés à des grâces plus naturelles ; tu détruisis tout notre ouvrage : il fallut nous dépouiller de ces ornements, qui t'étaient devenus incommodes ; il fallut paraître à ta vue dans la simplicité de la nature. Je comptai pour rien la pudeur ; je ne pensai qu'à ma gloire. Heureux Usbek ! que de charmes furent étalés à tes yeux ! Nous te vîmes longtemps errer d'enchantements en enchantements : ton âme incertaine demeura longtemps sans se fixer : chaque grâce nouvelle te demandait un tribut : nous fûmes en un moment toutes couvertes de tes baisers : tu portas tes curieux regards dans les lieux les plus secrets : tu nous fis passer, en un instant, dans mille

1. Description librement inspirée de Chardin qui parle de «grandes *cuves* ou manière de *berceaux* couverts et fermés, où vont les femmes de qualité». Montesquieu entend surtout opposer radicalement la liberté et la mobilité des hommes au caractère irrémédiablement statique et cloîtré de la vie des femmes du sérail.

situations différentes: toujours de nouveaux commande-
ments, et une obéissance toujours nouvelle. Je te l'avoue,
Usbek; une passion encore plus vive que l'ambition me fit
souhaiter de te plaire. Je me vis insensiblement devenir la
maîtresse de ton cœur: tu me pris, tu me quittas; tu revins
à moi, et je sus te retenir: le triomphe fut tout pour moi,
et le désespoir pour mes rivales: il nous sembla que nous
fussions seuls dans le monde; tout ce qui nous entourait ne
fut plus digne de nous occuper. Plût au ciel que mes rivales
eussent eu le courage de rester témoins de toutes les
marques d'amour que je reçus de toi! Si elles avaient bien
vu mes transports, elles auraient senti la différence qu'il y a
de mon amour au leur; elles auraient vu que, si elles pou-
vaient disputer avec moi de charmes, elles ne pouvaient pas
disputer de sensibilité… Mais où suis-je? Où m'emmène ce
vain récit? C'est un malheur de n'être point aimée; mais
c'est un affront de ne l'être plus. Tu nous quittes, Usbek,
pour aller errer dans des climats barbares. Quoi! tu comptes
pour rien l'avantage d'être aimé? Hélas! tu ne sais pas
même ce que tu perds. Je pousse des soupirs qui ne sont
point entendus; mes larmes coulent, et tu n'en jouis pas;
il semble que l'amour respire dans le sérail, et ton insensi-
bilité t'en éloigne sans cesse! Ah! mon cher Usbek, si tu
savais être heureux!

Du sérail de Fatmé,
le 21 de la lune de Maharram 1711.

LETTRE 4

ZÉPHIS À USBEK

À Erzeron

Enfin ce monstre noir a résolu de me désespérer. Il veut, à toute force, m'ôter mon esclave Zélide, Zélide qui me sert avec tant d'affection, et dont les adroites mains portent partout les ornements et les grâces. Il ne lui suffit pas que cette séparation soit douloureuse ; il veut encore qu'elle soit déshonorante. Le traître veut regarder comme criminels les motifs de ma confiance : et, parce qu'il s'ennuie derrière la porte, où je le renvoie toujours, il ose supposer qu'il a entendu ou vu des choses, que je ne sais pas même imaginer. Je suis bien malheureuse ! Ma retraite, ni ma vertu, ne sauraient me mettre à l'abri de ses soupçons extravagants : un vil esclave vient m'attaquer jusque dans ton cœur, et il faut que je m'y défende. Non, j'ai trop de respect pour moi-même, pour descendre jusques à des justifications : je ne veux d'autre garant de ma conduite, que toi-même, que ton amour, que le mien ; et, s'il faut te le dire, cher Usbek, que mes larmes.

> *Du sérail de Fatmé,*
> *le 29 de la lune de Maharram 1711.*

LETTRE 5
RUSTAN À USBEK

À Erzeron

Tu es le sujet de toutes les conversations d'Ispahan ; on ne parle que de ton départ. Les uns l'attribuent à une légèreté d'esprit, les autres à quelque chagrin : tes amis seuls te défendent, et ils ne persuadent personne. On ne peut comprendre que tu puisses quitter tes femmes, tes parents, tes amis, ta patrie, pour aller dans des climats inconnus aux Persans. La mère de Rica est inconsolable ; elle te demande son fils, que tu lui as, dit-elle, enlevé. Pour moi, mon cher Usbek, je me sens naturellement porté à approuver tout ce que tu fais : mais je ne saurais te pardonner ton absence ; et, quelques raisons que tu m'en puisses donner, mon cœur ne les goûtera jamais. Adieu. Aime-moi toujours.

D'Ispahan,
le 28 de la lune de Rebiab, 1, 1711.

LETTRE 6
USBEK À SON AMI NESSIR

À Ispahan

À une journée d'Érivan[1], nous quittâmes la Perse, pour entrer dans les terres de l'obéissance des Turcs. Douze jours après, nous arrivâmes à Erzeron, où nous séjournerons trois ou quatre mois.

1. Capitale de l'Arménie.

Il faut que je te l'avoue, Nessir : j'ai senti une douleur secrète, quand j'ai perdu la Perse de vue, et que je me suis trouvé au milieu des perfides Osmanlins. À mesure que j'entrais dans les pays de ces profanes, il me semblait que je devenais profane moi-même.

Ma patrie, ma famille, mes amis, se sont présentés à mon esprit : ma tendresse s'est réveillée : une certaine inquiétude a achevé de me troubler, et m'a fait connaître que, pour mon repos, j'avais trop entrepris.

Mais ce qui afflige le plus mon cœur, ce sont mes femmes. Je ne puis penser à elles, que je ne sois dévoré de chagrins.

Ce n'est pas, Nessir, que je les aime : je me trouve, à cet égard, dans une insensibilité qui ne me laisse point de désirs. Dans le nombreux sérail où j'ai vécu, j'ai prévenu l'amour, et l'ai détruit par lui-même : mais, de ma froideur même, il sort une jalousie secrète qui me dévore. Je vois une troupe de femmes laissées presque à elles-mêmes ; je n'ai que des âmes lâches qui m'en répondent. J'aurais peine à être en sûreté, si mes esclaves étaient fidèles : que sera-ce, s'ils ne le sont pas ? Quelles tristes nouvelles peuvent m'en venir dans les pays éloignés que je vais parcourir ! C'est un mal où mes amis ne peuvent porter de remède : c'est un lieu dont ils doivent ignorer les tristes secrets ; et qu'y pourraient-ils faire ? N'aimerais-je pas mille fois mieux une obscure impunité, qu'une correction éclatante ? Je dépose en ton cœur tous mes chagrins, mon cher Nessir : c'est la seule consolation qui me reste, dans l'état où je suis.

D'Erzeron,
le 10 de la lune de Rebiab, 2, 1711.

LETTRE 7

FATMÉ À USBEK

À *Erzeron*

Il y a deux mois que tu es parti, mon cher Usbek ; et, dans l'abattement où je suis, je ne puis pas me le persuader encore. Je cours tout le sérail, comme si tu y étais ; je ne suis point désabusée. Que veux-tu que devienne une femme qui t'aime ; qui était accoutumée à te tenir dans ses bras ; qui n'était occupée que du soin de te donner des preuves de sa tendresse ; libre par l'avantage de sa naissance, esclave par la violence de son amour ?

Quand je t'épousai, mes yeux n'avaient point encore vu le visage d'un homme : tu es le seul encore dont la vue m'ait été permise* : car je ne mets pas au rang des hommes ces eunuques affreux, dont la moindre imperfection est de n'être point hommes. Quand je compare la beauté de ton visage avec la difformité du leur, je ne puis m'empêcher de m'estimer heureuse. Mon imagination ne me fournit point d'idée plus ravissante, que les charmes enchanteurs de ta personne. Je te le jure, Usbek ; quand il me serait permis de sortir de ce lieu, où je suis enfermée par la nécessité de ma condition ; quand je pourrais me dérober à la garde qui m'environne ; quand il me serait permis de choisir parmi tous les hommes qui vivent dans cette capitale des nations ; Usbek, je te le jure, je ne choisirais que toi. Il ne peut y avoir que toi dans le monde qui mérite d'être aimé.

Ne pense pas que ton absence m'ait fait négliger une

* Les femmes persanes sont beaucoup plus étroitement gardées, que les femmes turques et les femmes indiennes. (Les notes appelées par un astérisque sont de Montesquieu.)

beauté qui t'est chère. Quoique je ne doive être vue de personne, et que les ornements dont je me pare soient inutiles à ton bonheur, je cherche cependant à m'entretenir dans l'habitude de plaire : je ne me couche point que je ne me sois parfumée des essences les plus délicieuses. Je me rappelle ce temps heureux, où tu venais dans mes bras ; un songe flatteur, qui me séduit, me montre ce cher objet de mon amour ; mon imagination se perd dans ses désirs, comme elle se flatte dans ses espérances. Je pense quelquefois que, dégoûté d'un pénible voyage, tu vas revenir à nous : la nuit se passe dans des songes, qui n'appartiennent ni à la veille ni au sommeil : je te cherche à mes côtés, et il me semble que tu me fuis : enfin le feu, qui me dévore, dissipe lui-même ces enchantements et rappelle mes esprits. Je me trouve pour lors si animée... Tu ne le croirais pas, Usbek ; et il est impossible de vivre dans cet état ; le feu coule dans mes veines. Que ne puis-je t'exprimer ce que je sens si bien ! et comment sens-je si bien ce que je ne puis t'exprimer ? Dans ces moments, Usbek, je donnerais l'empire du monde pour un seul de tes baisers. Qu'une femme est malheureuse d'avoir des désirs si violents, lorsqu'elle est privée de celui qui peut seul les satisfaire ; que, livrée à elle-même, n'ayant rien qui puisse la distraire, il faut qu'elle vive dans l'habitude des soupirs et dans la fureur d'une passion irritée ; que, bien loin d'être heureuse, elle n'a pas même l'avantage de servir à la félicité d'un autre ; ornement inutile d'un sérail, gardée pour l'honneur, et non pas pour le bonheur de son époux !

Vous êtes bien cruels, vous autres hommes ! Vous êtes charmés que nous ayons des passions que nous ne puissions pas satisfaire : vous nous traitez comme si nous étions insensibles ; et vous seriez bien fâchés que nous le fussions : vous croyez que nos désirs, si longtemps mortifiés, seront irrités à votre vue. Il y a de la peine à se faire aimer ; il est

plus court d'obtenir du désespoir de nos sens ce que vous n'osez attendre de votre mérite.

Adieu, mon cher Usbek, adieu. Compte que je ne vis que pour t'adorer : mon âme est toute pleine de toi ; et ton absence, bien loin de te faire oublier, animerait mon amour, s'il pouvait devenir plus violent.

Du sérail d'Ispahan,
le 12 de la lune de Rebiab, 1, 1711.

LETTRE 8

USBEK À SON AMI RUSTAN

À *Ispahan*

Ta lettre m'a été rendue à Erzeron, où je suis. Je m'étais bien douté que mon départ ferait du bruit ; je ne m'en suis point mis en peine. Que veux-tu que je suive ? la prudence de mes ennemis, ou la mienne ?

Je parus à la cour dès ma plus tendre jeunesse. Je le puis dire, mon cœur ne s'y corrompit point : je formai même un grand dessein, j'osai y être vertueux. Dès que je connus le vice, je m'en éloignai ; mais je m'en approchai ensuite, pour le démasquer. Je portai la vérité jusques aux pieds du trône, j'y parlai un langage jusqu'alors inconnu : je déconcertai la flatterie, et j'étonnai en même temps les adorateurs et l'idole.

Mais, quand je vis que ma sincérité m'avait fait des ennemis ; que je m'étais attiré la jalousie des ministres, sans avoir la faveur du prince ; que, dans une cour corrompue, je ne me soutenais plus que par une faible vertu, je résolus de la quitter. Je feignis un grand attachement pour les sciences ; et, à force de le feindre, il me vint réellement. Je ne me

mêlai plus d'aucunes affaires; et je me retirai dans une maison de campagne. Mais ce parti même avait ses inconvénients: je restais toujours exposé à la malice de mes ennemis, et je m'étais presque ôté les moyens de m'en garantir. Quelques avis secrets me firent penser à moi sérieusement: je résolus de m'exiler de ma patrie; et ma retraite même de la cour m'en fournit un prétexte plausible. J'allai au roi; je lui marquai l'envie que j'avais de m'instruire dans les sciences de l'occident; je lui insinuai qu'il pourrait tirer de l'utilité de mes voyages: je trouvai grâce devant ses yeux; je partis, et je dérobai une victime à mes ennemis.

Voilà, Rustan, le véritable motif de mon voyage. Laisse parler Ispahan; ne me défends que devant ceux qui m'aiment. Laisse à mes ennemis leurs interprétations malignes: je suis trop heureux que ce soit le seul mal qu'ils me puissent faire.

On parle de moi à présent: peut-être ne serai-je que trop oublié, et que mes amis... Non, Rustan, je ne veux point me livrer à cette triste pensée: je leur serai toujours cher; je compte sur leur fidélité, comme sur la tienne.

D'Erzeron,
le 20 de la lune de Gemmadi, 2, 1711.

LETTRE 9

LE PREMIER EUNUQUE À IBBI

À *Erzeron*

Tu suis ton ancien maître dans ses voyages; tu parcours les provinces et les royaumes; les chagrins ne sauraient faire d'impression sur toi: chaque instant te montre des choses

nouvelles; tout ce que tu vois te récrée, et te fait passer le temps sans le sentir.

Il n'en est pas de même de moi, qui, enfermé dans une affreuse prison, suis toujours environné des mêmes objets, et dévoré des mêmes chagrins. Je gémis, accablé sous le poids des soins et des inquiétudes de cinquante années; et, dans le cours d'une longue vie, je ne puis pas dire avoir eu un jour serein, et un moment tranquille.

Lorsque mon premier maître eut formé le cruel projet de me confier ses femmes, et m'eut obligé, par des séductions soutenues de mille menaces, de me séparer pour jamais de moi-même; las de servir dans les emplois les plus pénibles, je comptai sacrifier mes passions à mon repos et à ma fortune. Malheureux que j'étais! mon esprit préoccupé me faisait voir le dédommagement, et non pas la perte: j'espérais que je serais délivré des atteintes de l'amour, par l'impuissance de le satisfaire. Hélas! on éteignit en moi l'effet des passions, sans en éteindre la cause; et, bien loin d'en être soulagé, je me trouvai environné d'objets qui les irritaient sans cesse. J'entrai dans le sérail, où tout m'inspirait le regret de ce que j'avais perdu: je me sentais animé à chaque instant: mille grâces naturelles semblaient ne se découvrir à ma vue, que pour me désoler: pour comble de malheurs, j'avais toujours devant les yeux un homme heureux. Dans ce temps de trouble, je n'ai jamais conduit une femme dans le lit de mon maître, je ne l'ai jamais déshabillée, que je ne sois rentré chez moi la rage dans le cœur, et un affreux désespoir dans l'âme.

Voilà comme j'ai passé ma misérable jeunesse. Je n'avais de confident que moi-même. Chargé d'ennuis et de chagrins, il me les fallait dévorer: et ces mêmes femmes, que j'étais tenté de regarder avec des yeux si tendres, je ne les envisageais qu'avec des regards sévères: j'étais perdu, si elles m'avaient pénétré; quel avantage n'en auraient-elles pas pris?

Je me souviens qu'un jour que je mettais une femme dans le bain, je me sentis si transporté, que je perdis entièrement la raison, et que j'osai porter ma main dans un lieu redoutable. Je crus, à la première réflexion, que ce jour était le dernier de mes jours : je fus pourtant assez heureux pour échapper à mille morts : mais la beauté, que j'avais faite confidente de ma faiblesse, me vendit bien cher son silence ; je perdis entièrement mon autorité sur elle ; et elle m'a obligé depuis à des condescendances qui m'ont exposé mille fois à perdre la vie.

Enfin, les feux de la jeunesse ont passé ; je suis vieux, et je me trouve, à cet égard, dans un état tranquille : je regarde les femmes avec indifférence ; et je leur rends bien tous leurs mépris, et tous les tourments qu'elles m'ont fait souffrir. Je me souviens toujours que j'étais né pour les commander ; et il me semble que je redeviens homme, dans les occasions où je leur commande encore. Je les hais, depuis que je les envisage de sens froid[1], et que ma raison me laisse voir toutes leurs faiblesses. Quoique je les garde pour un autre, le plaisir de me faire obéir me donne une joie secrète : quand je les prive de tout, il me semble que c'est pour moi, et il m'en revient toujours une satisfaction indirecte : je me trouve dans le sérail comme dans un petit empire ; et mon ambition, la seule passion qui me reste, se satisfait un peu. Je vois avec plaisir que tout roule sur moi, et qu'à tous les instants je suis nécessaire : je me charge volontiers de la haine de toutes ces femmes, qui m'affermit dans le poste où je suis. Aussi n'ont-elles pas affaire à un ingrat : elles me trouvent au-devant de tous leurs plaisirs les plus innocents : je me présente toujours à elles comme une barrière inébranlable : elles forment des projets, et je les

1. L'orthographe est hésitante à l'époque : on écrirait aujourd'hui « sang-froid », ce qui signifie « calmement », « sans colère ».

arrête soudain : je m'arme de refus ; je me hérisse de scru-
pules ; je n'ai jamais dans la bouche que les mots de devoir,
de vertu, de pudeur, de modestie : je les désespère, en leur
parlant sans cesse de la faiblesse de leur sexe, et de l'auto-
rité du maître : je me plains ensuite d'être obligé à tant de
sévérité ; et je semble vouloir leur faire entendre que je n'ai
d'autre motif que leur propre intérêt, et un grand attache-
ment pour elles.

 Ce n'est pas qu'à mon tour je n'aie un nombre infini de
désagréments, et que tous les jours ces femmes vindicatives
ne cherchent à renchérir sur ceux que je leur donne. Elles
ont des revers[1] terribles. Il y a, entre nous, comme un flux
et un reflux d'empire et de soumission : elles font toujours
tomber sur moi les emplois les plus humiliants ; elles affec-
tent un mépris qui n'a point d'exemple ; et, sans égard pour
ma vieillesse, elles me font lever la nuit dix fois pour la
moindre bagatelle : je suis accablé sans cesse d'ordres, de
commandements, d'emplois, de caprices : il semble qu'elles
se relaient pour m'exercer, et que leurs fantaisies se suc-
cèdent : souvent elles se plaisent à me faire redoubler de
soins ; elles me font faire de fausses confidences : tantôt on
vient me dire qu'il a paru un jeune homme autour de ces
murs ; une autre fois, qu'on a entendu du bruit, ou bien
qu'on doit rendre une lettre : tout ceci me trouble, et elles
rient de ce trouble : elles sont charmées de me voir ainsi
me tourmenter moi-même. Une autre fois, elles m'atta-
chent derrière leur porte, et m'y enchaînent nuit et jour.
Elles savent bien feindre des maladies, des défaillances, des
frayeurs : elles ne manquent pas de prétexte pour me mener
au point où elles veulent. Il faut, dans ces occasions, une
obéissance aveugle et une complaisance sans bornes : un

 1. Littéralement, coup donné du dos de la main, soit ici : « châti-
ment », « punition ».

refus, dans la bouche d'un homme comme moi, serait une chose inouïe ; et, si je balançais à leur obéir, elles seraient en droit de me châtier. J'aimerais autant perdre la vie, mon cher Ibbi, que de descendre à cette humiliation.

Ce n'est pas tout : je ne suis jamais sûr d'être un instant dans la faveur de mon maître : j'ai autant d'ennemies dans son cœur, qui ne songent qu'à me perdre : elles ont des quarts d'heure où je ne suis point écouté, des quarts d'heure où l'on ne refuse rien, des quarts d'heure où j'ai toujours tort. Je mène dans le lit de mon maître des femmes irritées : crois-tu que l'on y travaille pour moi, et que mon parti soit le plus fort ? J'ai tout à craindre de leurs larmes, de leurs soupirs, de leurs embrassements, et de leurs plaisirs mêmes : elles sont dans le lieu de leurs triomphes ; leurs charmes me deviennent terribles ; les services présents effacent, dans un moment, tous mes services passés ; et rien ne peut me répondre d'un maître qui n'est plus à lui-même.

Combien de fois m'est-il arrivé de me coucher dans la faveur, et de me lever dans la disgrâce ? Le jour que je fus fouetté si indignement autour du sérail, qu'avais-je fait ? Je laisse une femme dans les bras de mon maître : dès qu'elle le vit enflammé, elle versa un torrent de larmes ; elle se plaignit, et ménagea si bien ses plaintes, qu'elles augmentaient, à mesure de l'amour qu'elle faisait naître. Comment aurais-je pu me soutenir dans un moment si critique ? Je fus perdu, lorsque je m'y attendais le moins ; je fus la victime d'une négociation amoureuse, et d'un traité que les soupirs avaient fait. Voilà, cher Ibbi, l'état cruel dans lequel j'ai toujours vécu.

Que tu es heureux ! tes soins se bornent uniquement à la personne d'Usbek. Il t'est facile de lui plaire, et de te maintenir dans sa faveur jusques au dernier de tes jours.

Du sérail d'Ispahan,
le dernier de la lune de Saphar 1711.

LETTRE 10

MIRZA À SON AMI USBEK

À *Erzeron*

Tu étais le seul qui pût me dédommager de l'absence de Rica ; et il n'y avait que Rica qui pût me consoler de la tienne. Tu nous manques, Usbek ; tu étais l'âme de notre société. Qu'il faut de violence pour rompre les engagements que le cœur et l'esprit ont formés !

Nous disputons ici beaucoup ; nos disputes roulent ordinairement sur la morale. Hier on mit en question, si les hommes étaient heureux par les plaisirs et les satisfactions des sens, ou par la pratique de la vertu ? Je t'ai souvent ouï dire que les hommes étaient nés pour être vertueux ; et que la justice est une qualité qui leur est aussi propre que l'existence. Explique-moi, je te prie, ce que tu veux dire.

J'ai parlé à des mollaks, qui me désespèrent avec leurs passages de l'Alcoran : car je ne leur parle pas comme vrai croyant, mais comme homme, comme citoyen, comme père de famille. Adieu.

D'Ispahan,
le dernier de la lune de Saphar 1711.

LETTRE 11

USBEK À MIRZA

À *Ispahan*

Tu renonces à ta raison, pour essayer la mienne ; tu descends jusqu'à me consulter ; tu me crois capable de t'ins-

truire. Mon cher Mirza, il y a une chose qui me flatte encore plus que la bonne opinion que tu as conçue de moi ; c'est ton amitié, qui me la procure.

Pour remplir ce que tu me prescris, je n'ai pas cru devoir employer des raisonnements fort abstraits. Il y a de certaines vérités qu'il ne suffit pas de persuader, mais qu'il faut encore faire sentir ; telles sont les vérités de morale. Peut-être que ce morceau d'histoire te touchera plus qu'une philosophie subtile.

Il y avait, en Arabie, un petit peuple, appelé Troglodyte, qui descendait de ces anciens Troglodytes, qui, si nous en croyons les historiens, ressemblaient plus à des bêtes qu'à des hommes[1]. Ceux-ci n'étaient point si contrefaits, ils n'étaient point velus comme des ours, ils ne sifflaient point, ils avaient deux yeux : mais ils étaient si méchants et si féroces, qu'il n'y avait parmi eux aucun principe d'équité, ni de justice.

Ils avaient un roi d'une origine étrangère, qui, voulant corriger la méchanceté de leur naturel, les traitait sévèrement : mais ils conjurèrent contre lui, le tuèrent, et exterminèrent toute la famille royale.

Le coup étant fait, ils s'assemblèrent, pour choisir un gouvernement ; et, après bien des dissensions, ils créèrent des magistrats. Mais, à peine les eurent-ils élus, qu'ils leur devinrent insupportables ; et ils les massacrèrent encore.

Ce peuple, libre de ce nouveau joug, ne consulta plus que son naturel sauvage. Tous les particuliers convinrent qu'ils n'obéiraient plus à personne ; que chacun veillerait uniquement à ses intérêts, sans consulter ceux des autres.

Cette résolution unanime flattait extrêmement tous les

1. Les Troglodytes habitaient des cavernes, on les situait au bord de la mer Rouge. Hérodote, Pline, Strabon ou Pomponius Mela y font référence.

particuliers. Ils disaient : « Qu'ai-je affaire d'aller me tuer à travailler pour des gens dont je ne me soucie point ? Je penserai uniquement à moi. Je vivrai heureux ; que m'importe que les autres le soient ? Je me procurerai tous mes besoins ; et, pourvu que je les aie, je ne me soucie point que tous les autres Troglodytes soient misérables. »

On était dans le mois où l'on ensemence les terres ; chacun dit : « Je ne labourerai mon champ que pour qu'il me fournisse le blé qu'il me faut pour me nourrir ; une plus grande quantité me serait inutile : je ne prendrai point de la peine pour rien. »

Les terres de ce petit royaume n'étaient pas de même nature : il y en avait d'arides et de montagneuses ; et d'autres qui, dans un terrain bas, étaient arrosées de plusieurs ruisseaux. Cette année, la sécheresse fut très grande, de manière que les terres qui étaient dans les lieux élevés manquèrent absolument, tandis que celles qui purent être arrosées furent très fertiles : ainsi les peuples des montagnes périrent presque tous de faim, par la dureté des autres, qui leur refusèrent de partager la récolte.

L'année d'ensuite fut très pluvieuse : les lieux élevés se trouvèrent d'une fertilité extraordinaire, et les terres basses furent submergées. La moitié du peuple cria une seconde fois famine ; mais ces misérables trouvèrent des gens aussi durs qu'ils l'avaient été eux-mêmes.

Un des principaux habitants avait une femme fort belle ; son voisin en devint amoureux, et l'enleva : il s'émut une grande querelle ; et, après bien des injures et des coups, ils convinrent de s'en remettre à la décision d'un Troglodyte, qui, pendant que la république subsistait, avait eu quelque crédit. Ils allèrent à lui, et voulurent lui dire leurs raisons. « Que m'importe, dit cet homme, que cette femme soit à vous, ou à vous ? J'ai mon champ à labourer ; je n'irai peut-être pas employer mon temps à terminer vos différends, et

à travailler à vos affaires, tandis que je négligerai les miennes. Je vous prie de me laisser en repos, et de ne m'importuner plus de vos querelles. » Là-dessus, il les quitta, et s'en alla travailler sa terre. Le ravisseur, qui était le plus fort, jura qu'il mourrait plutôt que de rendre cette femme ; et l'autre, pénétré de l'injustice de son voisin et de la dureté du juge, s'en retournait désespéré, lorsqu'il trouva dans son chemin une femme jeune et belle, qui revenait de la fontaine : il n'avait plus de femme, celle-là lui plut ; et elle lui plut bien davantage, lorsqu'il apprit que c'était la femme de celui qu'il avait voulu prendre pour juge, et qui avait été si peu sensible à son malheur. Il l'enleva, et l'emmena dans sa maison.

Il y avait un homme qui possédait un champ assez fertile, qu'il cultivait avec grand soin : deux de ses voisins s'unirent ensemble, le chassèrent de sa maison, occupèrent son champ : ils firent entre eux une union pour se défendre contre tous ceux qui voudraient l'usurper ; et effectivement ils se soutinrent par là pendant plusieurs mois. Mais un des deux, ennuyé de partager ce qu'il pouvait avoir tout seul, tua l'autre, et devint seul maître du champ. Son empire ne fut pas long : deux autres Troglodytes vinrent l'attaquer ; il se trouva trop faible pour se défendre, et il fut massacré.

Un Troglodyte presque tout nu vit de la laine qui était à vendre ; il en demanda le prix : le marchand dit en lui-même : « Naturellement je ne devrais espérer de ma laine qu'autant d'argent qu'il en faut pour acheter deux mesures de blé ; mais je la vais vendre quatre fois davantage, afin d'avoir huit mesures. » Il fallut en passer par-là, et payer le prix demandé. « Je suis bien aise, dit le marchand, j'aurai du blé à présent. — Que dites-vous ? reprit l'acheteur. Vous avez besoin de blé ? J'en ai à vendre : il n'y a que le prix qui vous étonnera peut-être ; car vous saurez que le blé est extrêmement cher, et que la famine règne presque partout : mais rendez-moi mon argent, et je vous donnerai une

mesure de blé ; car je ne veux pas m'en défaire autrement, dussiez-vous crever de faim. »

Cependant une maladie cruelle ravageait la contrée. Un médecin habile y arriva du pays voisin, et donna ses remèdes si à propos, qu'il guérit tous ceux qui se mirent dans ses mains. Quand la maladie eut cessé, il alla, chez tous ceux qu'il avait traités, demander son salaire ; mais il ne trouva que des refus : il retourna dans son pays, et il y arriva accablé des fatigues d'un si long voyage. Mais, bientôt après, il apprit que la même maladie se faisait sentir de nouveau, et affligeait plus que jamais cette terre ingrate. Ils allèrent à lui cette fois, et n'attendirent pas qu'il vînt chez eux. « Allez, leur dit-il, hommes injustes, vous avez dans l'âme un poison plus mortel que celui dont vous voulez guérir ; vous ne méritez pas d'occuper une place sur la terre, parce que vous n'avez point d'humanité, et que les règles de l'équité vous sont inconnues : je croirais offenser les dieux qui vous punissent, si je m'opposais à la justice de leur colère. »

D'Erzeron,
le 3 de la lune de Gemmadi, 2, 1711.

LETTRE 12

USBEK AU MÊME

À Ispahan

Tu as vu, mon cher Mirza, comment les Troglodytes périrent par leur méchanceté même, et furent les victimes de leurs propres injustices. De tant de familles, il n'en resta que deux, qui échappèrent aux malheurs de la nation. Il y avait, dans ce pays, deux hommes bien singuliers : ils avaient de l'humanité ; ils connaissaient la justice ; ils aimaient la

vertu : autant liés par la droiture de leur cœur, que par la corruption de celui des autres, ils voyaient la désolation générale, et ne la ressentaient que par la pitié : c'était le motif d'une union nouvelle. Ils travaillaient, avec une sollicitude commune, pour l'intérêt commun ; ils n'avaient de différends, que ceux qu'une douce et tendre amitié faisait naître ; et, dans l'endroit du pays le plus écarté, séparés de leurs compatriotes indignes de leur présence, ils menaient une vie heureuse et tranquille : la terre semblait produire d'elle-même, cultivée par ces vertueuses mains.

Ils aimaient leurs femmes, et ils en étaient tendrement chéris. Toute leur attention était d'élever leurs enfants à la vertu. Ils leur représentaient sans cesse les malheurs de leurs compatriotes, et leur mettaient devant les yeux cet exemple si triste : ils leur faisaient surtout sentir que l'intérêt des particuliers se trouve toujours dans l'intérêt commun ; que vouloir s'en séparer, c'est vouloir se perdre ; que la vertu n'est point une chose qui doive nous coûter ; qu'il ne faut point la regarder comme un exercice pénible ; et que la justice pour autrui est une charité pour nous.

Ils eurent bientôt la consolation des pères vertueux, qui est d'avoir des enfants qui leur ressemblent. Le jeune peuple qui s'éleva sous leurs yeux s'accrut par d'heureux mariages : le nombre augmenta, l'union fut toujours la même ; et la vertu, bien loin de s'affaiblir dans la multitude, fut fortifiée, au contraire, par un plus grand nombre d'exemples.

Qui pourrait représenter ici le bonheur de ces Troglodytes ? Un peuple si juste devait être chéri des dieux. Dès qu'il ouvrit les yeux pour les connaître, il apprit à les craindre ; et la religion vint adoucir dans les mœurs ce que la nature y avait laissé de trop rude.

Ils instituèrent des fêtes en l'honneur des dieux. Les jeunes filles ornées de fleurs, et les jeunes garçons les célébraient par leurs danses, et par les accords d'une musique

champêtre : on faisait ensuite des festins, où la joie ne régnait pas moins que la frugalité. C'était dans ces assemblées que parlait la nature naïve ; c'est là qu'on apprenait à donner le cœur et à le recevoir ; c'est là que la pudeur virginale faisait, en rougissant, un aveu surpris, mais bientôt confirmé par le consentement des pères ; et c'est là que les tendres mères se plaisaient à prévoir de loin une union douce et fidèle.

On allait au temple pour demander les faveurs des dieux : ce n'était pas les richesses, et une onéreuse abondance ; de pareils souhaits étaient indignes des heureux Troglodytes ; ils ne savaient les désirer que pour leurs compatriotes. Ils n'étaient aux pieds des autels que pour demander la santé de leurs pères, l'union de leurs frères, la tendresse de leurs femmes, l'amour et l'obéissance de leurs enfants. Les filles y venaient apporter le tendre sacrifice de leur cœur ; et ne leur demandaient d'autre grâce, que celle de pouvoir rendre un Troglodyte heureux.

Le soir, lorsque les troupeaux quittaient les prairies, et que les bœufs fatigués avaient ramené la charrue, ils s'assemblaient ; et, dans un repas frugal, ils chantaient les injustices des premiers Troglodytes, et leurs malheurs, la vertu renaissante avec un nouveau peuple, et sa félicité : ils célébraient les grandeurs des dieux, leurs faveurs toujours présentes aux hommes qui les implorent, et leur colère inévitable à ceux qui ne les craignent pas : ils décrivaient ensuite les délices de la vie champêtre, et le bonheur d'une condition toujours parée de l'innocence. Bientôt, ils s'abandonnaient à un sommeil que les soins et les chagrins n'interrompaient jamais.

La nature ne fournissait pas moins à leurs désirs qu'à leurs besoins. Dans ce pays heureux, la cupidité était étrangère ; ils se faisaient des présents, où celui qui donnait croyait toujours avoir l'avantage. Le peuple Troglodyte se regardait

comme une seule famille: les troupeaux étaient presque toujours confondus; la seule peine qu'on s'épargnait ordinairement, c'était de les partager.

D'Erzeron,
le 6 de la lune de Gemmadi, 2, 1711.

LETTRE 13

USBEK AU MÊME

Je ne saurais assez te parler de la vertu des Troglodytes. Un d'eux disait un jour: «Mon père doit demain labourer son champ: je me lèverai deux heures avant lui; et, quand il ira à son champ, il le trouvera tout labouré.»

Un autre disait en lui-même: «Il me semble que ma sœur a du goût pour un jeune Troglodyte de nos parents; il faut que je parle à mon père, et que je le détermine à faire ce mariage.»

On vint dire à un autre que des voleurs avaient enlevé son troupeau: «J'en suis bien fâché, dit-il; car il y avait une génisse toute blanche, que je voulais offrir aux dieux.»

On entendait dire à un autre: «Il faut que j'aille au temple remercier les dieux; car mon frère, que mon père aime tant, et que je chéris si fort, a recouvré la santé.»

Ou bien: «Il y a un champ qui touche celui de mon père, et ceux qui le cultivent sont tous les jours exposés aux ardeurs du soleil: il faut que j'aille y planter deux arbres, afin que ces pauvres gens puissent aller quelquefois se reposer sous leur ombre.»

Un jour que plusieurs Troglodytes étaient assemblés, un vieillard parla d'un jeune homme qu'il soupçonnait d'avoir commis une mauvaise action, et lui en fit des reproches. «Nous ne croyons pas qu'il ait commis ce crime, dirent les

jeunes Troglodytes : mais, s'il l'a fait, puisse-t-il mourir le dernier de sa famille ! [1] »

On vint dire à un Troglodyte que des étrangers avaient pillé sa maison, et avaient tout emporté. « S'ils n'étaient pas injustes, répondit-il, je souhaiterais que les dieux leur en donnassent un plus long usage qu'à moi. »

Tant de prospérités ne furent pas regardées sans envie : les peuples voisins s'assemblèrent ; et, sous un vain prétexte, ils résolurent d'enlever leurs troupeaux. Dès que cette résolution fut connue, les Troglodytes envoyèrent au-devant d'eux des ambassadeurs, qui leur parlèrent ainsi :

« Que vous ont fait les Troglodytes ? Ont-ils enlevé vos femmes, dérobé vos bestiaux, ravagé vos campagnes ? Non : nous sommes justes, et nous craignons les dieux. Que demandez-vous donc de nous ? Voulez-vous de la laine pour vous faire des habits ? voulez-vous du lait pour vos troupeaux ? ou des fruits de nos terres ? Mettez bas les armes, venez au milieu de nous, et nous vous donnerons de tout cela. Mais nous jurons, par ce qu'il y a de plus sacré, que, si vous entrez dans nos terres comme ennemis, nous vous regarderons comme un peuple injuste, et que nous vous traiterons comme des bêtes farouches. »

Ces paroles furent renvoyées avec mépris ; ces peuples sauvages entrèrent armés dans la terre des Troglodytes, qu'ils ne croyaient défendus que par leur innocence.

Mais ils étaient bien disposés à la défense. Ils avaient mis leurs femmes et leurs enfants au milieu d'eux. Ils furent étonnés de l'injustice de leurs ennemis, et non pas de leur nombre. Une ardeur nouvelle s'était emparée de leur cœur : l'un voulait mourir pour son père, un autre pour sa femme et ses enfants, celui-ci pour ses frères, celui-là pour ses amis, tous pour le peuple Troglodyte : la place de celui qui expi-

1. Formule de malédiction, signifiant « mourir sans descendance ».

rait était d'abord prise par un autre, qui, outre la cause commune, avait encore une mort particulière à venger.

Tel fut le combat de l'injustice et de la vertu. Ces peuples lâches, qui ne cherchaient que le butin, n'eurent pas honte de fuir; et ils cédèrent à la vertu des Troglodytes, même sans en être touchés.

D'Erzeron,
le 9 de la lune de Gemmadi, 2, 1711.

LETTRE 14

USBEK AU MÊME

Comme le peuple grossissait tous les jours, les Troglodytes crurent qu'il était à propos de se choisir un roi; ils convinrent qu'il fallait déférer la couronne à celui qui était le plus juste; et ils jetèrent tous les yeux sur un vieillard vénérable par son âge et par une longue vertu. Il n'avait pas voulu se trouver à cette assemblée; il s'était retiré dans sa maison, le cœur serré de tristesse.

Lorsqu'on lui envoya des députés pour lui apprendre le choix qu'on avait fait de lui: «À Dieu ne plaise, dit-il, que je fasse ce tort aux Troglodytes, que l'on puisse croire qu'il n'y a personne parmi eux de plus juste que moi. Vous me déférez la couronne; et, si vous le voulez absolument, il faudra bien que je la prenne: mais comptez que je mourrai de douleur, d'avoir vu, en naissant, les Troglodytes libres, et de les voir aujourd'hui assujettis.» À ces mots, il se mit à répandre un torrent de larmes. Malheureux jour, disait-il! et pourquoi ai-je tant vécu? Puis il s'écria d'une voix sévère: «Je vois bien ce que c'est, ô Troglodytes; votre vertu commence à vous peser. Dans l'état où vous êtes, n'ayant point de chef, il faut que vous soyez vertueux mal-

gré vous ; sans cela, vous ne sauriez subsister, et vous tom-
beriez dans le malheur de vos premiers pères. Mais ce joug
vous paraît trop dur : vous aimez mieux être soumis à un
prince, et obéir à ses lois moins rigides que vos mœurs.
Vous savez que, pour lors, vous pourrez contenter votre
ambition, acquérir des richesses, et languir dans une lâche
volupté ; et que, pourvu que vous évitiez de tomber dans
les grands crimes, vous n'aurez pas besoin de la vertu. » Il
s'arrêta un moment, et ses larmes coulèrent plus que
jamais. « Et que prétendez-vous que je fasse ? Comment se
peut-il que je commande quelque chose à un Troglodyte ?
Voulez-vous qu'il fasse une action vertueuse, parce que je la
lui commande, lui qui la ferait tout de même sans moi, et
par le seul penchant de la nature ? Ô Troglodytes, je suis à
la fin de mes jours, mon sang est glacé dans mes veines, je
vais bientôt revoir vos sacrés aïeux ; pourquoi voulez-vous
que je les afflige ; et que je sois obligé de leur dire que je
vous ai laissés sous un autre joug que celui de la vertu ? »

D'Erzeron,
le 10 de la lune de Gemmadi, 2, 1711.

LETTRE 15

LE PREMIER EUNUQUE
À JARON, EUNUQUE NOIR

À *Erzeron*

Je prie le ciel qu'il te ramène dans ces lieux, et te dérobe
à tous les dangers.

Quoique je n'aie guère jamais connu cet engagement
qu'on appelle amitié, et que je me sois enveloppé tout entier
dans moi-même, tu m'as cependant fait sentir que j'avais

encore un cœur; et, pendant que j'étais de bronze pour tous ces esclaves qui vivaient sous mes lois, je voyais croître ton enfance avec plaisir.

Le temps vint où mon maître jeta sur toi les yeux. Il s'en fallait bien que la nature eût encore parlé, lorsque le fer te sépara de la nature. Je ne te dirai point si je te plaignis, ou si je sentis du plaisir à te voir élevé jusqu'à moi. J'apaisai tes pleurs et tes cris. Je crus te voir prendre une seconde naissance, et sortir d'une servitude où tu devais toujours obéir, pour entrer dans une servitude où tu devais commander. Je pris soin de ton éducation. La sévérité, toujours inséparable des instructions, te fit longtemps ignorer que tu m'étais cher. Tu me l'étais pourtant: et je te dirai que je t'aimais comme un père aime son fils, si ces noms de père et de fils pouvaient convenir à notre destinée.

Tu vas parcourir les pays habités par les chrétiens, qui n'ont jamais cru. Il est impossible que tu n'y contractes bien des souillures. Comment le prophète pourrait-il te regarder au milieu de tant de millions de ses ennemis? Je voudrais que mon maître fît, à son retour, le pèlerinage de la Mecque: vous vous purifieriez tous dans la terre des anges.

Du sérail d'Ispahan,
le 10 de la lune de Gemmadi 1711.

LETTRE 16

USBEK AU MOLLAK
MÉHÉMET-ALI, GARDIEN
DES TROIS TOMBEAUX[1]

À Com

Pourquoi vis-tu dans les tombeaux, divin mollak ? Tu es bien plus fait pour le séjour des étoiles. Tu te caches, sans doute, de peur d'obscurcir le soleil : tu n'as point de taches comme cet astre ; mais, comme lui, tu te couvres de nuages.

Ta science est un abîme plus profond que l'océan : ton esprit est plus perçant que Zufagar, cette épée d'Hali, qui avait deux pointes : tu sais ce qui se passe dans les neuf chœurs des puissances célestes : tu lis l'Alcoran sur la poitrine de notre divin prophète ; et, lorsque tu trouves quelque passage obscur, un ange, par son ordre, déploie ses ailes rapides, et descend du trône, pour t'en révéler le secret.

Je pourrais, par ton moyen, avoir avec les séraphins une intime correspondance : car enfin, treizième iman[2], n'es-tu pas le centre où le ciel et la terre aboutissent, et le point de communication entre l'abîme et l'empyrée[3] ?

Je suis au milieu d'un peuple profane. Permets que je me purifie avec toi : souffre que je tourne mon visage vers les lieux sacrés que tu habites : distingue-moi des méchants,

1. Soit ceux de Fatmé (voir lettre 1, note 1) et des rois Séfi I^{er} et Abbas II.

2. Éloge hyperbolique, puisque Usbek place ainsi son correspondant dans la lignée des douze successeurs (ou *imans*) de Mahomet depuis Ali. Le terme *iman* a aussi un sens plus général de guide spirituel.

3. Soit l'opposition entre l'enfer, situé au plus profond de la mer, et le point le plus élevé du ciel, où les saints vivent dans la béatitude. Cette cosmologie toute religieuse doit être comparée à la vision scientifique de l'univers, inspirée de Descartes, dans la lettre 97.

comme on distingue, au lever de l'aurore, le filet blanc d'avec le filet noir[1] : aide-moi de tes conseils : prends soin de mon âme : enivre-la de l'esprit des prophètes : nourris-la de la science du paradis ; et permets que je mette ses plaies à tes pieds. Adresse tes lettres sacrées à Erzeron, où je resterai quelques mois.

D'Erzeron,
le 11 de la lune de Gemmadi, 2, 1711.

LETTRE 17

USBEK AU MÊME

Je ne puis, divin mollak, calmer mon impatience : je ne saurais attendre ta sublime réponse. J'ai des doutes, il faut les fixer : je sens que ma raison s'égare ; ramène-la dans le droit chemin : viens m'éclairer, source de lumière ; foudroie, avec ta plume divine, les difficultés que je vais te proposer ; fais-moi pitié de moi-même, et rougir de la question que je vais te faire.

D'où vient que notre législateur nous prive de la chair de pourceau, et de toutes les viandes qu'il appelle immondes ? D'où vient qu'il nous défend de toucher un corps mort ? et que, pour purifier notre âme, il nous ordonne de nous laver sans cesse le corps ? Il me semble que les choses ne sont en elles-mêmes ni pures, ni impures : je ne puis concevoir aucune qualité inhérente au sujet, qui puisse les rendre telles. La boue ne nous paraît sale, que parce qu'elle blesse notre vue, ou quelque autre de nos sens : mais, en ellemême, elle ne l'est pas plus que l'or et les diamants. L'idée de souillure, contractée par l'attouchement d'un cadavre,

1. L'expression vient du Coran (II, 183).

ne nous est venue que d'une certaine répugnance naturelle que nous en avons. Si les corps de ceux qui ne se lavent point ne blessaient ni l'odorat, ni la vue, comment aurait-on pu s'imaginer qu'ils fussent impurs ?

Les sens, divin mollak, doivent donc être les seuls juges de la pureté, ou de l'impureté des choses ? Mais, comme les objets n'affectent point les hommes de la même manière ; que ce qui donne une sensation agréable aux uns, en produit une dégoûtante chez les autres ; il suit que le témoignage des sens ne peut servir ici de règle : à moins qu'on ne dise que chacun peut, à sa fantaisie, décider ce point, et distinguer, pour ce qui le concerne, les choses pures d'avec celles qui ne le sont pas.

Mais cela même, sacré mollak, ne renverserait-il pas les distinctions établies par notre divin prophète, et les points fondamentaux de la loi qui a été écrite de la main des anges ?

D'Erzeron,
le 20 de la lune de Gemmadi, 2, 1711.

LETTRE 18

MÉHÉMET-ALI, SERVITEUR
DES PROPHÈTES, À USBEK

À *Erzeron*

Vous nous faites toujours des questions qu'on a faites mille fois à notre saint prophète. Que ne lisez-vous les traditions des docteurs[1] ? Que n'allez-vous à cette source pure

1. Montesquieu fait référence aux *Hadith*, recueil des actes et paroles du prophète, rassemblés par ses premiers successeurs et transmis par la tradition.

de toute intelligence? Vous trouveriez tous vos doutes résolus.

Malheureux! qui, toujours embarrassés des choses de la terre, n'avez jamais regardé d'un œil fixe celles du ciel, et qui révérez la condition des mollaks, sans oser ni l'embrasser, ni la suivre!

Profanes! qui n'entrez jamais dans les secrets de l'Éternel, vos lumières ressemblent aux ténèbres de l'abîme; et les raisonnements de votre esprit sont comme la poussière que vos pieds font élever, lorsque le soleil est dans son midi dans le mois ardent de chahban.

Aussi le zénith de votre esprit ne va pas au nadir[1] de celui du moindre des immaums*: votre vaine philosophie est cet éclair, qui annonce l'orage et l'obscurité: vous êtes au milieu de la tempête, et vous errez au gré des vents.

Il est bien facile de répondre à votre difficulté: il ne faut, pour cela, que vous raconter ce qui arriva un jour à notre saint prophète, lorsque, tenté par les chrétiens, éprouvé par les Juifs, il confondit également les uns et les autres.

Le Juif Abdias Ibesalon** lui demanda pourquoi Dieu avait défendu de manger de la chair de pourceau. Ce n'est pas sans raison, répondit Mahomet: c'est un animal immonde; et je vais vous en convaincre. Il fit sur sa main, avec de la boue, la figure d'un homme; il la jeta à terre, et lui cria: «Levez-vous.» Sur-le-champ, un homme se leva, et dit: «Je suis Japhet, fils de Noé. — Avais-tu les cheveux aussi blancs quand tu es mort?», lui dit le saint prophète. «Non, répondit-il: mais, quand tu m'as réveillé, j'ai cru que le jour du

* Ce mot est plus en usage chez les Turcs que chez les Persans.
** Tradition mahométane[2].
1. Point de la sphère céleste qui s'oppose au *zénith*.
2. Montesquieu s'inspire d'assez près d'un récit du *Machumedis Saracenorum principis doctrina* (s.l., 1550) d'Hermannus Dalmata.

jugement était venu; et j'ai eu une si grande frayeur, que mes cheveux ont blanchi tout à coup.»

«Or çà, raconte-moi, lui dit l'envoyé de Dieu, toute l'histoire de l'arche de Noé.» Japhet obéit, et détailla exactement tout ce qui s'était passé les premiers mois; après quoi, il parla ainsi:

«Nous mîmes les ordures de tous les animaux dans un côté de l'arche: ce qui la fit si fort pencher, que nous en eûmes une peur mortelle; surtout nos femmes, qui se lamentaient de la belle manière. Notre père Noé ayant été au conseil de Dieu, il lui commanda de prendre l'éléphant, et de lui faire tourner la tête vers le côté qui penchait. Ce grand animal fit tant d'ordures, qu'il en naquit un cochon. Croyez-vous, Usbek, que, depuis ce temps-là, nous nous en soyons abstenus, et que nous l'ayons regardé comme un animal immonde?

«Mais, comme le cochon remuait tous les jours ces ordures, il s'éleva une telle puanteur dans l'arche, qu'il ne put lui-même s'empêcher d'éternuer; et il sortit de son nez un rat, qui allait rongeant tout ce qui se trouvait devant lui: ce qui devint si insupportable à Noé, qu'il crut qu'il était à propos de consulter Dieu encore. Il lui ordonna de donner au lion un grand coup sur le front, qui éternua aussi, et fit sortir de son nez un chat. Croyez-vous que ces animaux soient encore immondes? Que vous en semble?

«Quand donc vous n'apercevez pas la raison de l'impureté de certaines choses, c'est que vous en ignorez beaucoup d'autres, et que vous n'avez pas la connaissance de ce qui s'est passé entre Dieu, les anges et les hommes. Vous ne savez pas l'histoire de l'éternité; vous n'avez point lu les livres qui sont écrits au ciel; ce qui vous en a été révélé n'est qu'une petite partie de la bibliothèque divine: et ceux qui, comme nous, en approchent de plus près, tandis qu'ils

sont en cette vie, sont encore dans l'obscurité et les ténèbres. Adieu. Mahomet soit dans votre cœur.»

De Com,
le dernier de la lune de Chahban 1711.

LETTRE 19

USBEK À SON AMI RUSTAN

À Ispahan

Nous n'avons séjourné que huit jours à Tocat[1]: après trente-cinq jours de marche, nous sommes arrivés à Smyrne.

De Tocat à Smyrne, on ne trouve pas une seule ville qui mérite qu'on la nomme. J'ai vu avec étonnement la faiblesse de l'empire des Osmanlins. Ce corps malade ne se soutient pas par un régime doux et tempéré, mais par des remèdes violents, qui l'épuisent et le minent sans cesse.

Les bachas, qui n'obtiennent leurs emplois qu'à force d'argent, entrent ruinés dans les provinces, et les ravagent comme des pays de conquête. Une milice insolente n'est soumise qu'à ses caprices. Les places sont démantelées, les villes désertes, les campagnes désolées, la culture des terres et le commerce entièrement abandonnés.

L'impunité règne dans ce gouvernement sévère: les chrétiens qui cultivent les terres, les Juifs qui lèvent les tributs, sont exposés à mille violences.

La propriété des terres est incertaine; et par conséquent l'ardeur de les faire valoir, ralentie: il n'y a ni titre, ni possession, qui vaille contre le caprice de ceux qui gouvernent.

1. Ville de Cappadoce, lieu de passage et étape traditionnelle des caravanes depuis la Perse.

Ces barbares ont tellement abandonné les arts, qu'ils ont négligé jusques à l'art militaire. Pendant que les nations d'Europe se raffinent tous les jours, ils restent dans leur ancienne ignorance ; et ils ne s'avisent de prendre leurs nouvelles inventions, qu'après qu'elles s'en sont servi mille fois contre eux.

Ils n'ont aucune expérience sur la mer, point d'habileté dans la manœuvre. On dit qu'une poignée de chrétiens, sortis d'un rocher*, font suer les Ottomans, et fatiguent leur empire.

Incapables de faire le commerce, ils souffrent presque avec peine que les Européens, toujours laborieux et entreprenants, viennent le faire : ils croient faire grâce à ces étrangers, de permettre qu'ils les enrichissent.

Dans toute cette vaste étendue de pays que j'ai traversée, je n'ai trouvé que Smyrne qu'on puisse regarder comme une ville riche et puissante : ce sont les Européens qui la rendent telle : et il ne tient pas aux Turcs qu'elle ne ressemble à toutes les autres.

Voilà, cher Rustan, une juste idée de cet empire, qui, avant deux siècles, sera le théâtre des triomphes de quelque conquérant.

De Smyrne,
le 2 de la lune de Rhamazan 1711.

* Ce sont, apparemment, les chevaliers de Malte.

LETTRE 20

USBEK À ZACHI, SA FEMME

Au sérail d'Ispahan

Vous m'avez offensé, Zachi ; et je sens dans mon cœur des mouvements que vous devriez craindre, si mon éloignement ne vous laissait le temps de changer de conduite, et d'apaiser la violente jalousie dont je suis tourmenté.

J'apprends qu'on vous a trouvée seule avec Nadir, eunuque blanc, qui paiera de sa tête son infidélité et sa perfidie. Comment vous êtes-vous oubliée jusqu'à ne pas sentir qu'il ne vous est pas permis de recevoir dans votre chambre un eunuque blanc, tandis que vous en avez de noirs destinés à vous servir ? Vous avez beau me dire que des eunuques ne sont pas des hommes, et que votre vertu vous met au-dessus des pensées que pourrait faire naître en vous une ressemblance imparfaite : cela ne suffit, ni pour vous, ni pour moi : pour vous, parce que vous faites une chose que les lois du sérail vous défendent ; pour moi, en ce que vous m'ôtez l'honneur, en vous exposant à des regards ; que dis-je, à des regards ? peut-être aux entreprises d'un perfide, qui vous aura souillée par ses crimes, et plus encore par ses regrets, et le désespoir de son impuissance.

Vous me direz peut-être que vous m'avez été toujours fidèle. Eh ! pouviez-vous ne l'être pas ? Comment auriez-vous trompé la vigilance des eunuques noirs, qui sont si surpris de la vie que vous menez ? Comment auriez-vous pu briser ces verrous et ces portes qui vous tiennent enfermée ? Vous vous vantez d'une vertu qui n'est pas libre : et peut-être que vos désirs impurs vous ont ôté mille fois le mérite et le prix de cette fidélité que vous vantez tant.

Je veux que vous n'ayez point fait tout ce que j'ai lieu de soupçonner ; que ce perfide n'ait point porté sur vous ses mains sacrilèges ; que vous ayez refusé de prodiguer à sa vue les délices de son maître ; que, couverte de vos habits, vous ayez laissé cette faible barrière entre lui et vous ; que, frappé lui-même d'un saint respect, il ait baissé les yeux ; que, manquant à sa hardiesse, il ait tremblé sur les châtiments qu'il se prépare. Quand tout cela serait vrai, il ne l'est pas moins que vous avez fait une chose qui est contre votre devoir. Et, si vous l'avez violé gratuitement, sans remplir vos inclinations déréglées, qu'eussiez-vous fait pour les satisfaire ? Que feriez-vous encore, si vous pouviez sortir de ce lieu sacré, qui est pour vous une dure prison, comme il est pour vos compagnes un asile favorable contre les atteintes du vice, un temple sacré où votre sexe perd sa faiblesse, et se trouve invincible, malgré tous les désavantages de la nature ? Que feriez-vous, si, laissée à vous-même, vous n'aviez, pour vous défendre, que votre amour pour moi, qui est si grièvement offensé, et votre devoir, que vous avez si indignement trahi ? Que les mœurs du pays où vous vivez sont saintes, qui vous arrachent aux attentats des plus vils esclaves ! Vous devez me rendre grâce de la gêne où je vous fais vivre, puisque ce n'est que par là que vous méritez encore de vivre.

Vous ne pouvez souffrir le chef des eunuques, parce qu'il a toujours les yeux sur votre conduite, et qu'il vous donne ses sages conseils. Sa laideur, dites-vous, est si grande, que vous ne pouvez le voir sans peine. Comme si, dans ces sortes de postes, on mettait de plus beaux objets. Ce qui vous afflige est de n'avoir pas à sa place l'eunuque blanc qui vous déshonore.

Mais que vous a fait votre première esclave ? Elle vous a dit que les familiarités que vous preniez avec la jeune Zélide étaient contre la bienséance : voilà la raison de votre haine.

Je devrais être, Zachi, un juge sévère ; je ne suis qu'un époux, qui cherche à vous trouver innocente. L'amour que j'ai pour Roxane, ma nouvelle épouse, m'a laissé toute la tendresse que je dois avoir pour vous, qui n'êtes pas moins belle. Je partage mon amour entre vous deux ; et Roxane n'a d'autre avantage que celui que la vertu peut ajouter à la beauté.

De Smyrne,
le 12 de la lune de Zilcadé 1711.

LETTRE 21

USBEK
AU PREMIER EUNUQUE BLANC

Vous devez trembler à l'ouverture de cette lettre ; ou plutôt vous le deviez, lorsque vous souffrîtes la perfidie de Nadir. Vous qui, dans une vieillesse froide et languissante, ne pouvez sans crime lever les yeux sur les redoutables objets de mon amour : vous à qui il n'est jamais permis de mettre un pied sacrilège sur la porte du lieu terrible qui les dérobe à tous les regards ; vous souffrez que ceux dont la conduite vous est confiée aient fait ce que vous n'auriez pas la témérité de faire ; et vous n'apercevez pas la foudre toute prête à tomber sur eux, et sur vous ?

Et qui êtes-vous, que de vils instruments, que je puis briser à ma fantaisie ; qui n'existez qu'autant que vous savez obéir ; qui n'êtes dans le monde, que pour vivre sous mes lois, ou pour mourir dès que je l'ordonne ; qui ne respirez qu'autant que mon bonheur, mon amour, ma jalousie même ont besoin de votre bassesse ; et enfin, qui ne pouvez avoir d'autre partage que la soumission, d'autre âme que mes volontés, d'autre espérance que ma félicité ?

Je sais que quelques-unes de mes femmes souffrent impatiemment les lois austères du devoir; que la présence continuelle d'un eunuque noir les ennuie; qu'elles sont fatiguées de ces objets affreux, qui leur sont donnés pour les ramener à leur époux; je le sais. Mais vous qui vous prêtez à ce désordre, vous serez puni d'une manière à faire trembler tous ceux qui abusent de ma confiance.

Je jure par tous les prophètes du ciel, et par Hali le plus grand de tous, que, si vous vous écartez de votre devoir, je regarderai votre vie comme celle des insectes que je trouve sous mes pieds.

De Smyrne,
le 12 de la lune de Zilcadé 1711.

LETTRE 22

JARON
AU PREMIER EUNUQUE

À mesure qu'Usbek s'éloigne du sérail, il tourne sa tête vers ses femmes sacrées: il soupire, il verse des larmes: sa douleur s'aigrit, ses soupçons se fortifient. Il veut augmenter le nombre de leurs gardiens. Il va me renvoyer, avec tous les noirs qui l'accompagnent. Il ne craint plus pour lui: il craint pour ce qui lui est mille fois plus cher que lui-même.

Je vais donc vivre sous tes lois, et partager tes soins. Grand Dieu! qu'il faut de choses pour rendre un seul homme heureux!

La nature semblait avoir mis les femmes dans la dépendance, et les en avoir retirées: le désordre naissait entre les deux sexes, parce que leurs droits étaient réciproques. Nous sommes entrés dans le plan d'une nouvelle harmo-

nie : nous avons mis, entre les femmes et nous, la haine ; et, entre les hommes et les femmes, l'amour.

Mon front va devenir sévère. Je laisserai tomber des regards sombres. La joie fuira de mes lèvres. Le dehors sera tranquille, et l'esprit inquiet. Je n'attendrai point les rides de la vieillesse, pour en montrer les chagrins.

J'aurais eu du plaisir à suivre mon maître dans l'Occident mais ma volonté est son bien. Il veut que je garde ses femmes : je les garderai avec fidélité. Je sais comment je dois me conduire avec ce sexe, qui, quand on ne lui permet pas d'être vain, commence à devenir superbe ; et qu'il est moins aisé d'humilier, que d'anéantir. Je tombe sous tes regards.

De Smyrne,
le 12 de la lune de Zilcadé 1711.

LETTRE 23

USBEK À SON AMI IBBEN

À *Smyrne*

Nous sommes arrivés à Livourne dans quarante jours de navigation. C'est une ville nouvelle ; elle est un témoignage du génie des ducs de Toscane, qui ont fait, d'un village marécageux, la ville d'Italie la plus florissante.

Les femmes y jouissent d'une grande liberté : elles peuvent voir les hommes à travers certaines fenêtres, qu'on nomme jalousies : elles peuvent sortir tous les jours avec quelques vieilles, qui les accompagnent : elles n'ont qu'un voile*. Leurs beaux-frères, leurs oncles, leurs neveux peuvent les voir, sans que le mari s'en formalise presque jamais.

* Les Persanes en ont quatre.

C'est un grand spectacle pour un mahométan, de voir, pour la première fois, une ville chrétienne. Je ne parle pas des choses qui frappent d'abord tous les yeux, comme la différence des édifices, des habits, des principales coutumes : il y a, jusque dans les moindres bagatelles, quelque chose de singulier, que je sens, et que je ne sais pas dire.

Nous partirons demain pour Marseille : notre séjour n'y sera pas long. Le dessein de Rica, et le mien, est de nous rendre incessamment à Paris, qui est le siège de l'empire d'Europe. Les voyageurs cherchent toujours les grandes villes, qui sont une espèce de patrie commune à tous les étrangers. Adieu. Sois persuadé que je t'aimerai toujours.

De Livourne,
le 12 de la lune de Saphar 1712.

LETTRE 24

RICA À IBBEN

À *Smyrne*

Nous sommes à Paris depuis un mois, et nous avons toujours été dans un mouvement continuel. Il faut bien des affaires avant qu'on soit logé, qu'on ait trouvé les gens à qui on est adressé, et qu'on se soit pourvu des choses nécessaires, qui manquent toutes à la fois.

Paris est aussi grand qu'Ispahan : les maisons y sont si hautes, qu'on jurerait qu'elles ne sont habitées que par des astrologues. Tu juges bien qu'une ville bâtie en l'air, qui a six ou sept maisons les unes sur les autres, est extrêmement peuplée ; et que, quand tout le monde est descendu dans la rue, il s'y fait un bel embarras.

Tu ne le croirais pas peut-être ; depuis un mois que je

suis ici, je n'y ai encore vu marcher personne. Il n'y a point de gens au monde qui tirent mieux parti de leur machine que les Français : ils courent ; ils volent : les voitures lentes d'Asie, le pas réglé de nos chameaux, les feraient tomber en syncope. Pour moi, qui ne suis point fait à ce train, et qui vais souvent à pied sans changer d'allure, j'enrage quelquefois comme un chrétien : car encore passe qu'on m'éclabousse depuis les pieds jusqu'à la tête ; mais je ne puis pardonner les coups de coude, que je reçois régulièrement et périodiquement : un homme, qui vient après moi et qui me passe, me fait faire un demi-tour ; et un autre, qui me croise de l'autre côté, me remet soudain où le premier m'avait pris : et je n'ai pas fait cent pas, que je suis plus brisé que si j'avais fait dix lieues.

Ne crois pas que je puisse, quant à présent, te parler à fond des mœurs et des coutumes européennes : je n'en ai moi-même qu'une légère idée, et je n'ai eu à peine que le temps de m'étonner.

Le roi de France est le plus puissant prince de l'Europe. Il n'a point de mines d'or, comme le roi d'Espagne son voisin ; mais il a plus de richesses que lui, parce qu'il les tire de la vanité de ses sujets, plus inépuisable que les mines. On lui a vu entreprendre ou soutenir de grandes guerres, n'ayant d'autres fonds que des titres d'honneur à vendre ; et, par un prodige de l'orgueil humain, ses troupes se trouvaient payées, ses places munies, et ses flottes équipées.

D'ailleurs, ce roi est un grand magicien : il exerce son empire sur l'esprit même de ses sujets ; il les fait penser comme il veut. S'il n'a qu'un million d'écus dans son trésor, et qu'il en ait besoin de deux, il n'a qu'à leur persuader qu'un écu en vaut deux ; et ils le croient. S'il a une guerre difficile à soutenir, et qu'il n'ait point d'argent, il n'a qu'à leur mettre dans la tête qu'un morceau de papier est de l'argent ; et ils en sont aussitôt convaincus. Il va même jusqu'à leur faire croire qu'il les guérit de toutes sortes de

maux, en les touchant, tant est grande la force et la puissance qu'il a sur les esprits[1].

Ce que je dis de ce prince ne doit pas t'étonner : il y a un autre magicien plus fort que lui, qui n'est pas moins maître de son esprit, qu'il l'est lui-même de celui des autres. Ce magicien s'appelle le pape : tantôt il lui fait croire que trois ne sont qu'un ; que le pain qu'on mange n'est pas du pain, ou que le vin qu'on boit n'est pas du vin ; et mille autres choses de cette espèce.

Et, pour le tenir toujours en haleine, et ne point lui laisser perdre l'habitude de croire, il lui donne, de temps en temps, pour l'exercer, de certains articles de croyance. Il y a deux ans qu'il lui envoya un grand écrit, qu'il appela *constitution*[2], et voulut obliger sous de grandes peines, ce prince et ses sujets de croire tout ce qui y était contenu. Il réussit à l'égard du prince, qui se soumit aussitôt, et donna l'exemple à ses sujets : mais quelques-uns d'entre eux se révoltèrent, et dirent qu'ils ne voulaient rien croire de tout ce qui était dans cet écrit. Ce sont les femmes qui ont été les motrices de toute cette révolte, qui divise toute la cour, tout le royaume, et toutes les familles. Cette constitution leur défend de lire un livre que tous les chrétiens disent avoir été apporté du ciel : c'est proprement leur Alcoran. Les femmes, indignées de l'outrage fait à leur sexe, soulèvent tout contre la constitution : elles ont mis les hommes de leur parti, qui, dans cette occasion, ne veulent point

1. Le roi de France, comme pour manifester son droit divin, est censé détenir le pouvoir de guérir des écrouelles (fistules tuberculeuses). Rica, comme les philosophes du temps, remet en doute ce pouvoir, mais la tradition perdure sous Louis XV.

2. C'est la manière de désigner la bulle (édit papal) *Unigenitus* promulguée en 1713 (ce qui cause une légère incohérence dans la chronologie des lettres). Le roi force ainsi Rome à relayer son opposition au jansénisme.

avoir de privilège. On doit pourtant avouer que ce moufti ne raisonne pas mal ; et, par le grand Hali ! il faut qu'il ait été instruit des principes de notre sainte loi : car, puisque les femmes sont d'une création inférieure à la nôtre, et que nos prophètes nous disent qu'elles n'entreront point dans le paradis, pourquoi faut-il qu'elles se mêlent de lire un livre qui n'est fait que pour apprendre le chemin du paradis ?

J'ai ouï raconter du roi des choses qui tiennent du prodige, et je ne doute pas que tu ne balances à les croire.

On dit que, pendant qu'il faisait la guerre à ses voisins, qui s'étaient tous ligués contre lui, il avait dans son royaume un nombre innombrable d'ennemis invisibles, qui l'entouraient : on ajoute qu'il les a cherchés pendant plus de trente ans ; et que, malgré les soins infatigables de certains dervis, qui ont sa confiance [1], il n'en a pu trouver un seul. Ils vivent avec lui ; ils sont à sa cour, dans sa capitale, dans ses troupes, dans ses tribunaux : et cependant on dit qu'il aura le chagrin de mourir sans les avoir trouvés. On dirait qu'ils existent en général, et qu'ils ne sont plus rien en particulier : c'est un corps, mais point de membres. Sans doute que le ciel veut punir ce prince de n'avoir pas été assez modéré envers les ennemis qu'il a vaincus, puisqu'il lui en donne d'invisibles, et dont le génie et le destin sont au-dessus du sien.

Je continuerai à t'écrire, et je t'apprendrai des choses bien éloignées du caractère et du génie persan. C'est bien la même terre qui nous porte tous deux ; mais les hommes du pays où je vis, et ceux du pays où tu es, sont des hommes bien différents.

De Paris,
le 4 de la lune de Rebiab, 2, 1712.

1. Façon plaisante de désigner les jésuites. Les *ennemis invisibles* sont, quant à eux, les jansénistes.

LETTRE 25

USBEK À IBBEN

À *Smyrne*

J'ai reçu une lettre de ton neveu Rhédi : il me mande qu'il quitte Smyrne, dans le dessein de voir l'Italie ; que l'unique but de son voyage est de s'instruire, et de se rendre par là plus digne de toi. Je te félicite d'avoir un neveu qui sera quelque jour la consolation de ta vieillesse.

Rica t'écrit une longue lettre ; il m'a dit qu'il te parlait beaucoup de ce pays-ci. La vivacité de son esprit fait qu'il saisit tout avec promptitude : pour moi, qui pense plus lentement, je ne suis en état de te rien dire.

Tu es le sujet de nos conversations les plus tendres : nous ne pouvons assez parler du bon accueil que tu nous a fait à Smyrne, et des services que ton amitié nous rend tous les jours. Puisses-tu, généreux Ibben, trouver partout des amis aussi reconnaissants et aussi fidèles que nous !

Puissé-je te revoir bientôt, et retrouver avec toi ces jours heureux, qui coulent si doucement entre deux amis ! Adieu.

De Paris,
le 4 de la lune de Rebiab, 2, 1712.

LETTRE 26

USBEK À ROXANE

Au sérail d'Ispahan

Que vous êtes heureuse, Roxane, d'être dans le doux pays de Perse, et non pas dans ces climats empoisonnés, où

l'on ne connaît ni la pudeur, ni la vertu! Que vous êtes heureuse! Vous vivez dans mon sérail comme dans le séjour de l'innocence, inaccessible aux attentats de tous les humains: vous vous trouvez avec joie dans une heureuse impuissance de faillir: jamais homme ne vous a souillée de ses regards lascifs: votre beau-père même, dans la liberté des festins, n'a jamais vu votre belle bouche: vous n'avez jamais manqué de vous attacher un bandeau sacré pour la couvrir. Heureuse Roxane! quand vous avez été à la campagne, vous avez toujours eu des eunuques, qui ont marché devant vous, pour donner la mort à tous les téméraires qui n'ont pas fui votre vue. Moi-même, à qui le ciel vous a donnée pour faire mon bonheur, quelle peine n'ai-je pas eue pour me rendre maître de ce trésor, que vous défendiez avec tant de constance! Quel chagrin pour moi, dans les premiers jours de notre mariage, de ne pas vous voir! Et quelle impatience, quand je vous eus vue! Vous ne la satisfaisiez pourtant pas; vous l'irritiez, au contraire, par les refus obstinés d'une pudeur alarmée: vous me confondiez avec tous ces hommes à qui vous vous cachez sans cesse. Vous souvient-il de ce jour où je vous perdis parmi vos esclaves, qui me trahirent, et vous dérobèrent à mes recherches? Vous souvient-il de cet autre, où, voyant vos larmes impuissantes, vous employâtes l'autorité de votre mère, pour arrêter les fureurs de mon amour? Vous souvient-il, lorsque toutes les ressources vous manquèrent, de celles que vous trouvâtes dans votre courage? Vous prîtes un poignard, et menaçâtes d'immoler un époux qui vous aimait, s'il continuait à exiger de vous ce que vous chérissiez plus que votre époux même. Deux mois se passèrent dans ce combat de l'amour et de la vertu. Vous poussâtes trop loin vos chastes scrupules: vous ne vous rendîtes pas même, après avoir été vaincue: vous défendîtes jusqu'à la dernière extrémité une virginité mourante: vous me regardâtes comme un ennemi

qui vous avait fait un outrage, non pas comme un époux qui vous avait aimée : vous fûtes plus de trois mois que vous n'osiez me regarder sans rougir : votre air confus semblait me reprocher l'avantage que j'avais pris. Je n'avais pas même une possession tranquille ; vous me dérobiez tout ce que vous pouviez de ces charmes et de ces grâces ; et j'étais enivré des plus grandes faveurs, sans avoir obtenu les moindres.

Si vous aviez été élevée dans ce pays-ci, vous n'auriez pas été si troublée. Les femmes y ont perdu toute retenue ; elles se présentent devant les hommes à visage découvert, comme si elles voulaient demander leur défaite ; elles les cherchent de leurs regards ; elles les voient dans les mosquées, les promenades, chez elles-mêmes ; l'usage de se faire servir par des eunuques leur est inconnu. Au lieu de cette noble simplicité, et de cette aimable pudeur qui règne parmi vous, on voit une impudence brutale, à laquelle il est impossible de s'accoutumer.

Oui, Roxane, si vous étiez ici, vous vous sentiriez outragée dans l'affreuse ignominie où votre sexe est descendu ; vous fuiriez ces abominables lieux, et vous soupireriez pour cette douce retraite, où vous trouvez l'innocence, où vous êtes sûre de vous-même, où nul péril ne vous fait trembler, où enfin vous pouvez m'aimer, sans craindre de perdre jamais l'amour que vous me devez.

Quand vous relevez l'éclat de votre teint par les plus belles couleurs ; quand vous vous parfumez tout le corps des essences les plus précieuses ; quand vous vous parez de vos plus beaux habits ; quand vous cherchez à vous distinguer de vos compagnes par les grâces de la danse, et par la douceur de votre chant ; que vous combattez gracieusement avec elles de charmes, de douceur et d'enjouement, je ne puis pas m'imaginer que vous ayez d'autre objet que celui de me plaire ; et, quand je vous vois rougir modeste-

ment, que vos regards cherchent les miens, que vous vous insinuez dans mon cœur par des paroles douces et flatteuses, je ne saurais, Roxane, douter de votre amour.

Mais que puis-je penser des femmes d'Europe ? L'art de composer leur teint, les ornements dont elles se parent, les soins qu'elles prennent de leur personne, le désir continuel de plaire qui les occupe, sont autant de taches faites à leur vertu, et d'outrages à leur époux.

Ce n'est pas, Roxane, que je pense qu'elles poussent l'attentat aussi loin qu'une pareille conduite devrait le faire croire, et qu'elles portent la débauche à cet excès horrible, qui fait frémir, de violer absolument la foi conjugale. Il y a bien peu de femmes assez abandonnées, pour aller jusquelà : elles portent toutes dans leur cœur un certain caractère de vertu, qui y est gravé, que la naissance donne, et que l'éducation affaiblit, mais ne détruit pas. Elles peuvent bien se relâcher des devoirs extérieurs que la pudeur exige : mais, quand il s'agit de faire les derniers pas, la nature se révolte. Aussi, quand nous vous enfermons si étroitement, que nous vous faisons garder par tant d'esclaves, que nous gênons si fort vos désirs, lorsqu'ils volent trop loin ; ce n'est pas que nous craignions la dernière infidélité : mais c'est que nous savons que la pureté ne saurait être trop grande, et que la moindre tache peut la corrompre.

Je vous plains, Roxane. Votre chasteté, si longtemps éprouvée, méritait un époux qui ne vous eût jamais quittée, et qui pût lui-même réprimer les désirs que votre seule vertu sait soumettre.

De Paris,
le 7 de la lune de Rhegeb 1712.

LETTRE 27

USBEK À NESSIR

À Ispahan

Nous sommes à présent à Paris, cette superbe rivale de la ville du soleil*.

Lorsque je partis de Smyrne, je chargeai mon ami Ibben de te faire tenir une boîte, où il y avait quelques présents pour toi : tu recevras cette lettre par la même voie. Quoique éloigné de lui de cinq ou six cents lieues, je lui donne de mes nouvelles, et je reçois des siennes, aussi facilement que s'il était à Ispahan, et moi à Com. J'envoie mes lettres à Marseille, d'où il part continuellement des vaisseaux pour Smyrne : de là, il envoie celles qui sont pour la Perse, par les caravanes d'Arméniens qui partent tous les jours pour Ispahan.

Rica jouit d'une santé parfaite : la force de sa constitution, sa jeunesse et sa gaieté naturelle, le mettent au-dessus de toutes les épreuves.

Mais, pour moi, je ne me porte pas bien ; mon corps et mon esprit sont abattus : je me livre à des réflexions qui deviennent tous les jours plus tristes : ma santé, qui s'affaiblit, me tourne vers ma patrie, et me rend ce pays-ci plus étranger.

Mais, cher Nessir, je te conjure, fais en sorte que mes femmes ignorent l'état où je suis. Si elles m'aiment, je veux épargner leurs larmes ; et, si elles ne m'aiment pas, je ne veux point augmenter leur hardiesse.

Si mes eunuques me croyaient en danger, s'ils pouvaient espérer l'impunité d'une lâche complaisance, ils cesseraient

* Ispahan.

bientôt d'être sourds à la voix flatteuse de ce sexe, qui se
fait entendre aux rochers, et remue les choses inanimées.

Adieu, Nessir. J'ai du plaisir à te donner des marques de
ma confiance.

De Paris,
le 5 de la lune de Chahban 1712.

LETTRE 28

RICA À ***

Je vis hier une chose assez singulière, quoiqu'elle se passe
tous les jours à Paris.

Tout le peuple s'assemble sur la fin de l'après-midi, et
va jouer une espèce de scène, que j'ai entendu appeler
comédie. Le grand mouvement est sur une estrade, qu'on
nomme le théâtre[1]. Aux deux côtés, on voit, dans de petits
réduits, qu'on nomme loges, des hommes et des femmes
qui jouent ensemble des scènes muettes, à peu près comme
celles qui sont en usage en notre Perse.

Ici, c'est une amante affligée, qui exprime sa langueur ;
une autre, plus animée, dévore des yeux son amant, qui la
regarde de même : toutes les passions sont peintes sur les
visages, et exprimées avec une éloquence qui, pour être
muette, n'en est que plus vive. Là, les actrices ne paraissent
qu'à demi-corps ; et ont ordinairement un manchon, par
modestie, pour cacher leurs bras. Il y a, en bas, une troupe
de gens debout[2], qui se moquent de ceux qui sont en haut

1. Désigne ici la « scène » proprement dite. Rica décrit la Comédie-
Française, en retenant surtout le « spectacle » de la salle.
2. Les spectateurs du parterre restent debout jusqu'à la fin du
XVIII[e] siècle (1782).

sur le théâtre ; et ces derniers rient, à leur tour, de ceux qui sont en bas.

Mais ceux qui prennent le plus de peine, sont quelques gens, qu'on prend pour cet effet dans un âge peu avancé, pour soutenir la fatigue. Ils sont obligés d'être partout ; ils passent par des endroits qu'eux seuls connaissent, montent avec une adresse surprenante d'étage en étage ; ils sont en haut, en bas, dans toutes les loges ; ils plongent, pour ainsi dire ; on les perd, ils reparaissent ; souvent ils quittent le lieu de la scène, et vont jouer dans un autre. On en voit même qui, par un prodige qu'on n'aurait osé espérer de leurs béquilles[1], marchent, et vont comme les autres. Enfin on se rend à des salles où l'on joue une comédie particulière : on commence par des révérences, on continue par des embrassades : on dit que la connaissance la plus légère met un homme en droit d'en étouffer un autre. Il semble que le lieu inspire de la tendresse. En effet, on dit que les princesses, qui y règnent, ne sont point cruelles ; et, si on en excepte deux ou trois heures du jour, où elles sont assez sauvages, on peut dire que, le reste du temps, elles sont traitables, et que c'est une ivresse qui les quitte aisément.

Tout ce que je te dis ici se passe à peu près de même dans un autre endroit, qu'on nomme l'opéra : toute la différence est qu'on parle à l'un, et que l'on chante à l'autre. Un de mes amis me mena l'autre jour dans la loge où se déshabillait une des principales actrices. Nous fîmes si bien connaissance, que, le lendemain, je reçus d'elle cette lettre.

Monsieur,

Je suis la plus malheureuse fille du monde ; j'ai toujours été la plus vertueuse actrice de l'opéra. Il y a sept ou huit mois que

1. On désigne ainsi la « canne », mise à la mode par les élégants du temps.

j'étais dans la loge où vous me vîtes hier : comme je m'habillais en prêtresse de Diane, un jeune abbé vint m'y trouver ; et, sans respect pour mon habit blanc, mon voile et mon bandeau, il me ravit mon innocence. J'ai beau lui exagérer le sacrifice que je lui ai fait, il se met à rire, et me soutient qu'il m'a trouvée très profane. Cependant je suis si grosse, que je n'ose plus me présenter sur le théâtre : car je suis, sur le chapitre de l'honneur, d'une délicatesse inconcevable ; et je soutiens toujours, qu'à une fille bien née, il est plus facile de faire perdre la vertu que la modestie. Avec cette délicatesse, vous jugez bien que ce jeune abbé n'eût jamais réussi, s'il ne m'avait promis de se marier avec moi : un motif si légitime me fit passer sur les petites formalités ordinaires, et commencer par où j'aurais dû finir. Mais, puisque son infidélité m'a déshonorée, je ne veux plus vivre à l'opéra, où, entre vous et moi, l'on ne me donne guère de quoi vivre : car, à présent que j'avance en âge, et que je perds du côté des charmes, ma pension, qui est toujours la même, semble diminuer tous les jours. J'ai appris, par un homme de votre suite, que l'on faisait un cas infini, dans votre pays, d'une bonne danseuse ; et que, si j'étais à Ispahan, ma fortune serait aussitôt faite. Si vous vouliez m'accorder votre protection, et m'emmener avec vous dans ce pays-là, vous auriez l'avantage de faire du bien à une fille qui, par sa vertu et sa conduite, ne se rendrait pas indigne de vos bontés. Je suis… [1].

De Paris,
le 2 de la lune de Chalval 1712.

1. Début d'une formule de politesse sous l'Ancien Régime : par exemple, « Je suis votre très humble servante », etc.

LETTRE 29

RICA À IBBEN

À Smyrne

Le pape est le chef des chrétiens. C'est une vieille idole, qu'on encense par habitude. Il était autrefois redoutable aux princes même ; car il les déposait aussi facilement que nos magnifiques sultans déposent les rois d'Irimette et de Géorgie[1]. Mais on ne le craint plus. Il se dit successeur d'un des premiers chrétiens, qu'on appelle saint Pierre : et c'est certainement une riche succession ; car il a des trésors immenses, et un grand pays sous sa domination.

Les évêques sont des gens de loi qui lui sont subordonnés, et ont, sous son autorité, deux fonctions bien différentes. Quand ils sont assemblés, ils font, comme lui, des articles de foi. Quand ils sont en particulier, ils n'ont guère d'autre fonction, que de dispenser d'accomplir la loi. Car tu sauras que la religion chrétienne est chargée d'une infinité de pratiques très difficiles : et, comme on a jugé qu'il est moins aisé de remplir ses devoirs, que d'avoir des évêques qui en dispensent, on a pris ce dernier parti pour l'utilité publique : de sorte que, si on ne veut pas faire le rahmazan[2], si on ne veut pas s'assujettir aux formalités des mariages, si on veut rompre ses vœux, si on veut se marier contre les défenses de la loi, quelquefois même si on veut revenir contre son serment, on va à l'évêque, ou au pape, qui donne aussitôt la dispense.

1. L'Irimette (ou plutôt Imirette) et la Géorgie sont deux États caucasiens, alors tributaires de la Perse.
2. Orthographe usuelle à l'époque pour *ramadan*, période de jeûne et d'abstinence, un des cinq piliers de l'islam. Rica désigne dans son propre vocabulaire une pratique similaire du christianisme, le *carême*.

Les évêques ne font pas des articles de foi de leur propre mouvement. Il y a un nombre infini de docteurs, la plupart dervis, qui soulèvent entre eux mille questions nouvelles sur la religion : on les laisse disputer [1] longtemps, et la guerre dure jusqu'à ce qu'une décision vienne la terminer.

Aussi puis-je t'assurer qu'il n'y a jamais eu de royaume où il y ait eu tant de guerres civiles, que dans celui de Christ.

Ceux qui mettent au jour quelque proposition nouvelle sont d'abord appelés hérétiques. Chaque hérésie a son nom, qui est, pour ceux qui y sont engagés, comme le mot de ralliement. Mais n'est hérétique qui ne veut : il n'y a qu'à partager le différend par la moitié, et donner une distinction [2] à ceux qui accusent d'hérésie ; et, quelle que soit la distinction, intelligible ou non, elle rend un homme blanc comme de la neige, et il peut se faire appeler orthodoxe [3].

Ce que je te dis est bon pour la France et l'Allemagne : car j'ai ouï dire qu'en Espagne et en Portugal, il y a de certains dervis qui n'entendent point raillerie, et qui font brûler un homme comme de la paille. Quand on tombe entre les mains de ces gens-là, heureux celui qui a toujours prié Dieu avec de petits grains de bois à la main, qui a porté sur lui deux morceaux de drap attachés à deux rubans [4], et qui a été quelquefois dans une province qu'on appelle la Galice [5] ! Sans cela, un pauvre diable est bien embarrassé. Quand il jurerait, comme un païen, qu'il est orthodoxe, on pourrait bien ne pas demeurer d'accord des qualités, et le

1. Échanger des arguments.
2. Terme technique de théologie et de philosophie pour évoquer les différentes manières de comprendre une notion.
3. Ce qui est conforme à la doctrine religieuse reçue.
4. Descriptions naïves du chapelet (ou rosaire) et du scapulaire (porté sur la poitrine par dévotion à la Vierge).
5. Région de Saint-Jacques-de-Compostelle, haut lieu de pèlerinage.

brûler comme hérétique : il aurait beau donner sa distinction, point de distinction ; il serait en cendres, avant que l'on eût seulement pensé à l'écouter.

Les autres juges présument qu'un accusé est innocent ; ceux-ci le présument toujours coupable. Dans le doute, ils tiennent pour règle, de se déterminer du côté de la rigueur ; apparemment parce qu'ils croient les hommes mauvais. Mais, d'un autre côté, ils en ont si bonne opinion, qu'ils ne les jugent jamais capables de mentir ; car ils reçoivent le témoignage des ennemis capitaux, des femmes de mauvaise vie, de ceux qui exercent une profession infâme. Ils font, dans leur sentence, un petit compliment à ceux qui sont revêtus d'une chemise de soufre, et leur disent qu'ils sont bien fâchés de les voir si mal habillés, qu'ils sont doux, qu'ils abhorrent le sang, et sont au désespoir de les avoir condamnés : mais, pour se consoler, ils confisquent tous les biens de ces malheureux à leur profit.

Heureuse la terre qui est habitée par les enfants des prophètes ! Ces tristes spectacles y sont inconnus*. La sainte religion que les anges y ont apportée se défend par sa vérité même ; elle n'a point besoin de ces moyens violents pour se maintenir.

De Paris,
le 4 de la lune de Chalval 1712.

* Les Persans sont les plus tolérants de tous les mahométans.

LETTRE 30

RICA AU MÊME

À *Smyrne*

Les habitants de Paris sont d'une curiosité qui va jusqu'à l'extravagance. Lorsque j'arrivai, je fus regardé comme si j'avais été envoyé du ciel : vieillards, hommes, femmes, enfants, tous voulaient me voir. Si je sortais, tout le monde se mettait aux fenêtres ; si j'étais aux Tuileries, je voyais aussitôt un cercle se former autour de moi ; les femmes même faisaient un arc-en-ciel nuancé de mille couleurs, qui m'entourait : si j'étais aux spectacles, je trouvais d'abord cent lorgnettes dressées contre ma figure : enfin, jamais homme n'a tant été vu que moi. Je souriais quelquefois d'entendre des gens qui n'étaient presque jamais sortis de leur chambre, qui disaient entre eux : « Il faut avouer qu'il a l'air bien Persan. » Chose admirable ! je trouvais de mes portraits partout ; je me voyais multiplié dans toutes les boutiques, sur toutes les cheminées, tant on craignait de ne m'avoir pas assez vu.

Tant d'honneurs ne laissent pas d'être à charge[1] : je ne me croyais pas un homme si curieux et si rare ; et, quoique j'aie très bonne opinion de moi, je ne me serais jamais imaginé que je dusse troubler le repos d'une grande ville, où je n'étais point connu. Cela me fit résoudre à quitter l'habit persan, et à en endosser un à l'européenne, pour voir s'il resterait encore, dans ma physionomie, quelque chose d'admirable[2]. Cet essai me fit connaître ce que je valais réellement. Libre de tous les ornements étrangers, je me vis apprécié au plus juste. J'eus sujet de me plaindre de mon

1. D'être extrêmement pesants.
2. Qui suscite l'étonnement.

tailleur, qui m'avait fait perdre, en un instant, l'attention et l'estime publique; car j'entrai tout à coup dans un néant affreux. Je demeurais quelquefois une heure dans une compagnie, sans qu'on m'eût regardé, et qu'on m'eût mis en occasion d'ouvrir la bouche. Mais, si quelqu'un, par hasard, apprenait à la compagnie que j'étais Persan, j'entendais aussitôt autour de moi un bourdonnement: «Ah! ah! monsieur est Persan? C'est une chose bien extraordinaire! Comment peut-on être Persan?»

De Paris,
le 6 de la lune de Chalval 1712.

LETTRE 31

RÉEDI À USBEK

À Paris

Je suis à présent à Venise, mon cher Usbek. On peut avoir vu toutes les villes du monde, et être surpris en arrivant à Venise: on sera toujours étonné de voir une ville, des tours et des mosquées sortir de dessous l'eau, et de trouver un peuple innombrable dans un endroit où il ne devrait y avoir que des poissons.

Mais cette ville profane manque du trésor le plus précieux qui soit au monde, c'est-à-dire, d'eau vive; il est impossible d'y accomplir une seule ablution légale. Elle est en abomination à notre saint prophète; il ne la regarde jamais, du haut du ciel, qu'avec colère.

Sans cela, mon cher Usbek, je serais charmé de vivre dans une ville où mon esprit se forme tous les jours. Je m'instruis des secrets du commerce, des intérêts des princes, de la forme de leur gouvernement; je ne néglige pas même les

superstitions européennes ; je m'applique à la médecine, à la physique, à l'astronomie ; j'étudie les arts ; enfin je sors des nuages qui couvraient mes yeux dans le pays de ma naissance.

De Venise,
le 16 de la lune de Chalval 1712.

LETTRE 32

RICA À ***

J'allai, l'autre jour, voir une maison où l'on entretient environ trois cents personnes assez pauvrement. J'eus bientôt fait ; car l'église et les bâtiments ne méritent pas d'être regardés. Ceux qui sont dans cette maison étaient assez gais ; plusieurs d'entre eux jouaient aux cartes, ou à d'autres jeux que je ne connais point. Comme je sortais, un de ces hommes sortait aussi ; et, m'ayant entendu demander le chemin du Marais, qui est le quartier le plus éloigné de Paris : « J'y vais, me dit-il, et je vous y conduirai ; suivez-moi. » Il me mena à merveille, me tira de tous les embarras, et me sauva adroitement des carrosses et des voitures. Nous étions prêts[1] d'arriver, quand la curiosité me prit : « Mon bon ami, lui dis-je, ne pourrais-je point savoir qui vous êtes ? — Je suis aveugle, monsieur, me répondit-il. — Comment ! lui dis-je, vous êtes aveugle ? Et que ne priiez-vous cet honnête homme, qui jouait aux cartes avec vous, de nous conduire ? — Il est aveugle aussi, me répondit-il : Il y a quatre cents ans que nous sommes trois cents aveugles dans cette maison où vous m'avez trouvé[2]. Mais il

1. Archaïsme, aujourd'hui on orthographierait « près ».
2. C'est l'hospice des « Quinze-Vingts », ainsi désigné parce qu'il accueillit, à sa fondation par Saint Louis en 1254, trois cents chevaliers rendus aveugles par les Sarrasins.

faut que je vous quitte : voilà la rue que vous demandiez : je vais me mettre dans la foule ; j'entre dans cette église, où, je vous jure, j'embarrasserai plus les gens qu'ils ne m'embarrasseront. »

De Paris,
le 17 de la lune de Chalval 1712.

LETTRE 33

USBEK À RÉEDI

À Venise

Le vin est si cher à Paris, par les impôts que l'on y met, qu'il semble qu'on ait entrepris d'y faire exécuter les préceptes du divin Alcoran, qui défend d'en boire.

Lorsque je pense aux funestes effets de cette liqueur, je ne puis m'empêcher de la regarder comme le présent le plus redoutable que la nature ait fait aux hommes. Si quelque chose a flétri la vie et la réputation de nos monarques, ç'a été leur intempérance ; c'est la source la plus empoisonnée de leurs injustices et de leurs cruautés.

Je le dirai, à la honte des hommes : la loi interdit à nos princes l'usage du vin, et ils en boivent avec un excès qui les dégrade de l'humanité même ; cet usage, au contraire, est permis aux princes chrétiens, et on ne remarque pas qu'il leur fasse faire aucune faute. L'esprit humain est la contradiction même. Dans une débauche licencieuse, on se révolte avec fureur contre les préceptes ; et la loi, faite pour nous rendre plus justes, ne sert souvent qu'à nous rendre plus coupables.

Mais, quand je désapprouve l'usage de cette liqueur, qui fait perdre la raison, je ne condamne pas de même ces bois-

sons qui l'égaient. C'est la sagesse des Orientaux, de chercher des remèdes contre la tristesse, avec autant de soin que contre les maladies les plus dangereuses. Lorsqu'il arrive quelque malheur à un Européen, il n'a d'autre ressource que la lecture d'un philosophe, qu'on appelle Sénèque[1] : mais les Asiatiques, plus sensés qu'eux, et meilleurs physiciens en cela, prennent des breuvages capables de rendre l'homme gai, et de charmer le souvenir de ses peines[2].

Il n'y a rien de si affligeant que les consolations tirées de la nécessité du mal, de l'inutilité des remèdes, de la fatalité du destin, de l'ordre de la providence, et du malheur de la condition humaine. C'est se moquer, de vouloir adoucir un mal, par la considération que l'on est né misérable : il vaut bien mieux enlever l'esprit hors de ses réflexions, et traiter l'homme comme sensible, au lieu de le traiter comme raisonnable.

L'âme, unie avec le corps, en est sans cesse tyrannisée. Si le mouvement du sang est trop lent, si les esprits[3] ne sont pas assez épurés, s'ils ne sont pas en quantité suffisante, nous tombons dans l'accablement et dans la tristesse : mais, si nous prenons des breuvages qui puissent changer cette disposition de notre corps, notre âme redevient capable de recevoir des impressions qui l'égaient, et elle sent un plaisir secret de voir sa machine reprendre, pour ainsi dire, son mouvement et sa vie.

De Paris,
le 25 de la lune de Zilcadé 1713.

1. Philosophe romain du 1^{er} siècle après J.-C., qui diffuse l'enseignement du stoïcisme.
2. Montesquieu pense sans doute aux décoctions de chanvre ou de pavot ainsi qu'au café dont les effets euphorisants étaient bien connus.
3. Vocabulaire médical : les « esprits animaux », dans la tradition galénique et arabe, sont obtenus par distillations successives dans le

LETTRE 34

USBEK [1] À IBBEN

À Smyrne

Les femmes de Perse sont plus belles que celles de France; mais celles de France sont plus jolies. Il est difficile de ne point aimer les premières, et de ne se point plaire avec les secondes: les unes sont plus tendres et plus modestes, les autres sont plus gaies et plus enjouées.

Ce qui rend le sang si beau en Perse, c'est la vie réglée que les femmes y mènent; elles ne jouent, ni ne veillent; elles ne boivent point de vin, et ne s'exposent presque jamais à l'air. Il faut avouer que le sérail est plutôt fait pour la santé que pour les plaisirs: c'est une vie unie, qui ne pique point; tout s'y ressent de la subordination et du devoir; les plaisirs même y sont graves, et les joies sévères; et on ne les goûte presque jamais que comme des marques d'autorité et de dépendance.

Les hommes même n'ont pas en Perse la gaieté qu'ont les Français: on ne leur voit point cette liberté d'esprit, et cet air content, que je trouve ici dans tous les états et dans toutes les conditions.

C'est bien pis en Turquie, où l'on pourrait trouver des familles où, de père en fils, personne n'a ri, depuis la fondation de la monarchie.

Cette gravité des Asiatiques vient du peu de commerce qu'il y a entre eux: ils ne se voient que lorsqu'ils y sont for-

cœur et le cerveau. Ils proviennent originellement du foie, qui produit l'« esprit naturel », c'est-à-dire cette vitalité qui agite la matière corporelle.

1. Dans les éditions de 1721, cette lettre était attribuée à Rica.

cés par la cérémonie. L'amitié, ce doux engagement du cœur, qui fait ici la douceur de la vie, leur est presque inconnue : ils se retirent dans leurs maisons, où ils trouvent toujours une compagnie qui les attend ; de manière que chaque famille est, pour ainsi dire, isolée.

Un jour que je m'entretenais là-dessus avec un homme de ce pays-ci, il me dit : « Ce qui me choque le plus de vos mœurs, c'est que vous êtes obligés de vivre avec des esclaves, dont le cœur et l'esprit se sentent toujours de la bassesse de leur condition. Ces gens lâches affaiblissent en vous les sentiments de la vertu, que l'on tient de la nature, et ils les ruinent, depuis l'enfance qu'ils vous obsèdent.

« Car, enfin, défaites-vous des préjugés : que peut-on attendre de l'éducation qu'on reçoit d'un misérable, qui fait consister son honneur à garder les femmes d'un autre, et s'enorgueillit du plus vil emploi qui soit parmi les humains ; qui est méprisable par sa fidélité même, qui est la seule de ses vertus, parce qu'il y est porté par envie, par jalousie et par désespoir ; qui, brûlant de se venger des deux sexes, dont il est le rebut, consent à être tyrannisé par le plus fort, pourvu qu'il puisse désoler le plus faible ; qui, tirant de son imperfection, de sa laideur et de sa difformité, tout l'éclat de sa condition, n'est estimé que parce qu'il est indigne de l'être ; qui enfin, rivé pour jamais à la porte où il est attaché, plus dur que les gonds et les verrous qui la tiennent, se vante de cinquante ans de vie dans ce poste indigne, où, chargé de la jalousie de son maître, il a exercé toute sa bassesse ? »

De Paris,
le 14 de la lune de Zilhagé 1713.

LETTRE 35

USBEK À GEMCHID,
SON COUSIN, DERVIS
DU BRILLANT MONASTÈRE
DE TAURIS

Que penses-tu des chrétiens, sublime dervis ? Crois-tu qu'au jour du jugement ils seront, comme les infidèles turcs, qui serviront d'ânes aux juifs, et les mèneront au grand trot en enfer ? Je sais bien qu'ils n'iront point dans le séjour des prophètes, et que le grand Hali n'est point venu pour eux. Mais, parce qu'ils n'ont pas été assez heureux pour trouver des mosquées dans leur pays, crois-tu qu'ils soient condamnés à des châtiments éternels ? et que Dieu les punisse pour n'avoir pas pratiqué une religion qu'il ne leur a pas fait connaître ? Je puis te le dire : j'ai souvent examiné ces chrétiens ; je les ai interrogés, pour voir s'ils avaient quelque idée du grand Hali, qui était le plus beau de tous les hommes : j'ai trouvé qu'ils n'en avaient jamais ouï parler.

Ils ne ressemblent point à ces infidèles que nos saints prophètes faisaient passer au fil de l'épée, parce qu'ils refusaient de croire aux miracles du ciel : ils sont plutôt comme ces malheureux qui vivaient dans les ténèbres de l'idolâtrie, avant que la divine lumière vînt éclairer le visage de notre grand prophète.

D'ailleurs, si l'on examine de près leur religion, on y trouvera comme une semence de nos dogmes. J'ai souvent admiré les secrets de la providence, qui semble les avoir voulu préparer par là à la conversion générale. J'ai ouï parler d'un livre de leurs docteurs, intitulé *La polygamie triomphante*[1],

1. Il s'agit du livre en latin du protestant Johann Leyser, *Polygamia triumphatrix* (1682).

dans lequel il est prouvé que la polygamie est ordonnée aux chrétiens. Leur baptême est l'image de nos ablutions légales; et les chrétiens n'errent que[1] dans l'efficacité qu'ils donnent à cette première ablution, qu'ils croient devoir suffire pour toutes les autres. Leurs prêtres et leurs moines prient, comme nous, sept fois le jour. Ils espèrent de jouir d'un paradis, où ils goûteront mille délices, par le moyen de la résurrection des corps. Ils ont, comme nous, des jeûnes marqués, des mortifications avec lesquelles ils espèrent fléchir la miséricorde divine. Ils rendent un culte aux bons anges, et se méfient des mauvais. Ils ont une sainte crédulité pour les miracles que Dieu opère par le ministère de ses serviteurs. Ils reconnaissent, comme nous, l'insuffisance de leurs mérites, et le besoin qu'ils ont d'un intercesseur auprès de Dieu. Je vois partout le mahométisme, quoique je n'y trouve point Mahomet. On a beau faire; la vérité s'échappe, et perce toujours les ténèbres qui l'environnent. Il viendra un jour, où l'Éternel ne verra sur la terre que des vrais croyants. Le temps, qui consume tout, détruira les erreurs même. Tous les hommes seront étonnés de se voir sous le même étendard: tout, jusques à la loi, sera consommé; les divins exemplaires seront enlevés de la terre, et portés dans les célestes archives.

De Paris,
le 20 de la lune de Zilhagé 1713.

1. Ne se trompent que.

LETTRE 36

USBEK À RÉEDI

À Venise

Le café est très en usage à Paris : il y a un grand nombre de maisons publiques où on le distribue. Dans quelques-unes de ces maisons, on dit des nouvelles ; dans d'autres, on joue aux échecs. Il y en a une où l'on apprête le café de telle manière, qu'il donne de l'esprit à ceux qui en prennent : au moins, de tous ceux qui en sortent, il n'y a personne qui ne croie qu'il en a quatre fois plus que lorsqu'il y est entré[1].

Mais, ce qui me choque de ces beaux esprits, c'est qu'ils ne se rendent pas utiles à leur patrie, et qu'ils amusent leurs talents à des choses puériles. Par exemple : lorsque j'arrivai à Paris, je les trouvai échauffés sur une dispute la plus mince qu'il se puisse imaginer : il s'agissait de la réputation d'un vieux poète grec[2], dont, depuis deux mille ans, on ignore la patrie, aussi bien que le temps de sa mort. Les deux partis avouaient que c'était un poète excellent : il n'était question que du plus ou du moins de mérite qu'il fallait lui attribuer. Chacun en voulait donner le taux : mais, parmi ces distributeurs de réputation, les uns faisaient meilleur poids que les autres : voilà la querelle. Elle était bien vive ; car on se disait cordialement, de part et d'autre, des injures si grossières, on faisait des plaisanteries si amères, que je n'admirais pas

1. Allusion probable au café Procope, fondé en 1684 par Procopio Coltelli, situé près du domicile de Montesquieu jusqu'en 1721. Il était fréquenté par des libres penseurs, parmi lesquels Fréret, ami de Montesquieu.

2. Référence à Homère, et, à travers lui, à la seconde phase de la « Querelle des Anciens et des Modernes » où s'affrontent Mme Dacier, au nom des premiers, et La Motte, au nom des seconds.

moins la manière de disputer, que le sujet de la dispute. Si quelqu'un, disais-je en moi-même, était assez étourdi pour aller, devant un de ces défenseurs du poète grec, attaquer la réputation de quelque honnête citoyen, il ne serait pas mal relevé! et je crois que ce zèle, si délicat sur la réputation des morts, s'embraserait bien pour défendre celle des vivants! Mais, quoi qu'il en soit, ajoutais-je, Dieu me garde de m'attirer jamais l'inimitié des censeurs de ce poète, que le séjour de deux mille ans dans le tombeau n'a pu garantir d'une haine si implacable! Ils frappent à présent des coups en l'air; mais que serait-ce, si leur fureur était animée par la présence d'un ennemi?

Ceux dont je te viens de parler disputent en langue vulgaire; et il faut les distinguer d'une autre sorte de disputeurs, qui se servent d'une langue barbare[1], qui semble ajouter quelque chose à la fureur et à l'opiniâtreté des combattants. Il y a des quartiers où l'on voit comme une mêlée noire et épaisse de ces sortes de gens: ils se nourrissent de distinctions; ils vivent de raisonnements obscurs et de fausses conséquences. Ce métier, où l'on devrait mourir de faim, ne laisse pas de rendre. On a vu une nation entière[2], chassée de son pays, traverser les mers pour s'établir en France, n'emportant avec elle, pour parer aux nécessités de la vie, qu'un redoutable talent pour la dispute. Adieu.

De Paris,
le dernier de la lune de Zilhagé 1713.

1. Le latin scolastique, langue de la théologie.
2. Il s'agit des prêtres irlandais que la Révolution de 1688 en Angleterre chassa de leur pays. Ils trouvèrent refuge à Paris dans le Quartier latin.

LETTRE 37

USBEK À IBBEN

À Smyrne

Le roi de France est vieux. Nous n'avons point d'exemple, dans nos histoires, d'un monarque qui ait si longtemps régné. On dit qu'il possède à un très haut degré le talent de se faire obéir : il gouverne avec le même génie sa famille, sa cour, son État : on lui a souvent entendu dire que, de tous les gouvernements du monde, celui des Turcs, ou celui de notre auguste sultan, lui plairait le mieux ; tant il fait cas de la politique orientale !

J'ai étudié son caractère, et j'y ai trouvé des contradictions qu'il m'est impossible de résoudre : par exemple, il a un ministre qui n'a que dix-huit ans, et une maîtresse qui en a quatre-vingts[1] : il aime sa religion, et il ne peut souffrir ceux qui disent qu'il la faut observer à la rigueur[2] : quoiqu'il fuie le tumulte des villes, et qu'il se communique peu, il n'est occupé, depuis le matin jusqu'au soir, qu'à faire parler de lui : il aime les trophées et les victoires ; mais il craint autant de voir un bon général à la tête de ses troupes, qu'il aurait sujet de le craindre à la tête d'une armée ennemie. Il n'est, je crois, jamais arrivé qu'à lui, d'être, en même temps, comblé de plus de richesses qu'un prince n'en saurait espérer, et accablé d'une pauvreté qu'un particulier ne pourrait soutenir.

1. Madame de Maintenon avait épousé secrètement le roi en 1684. Elle était née en 1635. Louis XIV a nommé plusieurs ministres de manière très précoce : Barbezieux, fils du ministre Louvois, est nommé en 1685, à dix-sept ans, secrétaire d'État ; en 1708, le marquis de Cany, fils de Chamillart, ministre de la Guerre, est nommé secrétaire d'État à dix-huit ans.

2. C'est-à-dire « avec rigueur ».

Il aime à gratifier ceux qui le servent; mais il paie aussi libéralement les assiduités, ou plutôt l'oisiveté de ses courtisans, que les campagnes laborieuses de ses capitaines: souvent il préfère un homme qui le déshabille, ou qui lui donne la serviette lorsqu'il se met à table, à un autre qui lui prend des villes, ou lui gagne des batailles: il ne croit pas que la grandeur souveraine doive être gênée dans la distribution des grâces; et, sans examiner si celui qu'il comble de biens est homme de mérite, il croit que son choix va le rendre tel: aussi lui a-t-on vu donner une petite pension à un homme qui avait fui deux lieues, et un beau gouvernement à un autre qui en avait fui quatre.

Il est magnifique, surtout dans ses bâtiments: il y a plus de statues dans les jardins de son palais, que de citoyens dans une grande ville. Sa garde est aussi forte que celle du prince devant qui tous les trônes se renversent[1]; ses armées sont aussi nombreuses, ses ressources aussi grandes, et ses finances aussi inépuisables.

De Paris,
le 7 de la lune de Maharram 1713.

LETTRE 38

RICA À IBBEN

À Smyrne

C'est une grande question, parmi les hommes, de savoir s'il est plus avantageux d'ôter aux femmes la liberté, que de la leur laisser. Il me semble qu'il y a bien des raisons pour et contre. Si les Européens disent qu'il n'y a pas de généro-

1. Périphrase pour désigner le roi de Perse.

sité à rendre malheureuses les personnes que l'on aime; nos Asiatiques répondent qu'il y a de la bassesse aux hommes de renoncer à l'empire que la nature leur a donné sur les femmes. Si on leur dit que le grand nombre des femmes enfermées est embarrassant; ils répondent que dix femmes, qui obéissent, embarrassent moins qu'une qui n'obéit pas. Que s'ils objectent, à leur tour, que les Européens ne sauraient être heureux avec des femmes qui ne leur sont pas fidèles; on leur répond que cette fidélité, qu'ils vantent tant, n'empêche point le dégoût, qui suit toujours les passions satisfaites; que nos femmes sont trop à nous; qu'une possession si tranquille ne nous laisse rien à désirer, ni à craindre; qu'un peu de coquetterie est un sel qui pique et prévient la corruption. Peut-être qu'un homme plus sage que moi serait embarrassé de décider: car, si les Asiatiques font fort bien de chercher des moyens propres à calmer leurs inquiétudes, les Européens font fort bien aussi de n'en point avoir.

Après tout, disent-ils, quand nous serions malheureux en qualité de maris, nous trouverions toujours moyen de nous dédommager en qualité d'amants. Pour qu'un homme pût se plaindre avec raison de l'infidélité de sa femme, il faudrait qu'il n'y eût que trois personnes dans le monde; ils seront toujours à but[1], quand il y en aura quatre.

C'est une autre question de savoir si la loi naturelle soumet les femmes aux hommes. «Non, me disait l'autre jour un philosophe très galant[2]: la nature n'a jamais dicté une telle loi. L'empire que nous avons sur elles est une véritable

1. Expression venant du jeu de paume: «sans avantage».
2. On peut penser à Fontenelle, que Montesquieu connaît bien, ou à Poullain de La Barre, auteur de *De l'égalité entre les sexes, discours physique et moral, où l'on voit l'importance de se défaire des préjugés* (Paris, 1673).

tyrannie; elles ne nous l'ont laissé prendre, que parce qu'elles ont plus de douceur que nous, et, par conséquent, plus d'humanité et de raison. Ces avantages, qui devaient sans doute leur donner la supériorité, si nous avions été raisonnables, la leur ont fait perdre, parce que nous ne le sommes point.

« Or, s'il est vrai que nous n'avons sur les femmes qu'un pouvoir tyrannique, il ne l'est pas moins qu'elles ont sur nous un empire naturel; celui de la beauté, à qui rien ne résiste. Le nôtre n'est pas de tous les pays; mais celui de la beauté est universel. Pourquoi aurions-nous donc un privilège? Est-ce parce que nous sommes les plus forts? Mais c'est une véritable injustice. Nous employons toutes sortes de moyens pour leur abattre le courage. Les forces seraient égales, si l'éducation l'était aussi. Éprouvons-les dans les talents que l'éducation n'a point affaiblis; et nous verrons si nous sommes si forts.

« Il faut l'avouer, quoique cela choque nos mœurs: chez les peuples les plus polis [1], les femmes ont toujours eu de l'autorité sur leurs maris; elle fut établie par une loi chez les Égyptiens, en l'honneur d'Isis; et chez les Babyloniens, en l'honneur de Sémiramis. On disait des Romains, qu'ils commandaient à toutes les nations, mais qu'ils obéissaient à leurs femmes. Je ne parle point des Sauromates, qui étaient véritablement dans la servitude de ce sexe; ils étaient trop barbares, pour que leur exemple puisse être cité. »

Tu vois, mon cher Ibben, que j'ai pris le goût de ce pays-ci, où l'on aime à soutenir des opinions extraordinaires, et à réduire tout en paradoxe. Le prophète a décidé la question, et a réglé les droits de l'un et de l'autre sexe. Les

1. Civilisés.

femmes, dit-il, doivent honorer leurs maris : leurs maris les doivent honorer ; mais ils ont l'avantage d'un degré sur elles [1].

De Paris,
le 26 de la lune de Gemmadi, 2, 1713.

LETTRE 39

HAGI* IBBI, AU JUIF
BEN JOSUÉ, PROSÉLYTE
MAHOMÉTAN

À Smyrne

Il me semble, Ben Josué, qu'il y a toujours des signes éclatants, qui préparent à la naissance des hommes extraordinaires ; comme si la nature souffrait une espèce de crise, et que la puissance céleste ne produisît qu'avec effort.

Il n'y a rien de si merveilleux que la naissance de Mahomet [2]. Dieu, qui, par les décrets de sa providence, avait résolu, dès le commencement, d'envoyer aux hommes ce grand prophète, pour enchaîner Satan, créa une lumière deux mille ans avant Adam, qui, passant, d'élu en élu, d'ancêtre en ancêtre de Mahomet, parvint enfin jusques à lui, comme un témoignage authentique qu'il était descendu des patriarches.

Ce fut aussi à cause de ce même prophète, que Dieu ne voulut pas qu'aucun enfant fût conçu, que la femme ne cessât d'être immonde, et que l'homme ne fût livré à la circoncision.

* *Hagi* est un homme qui a fait le pèlerinage de La Mecque.
1. Voir le Coran (II, 228).
2. Dans tout ce développement, Montesquieu s'inspire d'assez près d'Hermannus Dalmata (voir note 2, p. 46).

Il vint au monde circoncis, et la joie parut sur son visage dès la naissance : la terre trembla trois fois, comme si elle eût enfanté elle-même ; toutes les idoles se prosternèrent ; les trônes des rois furent renversés ; Lucifer fut jeté au fond de la mer ; et ce ne fut qu'après avoir nagé pendant quarante jours, qu'il sortit de l'abîme, et s'enfuit sur le mont Cabès, d'où, avec une voix terrible, il appela les anges.

Cette nuit, Dieu posa un terme entre l'homme et la femme, qu'aucun d'eux ne put passer. L'art des magiciens et nécromants se trouva sans vertu. On entendit une voix du ciel qui disait ces paroles : « J'ai envoyé au monde mon ami fidèle. »

Selon le témoignage d'Isben Aben[1], historien arabe, les générations des oiseaux, des nuées, des vents, et tous les escadrons des anges, se réunirent pour élever cet enfant, et se disputèrent cet avantage. Les oiseaux disaient, dans leurs gazouillements, qu'il était plus commode qu'ils l'élevassent, parce qu'ils pouvaient plus facilement rassembler plusieurs fruits de divers lieux. Les vents murmuraient, et disaient : « C'est plutôt à nous, parce que nous pouvons lui apporter, de tous les endroits, les odeurs les plus agréables. — Non, non, disaient les nuées, non ; c'est à nos soins qu'il sera confié, parce que nous lui ferons part, à tous les instants, de la fraîcheur des eaux. » — Là-dessus, les anges indignés s'écriaient : « Que nous restera-t-il donc à faire ? » Mais une voix du ciel fut entendue, qui termina toutes les disputes : « Il ne sera point ôté d'entre les mains des mortels, parce qu'heureuses les mamelles qui l'allaiteront, et les mains qui le toucheront, et la maison qu'il habitera, et le lit où il reposera. »

Après tant de témoignages si éclatants, mon cher Josué, il faut avoir un cœur de fer pour ne pas croire sa sainte loi.

1. Transcription de Montesquieu pour *Ibenaber* chez Dalmata.

Que pouvait faire davantage le ciel pour autoriser sa mission divine, à moins de renverser la nature, et de faire périr les hommes même qu'il voulait convaincre ?

De Paris,
le 20 de la lune de Rhegeb 1713.

LETTRE 40

USBEK À IBBEN

À Smyrne

Dès qu'un grand est mort, on s'assemble dans une mosquée, et l'on fait son oraison funèbre, qui est un discours à sa louange, avec lequel on serait bien embarrassé de décider au juste du mérite du défunt.

Je voudrais bannir les pompes funèbres. Il faut pleurer les hommes à leur naissance, et non pas à leur mort. À quoi servent les cérémonies, et tout l'attirail lugubre, qu'on fait paraître à un mourant dans ses derniers moments, les larmes même de sa famille, et la douleur de ses amis, qu'à lui exagérer la perte qu'il va faire ?

Nous sommes si aveugles, que nous ne savons quand nous devons nous affliger, ou nous réjouir : nous n'avons presque jamais que de fausses tristesses, ou de fausses joies.

Quand je vois le Mogol, qui, toutes les années, va sottement se mettre dans une balance, et se faire peser comme un bœuf ; quand je vois les peuples se réjouir de ce que ce prince est devenu plus matériel, c'est-à-dire, moins capable de les gouverner ; j'ai pitié, Ibben, de l'extravagance humaine.

De Paris,
le 20 de la lune de Rhegeb 1713.

LETTRE 41

LE PREMIER EUNUQUE NOIR
À USBEK

Ismaël, un de tes eunuques noirs, vient de mourir, magnifique seigneur ; et je ne puis m'empêcher de le remplacer. Comme les eunuques sont extrêmement rares à présent, j'avais pensé de me servir d'un esclave noir, que tu as à la campagne : mais je n'ai pu jusqu'ici le porter à souffrir qu'on le consacrât à cet emploi. Comme je vois qu'au bout du compte, c'est son avantage, je voulus l'autre jour user, à son égard, d'un peu de rigueur ; et, de concert avec l'intendant de tes jardins, j'ordonnai que, malgré lui, on le mît en état de te rendre les services qui flattent le plus ton cœur, et de vivre comme moi dans ces redoutables lieux, qu'il n'ose pas même regarder : mais il se mit à hurler, comme si on avait voulu l'écorcher, et fit tant qu'il échappa de nos mains, et évita le fatal couteau. Je viens d'apprendre qu'il veut t'écrire pour te demander grâce, soutenant que je n'ai conçu ce dessein que par un désir insatiable de vengeance sur certaines railleries piquantes qu'il dit avoir faites de moi. Cependant je te jure, par les cent mille prophètes, que je n'ai agi que pour le bien de ton service, la seule chose qui me soit chère, et hors laquelle je ne regarde rien. Je me prosterne à tes pieds.

Du sérail de Fatmé,
le 7 de la lune de Maharram 1713.

LETTRE 42

PHARAN À USBEK,
SON SOUVERAIN SEIGNEUR

Si tu étais ici, magnifique seigneur, je paraîtrais à ta vue tout couvert de papier blanc; et il n'y en aurait pas assez pour écrire toutes les insultes que ton premier eunuque noir, le plus méchant de tous les hommes, m'a faites depuis ton départ.

Sous prétexte de quelques railleries qu'il prétend que j'ai faites sur le malheur de sa condition, il exerce sur ma tête une vengeance inépuisable; il a animé contre moi le cruel intendant de tes jardins, qui, depuis ton départ, m'oblige à des travaux insurmontables, dans lesquels j'ai pensé mille fois laisser la vie, sans perdre un moment l'ardeur de te servir. Combien de fois ai-je dit en moi-même: «J'ai un maître rempli de douceur, et je suis le plus malheureux esclave qui soit sur la terre!»

Je te l'avoue, magnifique seigneur: je ne me croyais pas destiné à de plus grandes misères: mais ce traître d'eunuque a voulu mettre le comble à sa méchanceté. Il y a quelques jours que, de son autorité privée, il me destina à la garde de tes femmes sacrées; c'est-à-dire, à une exécution, qui serait pour moi mille fois plus cruelle que la mort. Ceux qui, en naissant, ont eu le malheur de recevoir de leurs cruels parents un traitement pareil, se consolent peut-être sur ce qu'ils n'ont jamais connu d'autre état que le leur: mais qu'on me fasse descendre de l'humanité, et qu'on m'en prive, je mourrais de douleur, si je ne mourrais pas de cette barbarie.

J'embrasse tes pieds, sublime seigneur, dans une humilité profonde. Fais en sorte que je sente les effets de cette

vertu si respectée ; et qu'il ne soit pas dit que, par ton ordre, il y ait sur la terre un malheureux de plus.

Des jardins de Fatmé,
le 7 de la lune de Maharram 1713.

LETTRE 43

USBEK À PHARAN

Aux jardins de Fatmé

Recevez la joie dans votre cœur, et reconnaissez ces sacrés caractères ; faites-les baiser au grand eunuque, et à l'intendant de mes jardins. Je leur défends de rien entreprendre contre vous : dites-leur d'acheter l'eunuque qui me manque. Acquittez-vous de votre devoir, comme si vous m'aviez toujours devant les yeux ; car, sachez que, plus mes bontés sont grandes, plus vous serez puni, si vous en abusez.

De Paris,
le 25 de la lune de Rhegeb 1713.

LETTRE 44

USBEK À RHÉDI

À Venise

Il y a, en France, trois sortes d'états ; l'Église, l'épée, et la robe[1]. Chacun a un mépris souverain pour les deux autres : tel, par exemple, que l'on devrait mépriser parce qu'il est un sot, ne l'est souvent que parce qu'il est homme de robe.

1. La robe désigne l'ensemble des nobles qui ont les charges de justice dans les parlements.

Il n'y a pas jusqu'aux plus vils artisans qui ne disputent sur l'excellence de l'art qu'ils ont choisi ; chacun s'élève au-dessus de celui qui est d'une profession différente, à proportion de l'idée qu'il s'est faite de la supériorité de la sienne.

Les hommes ressemblent tous, plus ou moins, à cette femme de la province d'Erivan, qui, ayant reçu quelque grâce d'un de nos monarques, lui souhaita mille fois, dans les bénédictions qu'elle lui donna, que le ciel le fît gouverneur d'Erivan.

J'ai lu, dans une relation[1], qu'un vaisseau français ayant relâché à la côte de Guinée, quelques hommes de l'équipage voulurent aller à terre acheter quelques moutons. On les mena au roi, qui rendait la justice à ses sujets sous un arbre. Il était sur son trône, c'est-à-dire, sur un morceau de bois, aussi fier que s'il eût été assis sur celui du grand Mogol : il avait trois ou quatre gardes avec des piques de bois ; un parasol, en forme de dais, le couvrait de l'ardeur du soleil ; tous ses ornements et ceux de la reine, sa femme, consistaient en leur peau noire et quelques bagues. Ce prince, plus vain encore que misérable, demanda à ces étrangers si on parlait beaucoup de lui en France. Il croyait que son nom devait être porté d'un pôle à l'autre : et, à la différence de ce conquérant de qui on a dit qu'il avait fait taire toute la terre[2], il croyait, lui, qu'il devait faire parler tout l'univers.

Quand le kan de Tartarie a dîné, un héraut crie que tous les princes de la terre peuvent aller dîner, si bon leur semble : et ce barbare, qui ne mange que du lait, qui n'a pas de maison, qui ne vit que de brigandage, regarde tous les rois du

1. C'est-à-dire un récit de voyage, et précisément la *Relation d'un voyage fait en 1695, 1696 et 1697, aux côtes d'Afrique, détroit de Magellan, Brésil, Cayenne et isles Antilles* (Paris, 1698) de François Froger.
2. Allusion à Alexandre le Grand dans la Bible, I Macchabées, I, 3.

monde comme ses esclaves, et les insulte régulièrement deux fois par jour.

De Paris,
le 28 de la lune de Rhegeb 1713.

LETTRE 45

RICA À USBEK

À ***

Hier matin, comme j'étais au lit, j'entendis frapper rudement à ma porte, qui fut soudain ouverte, ou enfoncée, par un homme avec qui j'avais lié quelque société, et qui me parut tout hors de lui-même.

Son habillement était beaucoup plus que modeste ; sa perruque de travers n'avait pas même été peignée : il n'avait pas eu le temps de faire recoudre son pourpoint noir ; et il avait renoncé, pour ce jour-là, aux sages précautions, avec lesquelles il avait coutume de déguiser le délabrement de son équipage.

« Levez-vous, me dit-il ; j'ai besoin de vous tout aujourd'hui ; j'ai mille emplettes à faire, et je serai bien aise que ce soit avec vous : il faut, premièrement, que nous allions, rue Saint-Honoré, parler à un notaire, qui est chargé de vendre une terre de cinq cent mille livres ; je veux qu'il m'en donne la préférence. En venant ici, je me suis arrêté un moment au faubourg Saint-Germain, où j'ai loué un hôtel deux mille écus ; et j'espère passer le contrat aujourd'hui. »

Dès que je fus habillé, ou peu s'en fallait, mon homme me fit précipitamment descendre. « Commençons, dit-il, par acheter un carrosse, et établissons l'équipage. » En effet, nous achetâmes, non seulement un carrosse, mais encore

pour cent mille francs de marchandises, en moins d'une heure: tout cela se fit promptement, parce que mon homme ne marchanda rien, et ne compta jamais; aussi ne déplaça-t-il pas[1]. Je rêvais[2] sur tout ceci: et, quand j'examinais cet homme, je trouvais en lui une complication singulière de richesses et de pauvreté; de manière que je ne savais que croire. Mais enfin, je rompis le silence; et, le tirant à part, je lui dis, «Monsieur, qui est-ce qui payera tout cela? — Moi, dit-il: venez dans ma chambre; je vous montrerai des trésors immenses, et des richesses enviées des plus grands monarques: mais elles ne le seront pas de vous, qui les partagerez toujours avec moi.» Je le suis. Nous grimpons à son cinquième étage; et, par une échelle, nous nous guindons à un sixième, qui était un cabinet ouvert aux quatre vents, dans lequel il n'y avait que deux ou trois douzaines de bassins de terre remplis de diverses liqueurs. «Je me suis levé de grand matin, me dit-il, et j'ai fait d'abord ce que je fais depuis vingt-cinq ans, qui est d'aller visiter mon œuvre: j'ai vu que le grand jour était venu, qui devait me rendre plus riche qu'homme qui soit sur la terre. Voyez-vous cette liqueur vermeille? Elle a à présent toutes les qualités que les philosophes demandent pour faire la transmutation des métaux. J'en ai tiré ces grains que vous voyez, qui sont de vrai or par leur couleur, quoiqu'un peu imparfait par leur pesanteur. Ce secret, que Nicolas Flamel trouva, mais que Raimond Lulle[3] et un million d'autres cherchèrent toujours, est venu jusqu'à moi; et je me trouve aujourd'hui un heureux adepte. Fasse le ciel

1. Terme de finance, de sens obscur. Comprendre: «sans rien changer, sans placer ailleurs son argent».
2. Songeais.
3. Nicolas Flamel mourut en 1418 avec la réputation d'avoir amassé des richesses. Raymond Lulle (1235-1315), mystique catalan, est une figure légendaire de l'alchimie.

que je ne me serve de tant de trésors qu'il m'a communiqués, que pour sa gloire!»

Je sortis, et je descendis, ou plutôt je me précipitai par cet escalier, transporté de colère, et laissai cet homme si riche dans son hôpital. Adieu, mon cher Usbek. J'irai te voir demain; et, si tu veux, nous reviendrons ensemble à Paris.

De Paris,
le dernier de la lune de Rhegeb 1713.

LETTRE 46

USBEK À RHÉDI

À Venise

Je vois ici des gens qui disputent, sans fin, sur la religion: mais il semble qu'ils combattent en même temps à qui l'observera le moins.

Non seulement ils ne sont pas meilleurs chrétiens, mais même meilleurs citoyens; et c'est ce qui me touche: car, dans quelque religion qu'on vive, l'observation des lois, l'amour pour les hommes, la piété, envers les parents, sont toujours les premiers actes de religion.

En effet, le premier objet d'un homme religieux ne doit-il pas être de plaire à la divinité qui a établi la religion qu'il professe? Mais le moyen le plus sûr, pour y parvenir, est sans doute d'observer les règles de la société, et les devoirs de l'humanité. Car, en quelque religion qu'on vive, dès qu'on en suppose une, il faut bien que l'on suppose aussi que Dieu aime les hommes, puisqu'il établit une religion pour les rendre heureux: que s'il aime les hommes, on est assuré de lui plaire en les aimant aussi; c'est-à-dire, en exerçant

envers eux tous les devoirs de la charité et de l'humanité, et en ne violant point les lois sous lesquelles ils vivent.

Par là, on est bien plus sûr de plaire à Dieu, qu'en observant telle ou telle cérémonie : car les cérémonies n'ont point un degré de bonté par elles-mêmes ; elles ne sont bonnes qu'avec égard, et dans la supposition que Dieu les a commandées. Mais c'est la matière d'une grande discussion : on peut facilement s'y tromper, car il faut choisir les cérémonies d'une religion entre celles de deux mille.

Un homme faisait tous les jours à Dieu cette prière : «Seigneur, je n'entends rien dans les disputes que l'on fait sans cesse à votre sujet : je voudrais vous servir selon votre volonté ; mais chaque homme que je consulte veut que je vous serve à la sienne. Lorsque je veux vous faire ma prière, je ne sais en quelle langue je dois vous parler. Je ne sais pas non plus en quelle posture je dois me mettre : l'un dit que je dois vous prier debout ; l'autre veut que je sois assis ; l'autre exige que mon corps porte sur mes genoux. Ce n'est pas tout : il y en a qui prétendent que je dois me laver tous les matins avec de l'eau froide : d'autres soutiennent que vous me regarderez avec horreur, si je ne me fais pas couper un petit morceau de chair. Il m'arriva, l'autre jour, de manger un lapin dans un caravansérail [1] : trois hommes, qui étaient auprès de là, me firent trembler : ils me soutinrent tous trois que je vous avais grièvement offensé ; l'un*, parce que cet animal était immonde ; l'autre**, parce qu'il était étouffé ; l'autre enfin***, parce qu'il n'était pas poisson. Un brachmane, qui passait par là, et que je pris pour juge, me dit : «Ils ont tort, car apparemment vous n'avez pas tué vous-même cet ani-

* Un Juif.
** Un Turc.
*** Un Arménien.
1. Auberge où font halte les caravanes.

mal. — Si fait, lui dis-je. — Ah ! vous avez commis une action abominable, et que Dieu ne vous pardonnera jamais, me dit-il d'une voix sévère : que savez-vous si l'âme de votre père n'était pas passée dans cette bête ? » Toutes ces choses, seigneur, me jettent dans un embarras inconcevable : je ne puis remuer la tête, que je ne sois menacé de vous offenser : cependant je voudrais vous plaire, et employer à cela la vie que je tiens de vous. Je ne sais si je me trompe ; mais je crois que le meilleur moyen pour y parvenir, est de vivre en bon citoyen dans la société où vous m'avez fait naître, et en bon père dans la famille que vous m'avez donnée. »

De Paris,
le 8 de la lune de Chahban 1713.

LETTRE 47

ZACHI À USBEK

À Paris

J'ai une grande nouvelle à t'apprendre : je me suis réconciliée avec Zéphis ; le sérail, partagé entre nous, s'est réuni. Il ne manque que toi dans ces lieux, où la paix règne : viens, mon cher Usbek, viens y faire triompher l'amour.

Je donnai à Zéphis un grand festin, où ta mère, tes femmes, et tes principales concubines furent invitées : tes tantes et plusieurs de tes cousines s'y trouvèrent aussi : elles étaient venues à cheval, couvertes du sombre nuage de leurs voiles et de leurs habits.

Le lendemain, nous partîmes pour la campagne, où nous espérions être plus libres : nous montâmes sur nos chameaux, et nous nous mîmes quatre dans chaque loge. Comme la partie avait été faite brusquement, nous n'eûmes

pas le temps d'envoyer à la ronde annoncer le courouc[1]: mais le premier eunuque, toujours industrieux, prit une autre précaution; car il joignit, à la toile qui nous empêchait d'être vues, un rideau si épais, que nous ne pouvions absolument voir personne.

Quand nous fûmes arrivées à cette rivière, qu'il faut traverser, chacune de nous se mit, selon la coutume, dans une boîte[2], et se fit porter dans le bateau: car on nous dit que la rivière était pleine de monde. Un curieux, qui s'approcha trop près du lieu où nous étions enfermées, reçut un coup mortel, qui lui ôta pour jamais la lumière du jour; un autre, qu'on trouva se baignant tout nu sur le rivage, eut le même sort: et tes fidèles eunuques sacrifièrent à ton honneur et au nôtre ces deux infortunés.

Mais écoute le reste de nos aventures. Quand nous fûmes au milieu du fleuve, un vent si impétueux s'éleva, et un nuage si affreux couvrit les airs, que nos matelots commencèrent à désespérer. Effrayées de ce péril, nous nous évanouîmes presque toutes. Je me souviens que j'entendis la voix et la dispute de nos eunuques, dont les uns disaient qu'il fallait nous avertir du péril, et nous tirer de notre prison: mais leur chef soutint toujours qu'il mourrait plutôt que de souffrir que son maître fût ainsi déshonoré, et qu'il enfoncerait un poignard dans le sein de celui qui ferait des propositions si hardies. Une de mes esclaves, toute hors d'elle, courut vers moi, déshabillée, pour me secourir; mais un eunuque noir la prit brutalement, et la fit rentrer dans l'endroit d'où elle était sortie. Pour lors je m'évanouis, et ne revins à moi qu'après que le péril fut passé.

1. D'après Chardin, il s'agit d'un «mot turquesque qui signifie défense, abstinence, et qui, dans cet usage, veut dire que tout le monde se retire et que personne n'approche».
2. Voir note p. 18.

Que les voyages sont embarrassants pour les femmes!
Les hommes ne sont exposés qu'aux dangers qui menacent
leur vie; et nous sommes, à tous les instants, dans la crainte
de perdre notre vie, ou notre vertu. Adieu, mon cher
Usbek. Je t'adorerai toujours.

> *Du sérail de Fatmé,*
> *le 2 de la lune de Rhamazan 1713.*

LETTRE 48

USBEK À RHÉDI

À Venise

Ceux qui aiment à s'instruire ne sont jamais oisifs.
Quoique je ne sois chargé d'aucune affaire importante, je
suis cependant dans une occupation continuelle. Je passe
ma vie à examiner: j'écris le soir ce que j'ai remarqué, ce
que j'ai vu, ce que j'ai entendu dans la journée: tout m'in-
téresse, tout m'étonne: je suis comme un enfant, dont
les organes encore tendres sont vivement frappés par les
moindres objets.

Tu ne le croirais pas peut-être: nous sommes reçus
agréablement dans toutes les compagnies, et dans toutes les
sociétés. Je crois devoir beaucoup à l'esprit vif et à la gaieté
naturelle de Rica, qui fait qu'il recherche tout le monde, et
qu'il en est également recherché. Notre air étranger n'of-
fense plus personne; nous jouissons même de la surprise
où l'on est de nous trouver quelque politesse; car les Fran-
çais n'imaginent pas que notre climat produise des hommes.
Cependant, il faut l'avouer, ils valent la peine qu'on les
détrompe.

J'ai passé quelques jours dans une maison de campagne

auprès de Paris, chez un homme de considération, qui est ravi d'avoir de la compagnie chez lui. Il a une femme fort aimable, et qui joint à une grande modestie une gaieté que la vie retirée ôte toujours à nos dames de Perse.

Étranger que j'étais, je n'avais rien de mieux à faire que d'étudier cette foule de gens qui y abordaient sans cesse, et qui me présentaient toujours quelque chose de nouveau. Je remarquai d'abord un homme, dont la simplicité me plut ; je m'attachai à lui, il s'attacha à moi ; de sorte que nous nous trouvions toujours l'un auprès de l'autre.

Un jour que, dans un grand cercle, nous nous entretenions en particulier, laissant les conversations générales à elles-mêmes : « Vous trouverez peut-être en moi, lui dis-je, plus de curiosité que de politesse : mais je vous supplie d'agréer que je vous fasse quelques questions ; car je m'ennuie de n'être au fait de rien, et de vivre avec des gens que je ne saurais démêler. Mon esprit travaille depuis deux jours : il n'y a pas un seul de ces hommes qui ne m'ait donné deux cents fois la torture ; et je ne les devinerais de mille ans ; ils me sont plus invisibles que les femmes de notre grand monarque. — Vous n'avez qu'à dire, me répondit-il, et je vous instruirai de tout ce que vous souhaiterez ; d'autant mieux que je vous crois homme discret, et que vous n'abuserez pas de ma confiance. »

« Qui est cet homme, lui dis-je, qui nous a tant parlé des repas qu'il a donnés aux grands, qui est si familier avec vos ducs, et qui parle si souvent à vos ministres qu'on me dit être d'un accès si difficile ? Il faut bien que ce soit un homme de qualité : mais il a la physionomie si basse, qu'il ne fait guère honneur aux gens de qualité ; et d'ailleurs je ne lui trouve point d'éducation. Je suis étranger ; mais il me semble qu'il y a, en général, une certaine politesse commune à toutes les nations ; je ne lui trouve point de celle-là : est-ce que vos gens de qualité sont plus mal élevés que les

autres ? — Cet homme, me répondit-il en riant, est un fermier[1] : il est autant au-dessus des autres par ses richesses, qu'il est au-dessous de tout le monde par sa naissance : il aurait la meilleure table de Paris, s'il pouvait se résoudre à ne manger jamais chez lui : il est bien impertinent, comme vous voyez ; mais il excelle par son cuisinier : aussi n'en est-il pas ingrat, car vous avez entendu qu'il l'a loué tout aujourd'hui. »

« Et ce gros homme vêtu de noir, lui dis-je, que cette dame a fait placer auprès d'elle ? Comment a-t-il un habit si lugubre, avec un air si gai et un teint si fleuri ? Il sourit gracieusement dès qu'on lui parle ; sa parure est plus modeste, mais plus arrangée que celle de vos femmes. — C'est, me répondit-il, un prédicateur, et, qui pis est, un directeur[2]. Tel que vous le voyez, il en sait plus que les maris ; il connaît le faible des femmes : elles savent aussi qu'il a le sien. — Comment, dis-je ! il parle toujours de quelque chose, qu'il appelle la grâce ? — Non pas toujours, me répondit-il : à l'oreille d'une jolie femme, il parle encore plus volontiers de sa chute : il foudroie en public, mais il est doux comme un agneau en particulier. — Il me semble, dis-je, qu'on le distingue beaucoup, et qu'on a de grands égards pour lui. — Comment ! si on le distingue ? C'est un homme nécessaire ; il fait la douceur de la vie retirée ; petits conseils, soins officieux, visites marquées ; il dissipe un mal de tête mieux qu'homme du monde ; il est excellent. »

« Mais, si je ne vous importune pas, dites-moi qui est celui qui est vis-à-vis de nous, qui est si mal habillé ; qui fait quelquefois des grimaces, et a un langage différent des

1. Le *fermier général* est un homme de finances qui perçoit les impôts et les droits au nom de la couronne avec laquelle il a passé un contrat.

2. Directeur de conscience.

autres ; qui n'a pas d'esprit pour parler, mais qui parle pour avoir de l'esprit ? — C'est, me répondit-il, un poète, et le grotesque du genre humain. Ces gens-là disent qu'ils sont nés ce qu'ils sont ; cela est vrai, et aussi ce qu'ils seront toute leur vie, c'est-à-dire, presque toujours les plus ridicules de tous les hommes : aussi ne les épargne-t-on point : on verse sur eux le mépris à pleines mains. La famine a fait entrer celui-ci dans cette maison ; et il y est bien reçu du maître et de la maîtresse, dont la bonté et la politesse ne se démentent à l'égard de personne : il fit leur épithalame[1] lorsqu'ils se marièrent : c'est ce qu'il a fait de mieux en sa vie ; car il s'est trouvé que le mariage a été aussi heureux qu'il l'a prédit. »

« Vous ne le croiriez pas peut-être, ajouta-t-il, entêté comme vous êtes des préjugés de l'Orient : il y a, parmi nous, des mariages heureux, et des femmes dont la vertu est un gardien sévère. Les gens, dont nous parlons, goûtent entre eux une paix qui ne peut être troublée ; ils sont aimés et estimés de tout le monde : il n'y a qu'une chose ; c'est que leur bonté naturelle leur fait recevoir chez eux toute sorte de monde ; ce qui fait qu'ils ont quelquefois mauvaise compagnie. Ce n'est pas que je les désapprouve ; il faut vivre avec les hommes tels qu'ils sont : les gens qu'on dit être de si bonne compagnie ne sont souvent que ceux dont les vices sont plus raffinés ; et peut-être en est-il comme des poisons, dont les plus subtils sont aussi les plus dangereux.

« Et ce vieux homme, lui dis-je tout bas, qui a l'air si chagrin ? Je l'ai pris d'abord pour un étranger : car, outre qu'il est habillé autrement que les autres, il censure[2] tout ce qui se fait en France, et n'approuve pas votre gouvernement.

1. Poème qui célèbre un mariage.
2. Il critique.

— C'est un vieux guerrier, me dit-il, qui se rend mémorable à tous ses auditeurs par la longueur de ses exploits. Il ne peut souffrir que la France ait gagné des batailles où il ne se soit pas trouvé, ou qu'on vante un siège où il n'ait pas monté à la tranchée : il se croit si nécessaire à notre histoire, qu'il s'imagine qu'elle finit où il a fini ; il regarde quelques blessures qu'il a reçues, comme la dissolution de la monarchie : et, à la différence de ces philosophes qui disent qu'on ne jouit que du présent, et que le passé n'est rien, il ne jouit, au contraire que du passé, et n'existe que dans les campagnes qu'il a faites : il respire dans les temps qui se sont écoulés, comme les héros doivent vivre dans ceux qui passeront après eux. — Mais pourquoi, dis-je, a-t-il quitté le service ? — Il ne l'a point quitté, me répondit-il ; mais le service l'a quitté ; on l'a employé dans une petite place, où il racontera ses aventures le reste de ses jours : mais il n'ira jamais plus loin ; le chemin des honneurs lui est fermé. — Et pourquoi, lui dis-je ? — Nous avons une maxime en France, me répondit-il : c'est de n'élever jamais les officiers dont la patience a langui dans les emplois subalternes : nous les regardons comme des gens dont l'esprit s'est rétréci dans les détails ; et qui, par l'habitude des petites choses, sont devenus incapables des plus grandes. Nous croyons qu'un homme, qui n'a pas les qualités d'un général à trente ans, ne les aura jamais : que celui qui n'a pas ce coup d'œil qui montre tout d'un coup un terrain de plusieurs lieues dans toutes ses situations différentes, cette présence d'esprit qui fait que, dans une victoire, on se sert de tous ses avantages, et dans un échec de toutes ses ressources, n'acquerra jamais ces talents. C'est pour cela que nous avons des emplois brillants, pour ces hommes grands et sublimes, que le ciel a partagés non seulement d'un cœur, mais aussi d'un génie héroïque ; et des emplois subalternes, pour ceux dont les talents le sont aussi. De ce

nombre sont ces gens qui ont vieilli dans une guerre obscure : ils ne réussissent tout au plus qu'à faire ce qu'ils ont fait toute leur vie ; et il ne faut point commencer à les charger dans le temps qu'ils s'affaiblissent. »

Un moment après, la curiosité me reprit, et je lui dis : « Je m'engage à ne vous plus faire de questions, si vous voulez encore souffrir celle-ci. Qui est ce grand jeune homme qui a des cheveux, peu d'esprit, et tant d'impertinence ? D'où vient qu'il parle plus haut que les autres, et se sait si bon gré d'être au monde ? — C'est un homme à bonnes fortunes [1] », me répondit-il. À ces mots, des gens entrèrent, d'autres sortirent, on se leva, quelqu'un vint parler à mon gentilhomme, et je restai aussi peu instruit qu'auparavant. Mais, un moment après, je ne sais par quel hasard ce jeune homme se trouva auprès de moi ; et, m'adressant la parole : « Il fait beau ; voudriez-vous, monsieur, faire un tour dans le parterre ? » Je lui répondis le plus civilement qu'il me fut possible, et nous sortîmes ensemble. « Je suis venu à la campagne, me dit-il, pour faire plaisir à la maîtresse de la maison, avec laquelle je ne suis pas mal. Il y a bien certaine femme dans le monde qui ne sera pas de bonne humeur ; mais qu'y faire ? Je vois les plus jolies femmes de Paris ; mais je ne me fixe pas à une, et je leur en donne bien à garder [2] : car, entre vous et moi, je ne vaux pas grand-chose. — Apparemment, monsieur, lui dis-je, que vous avez quelque charge ou quelque emploi, qui vous empêche d'être plus assidu auprès d'elles. — Non, monsieur : je n'ai d'autre emploi que de faire enrager un mari, ou désespérer un père ; j'aime à alarmer une femme qui croit me tenir, et la mettre à deux doigts de ma perte. Nous sommes quelques jeunes gens qui

1. Un homme qui a des succès amoureux.
2. *En donner à garder à quelqu'un* signifie « faire accroire », « laisser croire une chose fausse ».

partageons ainsi tout Paris, et l'intéressons à nos moindres démarches. — À ce que je comprends, lui dis-je, vous faites plus de bruit que le guerrier le plus valeureux, et vous êtes plus considéré qu'un grave magistrat. Si vous étiez en Perse, vous ne jouiriez pas de tous ces avantages; vous deviendriez plus propre à garder nos dames qu'à leur plaire. » Le feu me monta au visage; et je crois que, pour peu que j'eusse parlé, je n'aurais pu m'empêcher de le brusquer.

Que dis-tu d'un pays où l'on tolère de pareilles gens, et où l'on laisse vivre un homme qui fait un tel métier? où l'infidélité, la trahison, le rapt, la perfidie et l'injustice, conduisent à la considération? où l'on estime un homme, parce qu'il ôte une fille à son père, une femme à son mari, et trouble les sociétés les plus douces et les plus saintes? Heureux les enfants d'Hali, qui défendent leurs familles de l'opprobre et de la séduction! La lumière du jour n'est pas plus pure que le feu qui brûle dans le cœur de nos femmes: nos filles ne pensent qu'en tremblant au jour qui doit les priver de cette vertu qui les rend semblables aux anges et aux puissances incorporelles. Terre natale et chérie, sur qui le soleil jette ses premiers regards, tu n'es point souillée par les crimes horribles qui obligent cet astre à se cacher dès qu'il paraît dans le noir Occident.

De Paris,
le 5 de la lune de Rhamazan 1713.

LETTRE 49

RICA À USBEK

À ***

Étant l'autre jour dans ma chambre, je vis entrer un dervis extraordinairement habillé. Sa barbe descendait jusqu'à sa ceinture de corde : il avait les pieds nus : son habit était gris, grossier, et en quelques endroits pointu. Le tout me parut si bizarre, que ma première idée fut d'envoyer chercher un peintre, pour en faire une fantaisie[1].

Il me fit d'abord un grand compliment, dans lequel il m'apprit qu'il était homme de mérite, et de plus capucin[2]. « On m'a dit, ajouta-t-il, monsieur, que vous retournez bientôt à la cour de Perse, où vous tenez un rang distingué. Je viens vous demander votre protection, et vous prier de nous obtenir du roi une petite habitation, auprès de Casbin[3], pour deux ou trois religieux. — Mon père, lui dis-je, vous voulez donc aller en Perse ? — Moi, monsieur ! me dit-il. Je m'en donnerai bien de garde[4]. Je suis ici provincial[5], et je ne troquerais pas ma condition contre celle de tous les capucins du monde. — Et que diable me demandez-vous donc ? — C'est, me répondit-il, que, si nous avions cet hospice, nos pères d'Italie y enverraient deux ou trois de leurs religieux. — Vous les connaissez apparemment, lui dis-je,

1. Ici, portrait dans lequel on suit plutôt son inspiration que les règles de l'art.
2. Membre d'un ordre religieux mendiant fondé au xvie siècle. Le nom vient de l'habit (les *capucins* portent un capuchon pointu).
3. Ancienne capitale de la Perse.
4. Je m'en garderai bien.
5. Celui qui a autorité sur plusieurs couvents d'une même province.

ces religieux? — Non, monsieur, je ne les connais pas. — Eh morbleu, que vous importe donc qu'ils aillent en Perse? C'est un beau projet de faire respirer l'air de Casbin à deux capucins! cela sera très utile et à l'Europe et à l'Asie! il est fort nécessaire d'intéresser là-dedans les monarques! voilà ce qui s'appelle de belles colonies! Allez; vous et vos semblables n'êtes point faits pour être transplantés; et vous ferez bien de continuer à ramper dans les endroits où vous vous êtes engendrés.»

De Paris,
le 15 de la lune de Rhamazan 1713.

LETTRE 50

RICA À ***

J'ai vu des gens chez qui la vertu était si naturelle, qu'elle ne se faisait pas même sentir: ils s'attachaient à leur devoir sans s'y plier, et s'y portaient comme par instinct: bien loin de relever par leurs discours leurs rares qualités, il semblait qu'elles n'avaient pas percé jusqu'à eux. Voilà les gens que j'aime; non pas ces hommes vertueux qui semblent être étonnés de l'être, et qui regardent une bonne action comme un prodige dont le récit doit surprendre.

Si la modestie est une vertu nécessaire à ceux à qui le ciel a donné de grands talents, que peut-on dire de ces insectes qui osent faire paraître un orgueil qui déshonorerait les plus grands hommes?

Je vois, de tous côtés, des gens qui parlent sans cesse d'eux-mêmes; leurs conversations sont un miroir qui présente toujours leur impertinente figure: ils vous parleront des moindres choses qui leur sont arrivées, et ils veulent

que l'intérêt qu'ils y prennent les grossisse à vos yeux : ils ont tout fait, tout vu, tout dit, tout pensé : ils sont un modèle universel, un sujet de comparaisons inépuisable, une source d'exemples qui ne tarit jamais. Oh ! que la louange est fade, lorsqu'elle réfléchit[1] vers le lieu d'où elle part !

Il y a quelques jours qu'un homme de ce caractère nous accabla, pendant deux heures, de lui, de son mérite et de ses talents : mais, comme il n'y a point de mouvement perpétuel dans le monde, il cessa de parler. La conversation nous revint donc, et nous la prîmes.

Un homme, qui paraissait assez chagrin, commença par se plaindre de l'ennui répandu dans les conversations. « Quoi ! toujours des sots, qui se peignent eux-mêmes, et qui ramènent tout à eux ? — Vous avez raison, reprit brusquement notre discoureur. Il n'y a qu'à faire comme moi ; je ne me loue jamais : j'ai du bien, de la naissance, je fais de la dépense, mes amis disent que j'ai quelque esprit ; mais je ne parle jamais de tout cela : si j'ai quelques bonnes qualités, celle dont je fais le plus de cas, c'est ma modestie. »

J'admirais cet impertinent ; et, pendant qu'il parlait tout haut, je disais tout bas : « Heureux celui qui a assez de vanité pour ne dire jamais de bien de lui ; qui craint ceux qui l'écoutent ; et ne compromet point son mérite avec l'orgueil des autres ! »

De Paris,
le 20 de la lune de Rhamazan 1713.

1. Est renvoyée.

LETTRE 51

NARGUM, ENVOYÉ DE PERSE
EN MOSCOVIE, À USBEK
À Paris

On m'a écrit, d'Ispahan, que tu avais quitté la Perse, et que tu étais actuellement à Paris. Pourquoi faut-il que j'apprenne de tes nouvelles par d'autre que par toi ?

Les ordres du roi des rois me retiennent depuis cinq ans dans ce pays-ci, où j'ai terminé plusieurs négociations importantes.

Tu sais que le czar est le seul des princes chrétiens dont les intérêts soient mêlés avec ceux de la Perse, parce qu'il est ennemi des Turcs, comme nous.

Son empire est plus grand que le nôtre : car on compte mille lieues depuis Moscou jusqu'à la dernière place de ses États du côté de la Chine.

Il est le maître absolu de la vie et des biens de ses sujets, qui sont tous esclaves, à la réserve de quatre familles. Le lieutenant des prophètes, le roi des rois, qui a le ciel pour marchepied, ne fait pas un exercice plus redoutable de sa puissance.

À voir le climat affreux de la Moscovie, on ne croirait jamais que ce fût une peine d'en être exilé : cependant, dès qu'un grand est disgracié, on le relègue en Sibérie.

Comme la loi de notre prophète nous défend de boire du vin, celle du prince le défend aux Moscovites.

Ils ont une manière de recevoir leurs hôtes, qui n'est point du tout persane. Dès qu'un étranger entre dans une maison, le mari lui présente sa femme, l'étranger la baise[1] ; et cela passe pour une politesse faite au mari.

1. L'embrasse.

Quoique les pères, au contrat de mariage de leurs filles, stipulent ordinairement que le mari ne les fouettera pas, cependant on ne saurait croire combien les femmes moscovites* aiment à être battues : elles ne peuvent comprendre qu'elles possèdent le cœur de leur mari, s'il ne les bat comme il faut. Une conduite opposée, de sa part, est une marque d'indifférence impardonnable. Voici une lettre qu'une d'elles écrivit dernièrement à sa mère :

Ma chère mère.

Je suis la plus malheureuse femme du monde : il n'y a rien que je n'aie fait pour me faire aimer de mon mari, et je n'ai jamais pu y réussir. Hier, j'avais mille affaires dans la maison ; je sortis, et je demeurai tout le jour dehors : je crus, à mon retour, qu'il me battrait bien fort ; mais il ne me dit pas un seul mot. Ma sœur est bien autrement traitée : son mari la bat tous les jours ; elle ne peut pas regarder un homme, qu'il ne l'assomme soudain : ils s'aiment beaucoup aussi, et ils vivent de la meilleure intelligence du monde.

C'est ce qui la rend si fière : mais je ne lui donnerai pas longtemps sujet de me mépriser. J'ai résolu de me faire aimer de mon mari, à quelque prix que ce soit : je le ferai si bien enrager, qu'il faudra bien qu'il me donne des marques d'amitié. Il ne sera pas dit que je ne serai pas battue, et que je vivrai dans la maison sans que l'on pense à moi. La moindre chiquenaude qu'il me donnera, je crierai de toute ma force, afin qu'on s'imagine qu'il y va tout de bon ; et je crois que, si quelque voisin venait au secours, je l'étranglerais. Je vous supplie, ma chère mère, de vouloir bien représenter à mon mari qu'il me traite d'une manière indigne. Mon père, qui est un si honnête homme, n'agissait pas de même ; et il me souvient, lorsque j'étais petite fille, qu'il me

* Ces mœurs sont changées.

semblait quelquefois qu'il vous aimait trop. Je vous embrasse,
ma chère mère.

Les Moscovites ne peuvent point sortir de l'empire, fût-ce
pour voyager. Ainsi, séparés des autres nations par les lois
du pays, ils ont conservé leurs anciennes coutumes avec
d'autant plus d'attachement qu'ils ne croyaient pas qu'il fût
possible d'en avoir d'autres.

Mais le prince qui règne à présent[1] a voulu tout changer :
il a eu de grands démêlés avec eux au sujet de leur barbe :
le clergé et les moines n'ont pas moins combattu en faveur
de leur ignorance.

Il s'attache à faire fleurir les arts, et ne néglige rien pour
porter dans l'Europe et l'Asie la gloire de sa nation, oubliée
jusqu'ici, et presque uniquement connue d'elle-même.

Inquiet, et sans cesse agité, il erre dans ses vastes états,
laissant partout des marques de sa sévérité naturelle.

Il les quitte, comme s'ils ne pouvaient le contenir, et va
chercher dans l'Europe d'autres provinces et de nouveaux
royaumes.

Je t'embrasse, mon cher Usbek. Donne-moi de tes nou-
velles, je te conjure.

De Moscou,
le 2 de la lune de Chalval 1713.

1. Le tsar (empereur de Russie) est Pierre le Grand.

LETTRE 52

RICA À USBEK

À ***

J'étais l'autre jour dans une société, où je me divertis assez bien. Il y avait là des femmes de tous les âges ; une de quatre-vingts ans, une de soixante, une de quarante, qui avait une nièce de vingt à vingt-deux. Un certain instinct me fit approcher de cette dernière, et elle me dit à l'oreille : « Que dites-vous de ma tante, qui, à son âge, veut avoir des amants, et fait encore la jolie ? — Elle a tort, lui dis-je ; c'est un dessein qui ne convient qu'à vous. » Un moment après, je me trouvai auprès de sa tante, qui me dit : « Que dites-vous de cette femme qui a pour le moins soixante ans, qui a passé aujourd'hui plus d'une heure à sa toilette ? — C'est du temps perdu, lui dis-je ; et il faut avoir vos charmes pour devoir y songer. » J'allai à cette malheureuse femme de soixante ans, et la plaignais dans mon âme, lorsqu'elle me dit à l'oreille : « Y a-t-il rien de si ridicule ? Voyez cette femme qui a quatre-vingts ans, et qui met des rubans couleur-de-feu : elle veut faire la jeune, et elle y réussit ; car cela approche de l'enfance. — Ah, bon Dieu ! dis-je en moi-même, ne sentirons-nous jamais que le ridicule des autres ? C'est peut-être un bonheur, disais-je ensuite, que nous trouvions de la consolation dans les faiblesses d'autrui. » Cependant j'étais en train de me divertir, et je dis : « Nous avons assez monté ; descendons à présent, et commençons par la vieille qui est au sommet. » — « Madame, vous vous ressemblez si fort, cette dame à qui je viens de parler et vous, qu'il semble que vous soyez deux sœurs ; je vous crois, à peu près, de même âge. — Vraiment, monsieur, me dit-elle, lorsque l'une mourra, l'autre devra avoir grand-

peur : je ne crois pas qu'il y ait d'elle à moi deux jours de différence. » Quand je tins cette femme décrépite, j'allai à celle de soixante ans. « Il faut, madame, que vous décidiez un pari que j'ai fait : j'ai gagé que cette dame et vous, lui montrant la femme de quarante ans, étiez de même âge. — Ma foi, dit-elle, je ne crois pas qu'il y ait six mois de différence. » Bon, m'y voilà ; continuons. Je descendis encore, et j'allai à la femme de quarante ans. « Madame, faites-moi la grâce de me dire si c'est pour rire que vous appelez cette demoiselle, qui est à l'autre table, votre nièce ? Vous êtes aussi jeune qu'elle ; elle a même quelque chose dans le visage de passé, que vous n'avez certainement pas ; et ces couleurs vives qui paraissent sur votre teint... — Attendez, me dit-elle : je suis sa tante ; mais sa mère avait, pour le moins, vingt-cinq ans plus que moi : nous n'étions pas de même lit ; j'ai ouï dire à feue ma sœur que sa fille et moi naquîmes la même année. — Je le disais bien, madame ; et je n'avais pas tort d'être étonné. »

Mon cher Usbek, les femmes qui se sentent finir d'avance, par la perte de leurs agréments, voudraient reculer vers la jeunesse. Eh ! comment ne chercheraient-elles pas à tromper les autres ? elles font tous leurs efforts pour se tromper elles-mêmes, et se dérober à la plus affligeante de toutes les idées.

De Paris,
le 3 de la lune de Chalval 1713.

LETTRE 53

ZÉLIS À USBEK

À Paris

Jamais passion n'a été plus forte et plus vive que celle de Cosrou, eunuque blanc, pour mon esclave Zélide ; il la demande en mariage avec tant de fureur, que je ne puis la lui refuser. Et pourquoi ferais-je de la résistance, lorsque sa mère n'en fait pas, et que Zélide elle-même paraît satisfaite de l'idée de ce mariage imposteur, et de l'ombre vaine qu'on lui présente ?

Que veut-elle faire de cet infortuné, qui n'aura d'un mari que la jalousie ; qui ne sortira de sa froideur que pour entrer dans un désespoir inutile ; qui se rappellera toujours la mémoire de ce qu'il a été, pour la faire souvenir de ce qu'il n'est plus ; qui, toujours prêt à se donner, et ne se donnant jamais, se trompera, la trompera sans cesse, et lui fera essuyer à chaque instant tous les malheurs de sa condition ?

Et quoi ! être toujours dans les images et dans les fantômes ? ne vivre que pour imaginer ? se trouver toujours auprès des plaisirs, et jamais dans les plaisirs ? languissante dans les bras d'un malheureux, au lieu de répondre à ses soupirs, ne répondre qu'à ses regrets ?

Quel mépris ne doit-on pas avoir pour un homme de cette espèce, fait uniquement pour garder, et jamais pour posséder ? Je cherche l'amour, et je ne le vois pas.

Je te parle librement, parce que tu aimes ma naïveté, et que tu préfères mon air libre et ma sensibilité pour les plaisirs, à la pudeur feinte de mes compagnes.

Je t'ai ouï dire mille fois que les eunuques goûtent avec les femmes une sorte de volupté, qui nous est inconnue ;

que la nature se dédommage de ses pertes ; qu'elle a des res-
sources qui réparent le désavantage de leur condition ; qu'on
peut bien cesser d'être homme, mais non pas d'être sen-
sible ; et que, dans cet état, on est comme dans un troisième
sens, où l'on ne fait, pour ainsi dire, que changer de plaisirs.

Si cela était, je trouverais Zélide moins à plaindre. C'est
quelque chose de vivre avec des gens moins malheureux.

Donne-moi tes ordres là-dessus, et fais-moi savoir si tu
veux que le mariage s'accomplisse dans le sérail. Adieu.

Du sérail d'Ispahan,
le 5 de la lune de Chalval 1713.

LETTRE 54

RICA À USBEK

À ***

J'étais ce matin dans ma chambre, qui, comme tu sais,
n'est séparée des autres que par une cloison fort mince, et
percée en plusieurs endroits ; de sorte qu'on entend tout
ce qui se dit dans la chambre voisine. Un homme, qui se
promenait à grands pas, disait à un autre : « Je ne sais ce que
c'est ; mais tout se tourne contre moi. Il y a plus de trois
jours que je n'ai rien dit qui m'ait fait honneur ; et je me suis
trouvé confondu pêle-mêle dans toutes les conversations,
sans qu'on ait fait la moindre attention à moi, et qu'on m'ait
deux fois adressé la parole. J'avais préparé quelques saillies [1]
pour relever mon discours ; jamais on n'a voulu souffrir que
je les fisse venir : j'avais un conte fort joli à faire ; mais, à
mesure que j'ai voulu l'approcher, on l'a esquivé comme si

1. Propos spirituels, traits d'esprit brillants.

on l'avait fait exprès : j'ai quelques bons mots, qui, depuis
quatre jours, vieillissent dans ma tête, sans que j'en aie pu
faire le moindre usage. Si cela continue, je crois qu'à la fin
je serai un sot ; il semble que ce soit mon étoile, et que je
ne puisse m'en dispenser. Hier, j'avais espéré de briller avec
trois ou quatre vieilles femmes, qui certainement ne m'en
imposent point, et je devais dire les plus jolies choses du
monde : je fus plus d'un quart d'heure à diriger ma conver-
sation ; mais elles ne tinrent jamais un propos suivi, et elles
coupèrent, comme des Parques fatales, le fil de tous mes
discours. Veux-tu que je te dise ? la réputation de bel esprit
coûte bien à soutenir. Je ne sais comment tu as fait pour
y parvenir. — Il me vient une pensée, reprit l'autre : tra-
vaillons de concert à nous donner de l'esprit ; associons-
nous pour cela. Chaque jour nous nous dirons de quoi nous
devons parler : et nous nous secourrons si bien, que, si
quelqu'un vient nous interrompre au milieu de nos idées,
nous l'attirerons nous-mêmes ; et, s'il ne veut pas venir de
bon gré, nous lui ferons violence. Nous conviendrons des
endroits où il faudra approuver, de ceux où il faudra sou-
rire, des autres où il faudra rire tout à fait et à gorge
déployée. Tu verras que nous donnerons le ton à toutes les
conversations, et qu'on admirera la vivacité de notre esprit,
et le bonheur de nos reparties. Nous nous protégerons par
des signes de tête mutuels. Tu brilleras aujourd'hui, demain
tu seras mon second. J'entrerai avec toi dans une maison, et
je m'écrierai, en te montrant : "Il faut que je vous dise une
réponse bien plaisante que monsieur vient de faire à un
homme que nous avons trouvé dans la rue." Et je me tour-
nerai vers toi : "Il ne s'y attendait pas, il a été bien étonné."
Je réciterai quelques-uns de mes vers, et tu diras : "J'y étais
quand il les fit ; c'était dans un souper, et il ne rêva[1] pas un

1. Réfléchit.

moment." Souvent même nous nous raillerons toi et moi, et l'on dira : "Voyez comme ils s'attaquent, comme ils se défendent ; ils ne s'épargnent pas : voyons comment il sortira de là ; à merveilles ; quelle présence d'esprit ! voilà une véritable bataille." Mais on ne dira pas que nous nous étions escarmouchés la veille. Il faudra acheter de certains livres, qui sont des recueils de bons mots, composés à l'usage de ceux qui n'ont point d'esprit, et qui en veulent contrefaire ; tout dépend d'avoir des modèles. Je veux qu'avant six mois nous soyons en état de tenir une conversation d'une heure, toute remplie de bons mots. Mais il faudra avoir une attention ; c'est de soutenir leur fortune : ce n'est pas assez de dire un bon mot ; il faut le répandre et le semer partout ; sans cela, autant de perdu ; et je t'avoue qu'il n'y a rien de si désolant que de voir une jolie chose, qu'on a dite, mourir dans l'oreille d'un sot qui l'entend. Il est vrai que souvent il y a une compensation, et que nous disons aussi bien des sottises qui passent *incognito* ; et c'est la seule chose qui peut nous consoler dans cette occasion. Voilà, mon cher, le parti qu'il nous faut prendre. Fais ce que je te dirai, et je te promets, avant six mois, une place à l'Académie : c'est pour te dire que le travail ne sera pas long : car pour lors tu pourras renoncer à ton art ; tu seras homme d'esprit, malgré que tu en aies [1]. On remarque, en France, que, dès qu'un homme entre dans une compagnie, il prend d'abord ce qu'on appelle l'esprit du corps : tu feras de même ; et je ne crains pour toi que l'embarras des applaudissements. »

De Paris,
le 6 de la lune de Zilcadé 1714.

1. Malgré ta volonté.

LETTRE 55

RICA À IBBEN

À Smyrne

Chez les peuples d'Europe, le premier quart d'heure du mariage aplanit toutes les difficultés ; les dernières faveurs sont toujours de même date que la bénédiction nuptiale : les femmes n'y font point comme nos Persanes, qui disputent le terrain quelquefois des mois entiers : il n'y a rien de si plénier[1] : si elles ne perdent rien, c'est qu'elles n'ont rien à perdre : mais on sait toujours, chose honteuse ! le moment de leur défaite ; et, sans consulter les astres, on peut prédire au juste l'heure de la naissance de leurs enfants.

Les Français ne parlent presque jamais de leurs femmes : c'est qu'ils ont peur d'en parler devant des gens qui les connaissent mieux qu'eux.

Il y a, parmi eux, des hommes très malheureux que personne ne console, ce sont les maris jaloux ; il y en a que tout le monde hait, ce sont les maris jaloux ; il y en a que tous les hommes méprisent, ce sont encore les maris jaloux.

Aussi n'y a-t-il point de pays où ils soient en si petit nombre que chez les Français. Leur tranquillité n'est pas fondée sur la confiance qu'ils ont en leurs femmes ; c'est au contraire sur la mauvaise opinion qu'ils en ont. Toutes les sages précautions des Asiatiques, les voiles qui les couvrent, les prisons où elles sont détenues, la vigilance des eunuques, leur paraissent des moyens plus propres à exercer l'industrie de ce sexe, qu'à la lasser. Ici, les maris prennent leur parti de bonne grâce, et regardent les infidélités comme des coups d'une étoile inévitable. Un mari, qui voudrait seul

1. Terme gascon pour dire qu'une chose va « sans difficulté ».

posséder sa femme, serait regardé comme un perturba-
teur de la joie publique, et comme un insensé qui voudrait
jouir de la lumière du soleil, à l'exclusion des autres
hommes.

Ici, un mari qui aime sa femme est un homme qui n'a pas
assez de mérite pour se faire aimer d'une autre ; qui abuse
de la nécessité de la loi, pour suppléer aux agréments qui lui
manquent ; qui se sert de tous ses avantages, au préjudice
d'une société entière ; qui s'approprie ce qui ne lui avait été
donné qu'en engagement ; et qui agit, autant qu'il est en lui,
pour renverser une convention tacite, qui fait le bonheur
de l'un et de l'autre sexe. Ce titre de mari d'une jolie
femme, qui se cache en Asie avec tant de soin, se porte ici
sans inquiétude. On se sent en état de faire diversion par-
tout. Un prince se console de la perte d'une place, par la
prise d'une autre : dans le temps que le Turc nous prenait
Bagdad, n'enlevions-nous pas au Mogol la forteresse de
Candahar[1] ?

Un homme qui, en général, souffre les infidélités de sa
femme, n'est point désapprouvé ; au contraire, on le loue
de sa prudence : il n'y a que les cas particuliers qui désho-
norent.

Ce n'est pas qu'il n'y ait des dames vertueuses, et on peut
dire qu'elles sont distinguées ; mon conducteur me les fai-
sait toujours remarquer : mais elles étaient toutes si laides,
qu'il faut être un saint pour ne pas haïr la vertu.

Après ce que je t'ai dit des mœurs de ce pays-ci, tu t'ima-
gines facilement que les Français ne s'y piquent guère de
constance. Ils croient qu'il est aussi ridicule de jurer à une
femme qu'on l'aimera toujours, que de soutenir qu'on se
portera toujours bien, ou qu'on sera toujours heureux.
Quand ils promettent à une femme qu'ils l'aimeront tou-

1. Batailles qui ont lieu respectivement en 1638 et 1649.

jours, ils supposent qu'elle, de son côté, leur promet d'être toujours aimable; et, si elle manque à sa parole, ils ne se croient plus engagés à la leur.

De Paris,
le 7 de la lune de Zilcadé 1714.

LETTRE 56

USBEK À IBBEN

À Smyrne

Le jeu est très en usage en Europe: c'est un état que d'être joueur; ce seul titre tient lieu de naissance, de bien, de probité: il met tout homme qui le porte au rang des honnêtes gens, sans examen; quoiqu'il n'y ait personne qui ne sache qu'en jugeant ainsi, il s'est trompé très souvent: mais on est convenu d'être incorrigible.

Les femmes y sont surtout très adonnées. Il est vrai qu'elles ne s'y livrent guère dans leur jeunesse, que pour favoriser une passion plus chère; mais, à mesure qu'elles vieillissent, leur passion pour le jeu semble rajeunir, et cette passion remplit tout le vide des autres.

Elles veulent ruiner leurs maris; et, pour y parvenir, elles ont des moyens pour tous les âges, depuis la plus tendre jeunesse, jusqu'à la vieillesse la plus décrépite: les habits et les équipages commencent le dérangement, la coquetterie l'augmente, le jeu l'achève.

J'ai vu souvent neuf ou dix femmes, ou plutôt neuf ou dix siècles, rangées autour d'une table; je les ai vues dans leurs espérances, dans leurs craintes, dans leurs joies, surtout dans leurs fureurs: tu aurais dit qu'elles n'auraient jamais le temps de s'apaiser, et que la vie allait les quitter avant leur

désespoir : tu aurais été en doute si ceux qu'elles payaient étaient leurs créanciers, ou leurs légataires.

Il semble que notre saint prophète ait eu principalement en vue de nous priver de tout ce qui peut troubler notre raison : il nous a interdit l'usage du vin, qui la tient ensevelie ; il nous a, par un précepte exprès, défendu les jeux de hasard ; et, quand il lui a été impossible d'ôter la cause des passions, il les a amorties. L'amour, parmi nous, ne porte ni trouble, ni fureur : c'est une passion languissante, qui laisse notre âme dans le calme : la pluralité des femmes nous sauve de leur empire ; elle tempère la violence de nos désirs.

De Paris,
le 10 de la lune de Zilhagé 1714.

LETTRE 57

USBEK À RHÉDI

À *Venise*

Les libertins entretiennent ici un nombre infini de filles de joie, et les dévots un nombre innombrable de dervis. Ces dervis font trois vœux, d'obéissance, de pauvreté et de chasteté. On dit que le premier est le mieux observé de tous ; quant au second, je te réponds qu'il ne l'est point ; je te laisse à juger du troisième.

Mais, quelque riches que soient ces dervis, ils ne quittent jamais la qualité de pauvres ; notre glorieux sultan renoncerait plutôt à ses magnifiques et sublimes titres : ils ont raison ; car ce titre de pauvres les empêche de l'être.

Les médecins et quelques-uns de ces dervis, qu'on appelle confesseurs, sont toujours ici ou trop estimés, ou trop

méprisés : cependant on dit que les héritiers s'accommodent mieux des médecins que des confesseurs.

Je fus l'autre jour dans un couvent de ces dervis. Un d'entre eux, vénérable par ses cheveux blancs, m'accueillit fort honnêtement. Il me fit voir toute la maison. Nous entrâmes dans le jardin, et nous nous mîmes à discourir. «Mon père, lui dis-je, quel emploi avez-vous dans la communauté ? — Monsieur, me répondit-il avec un air très content de ma question, je suis casuiste[1]. — Casuiste ? repris-je. Depuis que je suis en France, je n'ai pas ouï parler de cette charge. — Quoi ! vous ne savez pas ce que c'est qu'un casuiste ? Hé bien, écoutez ; je vais vous en donner une idée, qui ne vous laissera rien à désirer. Il y a deux sortes de péchés ; de mortels, qui excluent absolument du paradis ; et de véniels, qui offensent Dieu à la vérité, mais ne l'irritent pas au point de nous priver de la béatitude. Or tout notre art consiste à bien distinguer ces deux sortes de péchés ; car, à la réserve de quelques libertins, tous les chrétiens veulent gagner le paradis : mais il n'y a guère personne qui ne le veuille gagner à meilleur marché qu'il est possible. Quand on connaît bien les péchés mortels, on tâche de ne pas commettre de ceux-là, et l'on fait son affaire. Il y a des hommes qui n'aspirent pas à une si grande perfection ; et, comme ils n'ont point d'ambition, ils ne se soucient pas des premières places ; aussi entrent-ils en paradis le plus juste qu'ils peuvent ; pourvu qu'ils y soient, cela leur suffit : leur but est de n'en faire ni plus ni moins. Ce sont des gens qui ravissent le ciel, plutôt qu'ils ne l'obtiennent, et qui disent à Dieu : "Seigneur, j'ai accompli les conditions à la rigueur ; vous ne pouvez vous empêcher de tenir vos promesses : comme je n'en ai pas fait plus que vous n'en avez demandé, je vous dispense de m'en accorder plus que vous n'en avez promis."

1. Spécialiste des cas de conscience.

« Nous sommes donc des gens nécessaires, monsieur. Ce n'est pas tout pourtant ; vous allez bien voir autre chose. L'action ne fait pas le crime, c'est la connaissance de celui qui la commet : celui qui fait un mal, tandis qu'il peut croire que ce n'en est pas un, est en sûreté de conscience : et, comme il y a un nombre infini d'actions équivoques, un casuiste peut leur donner un degré de bonté qu'elles n'ont point, en les déclarant bonnes ; et, pourvu qu'il puisse persuader qu'elles n'ont pas de venin, il le leur ôte tout entier.

« Je vous dis ici le secret d'un métier où j'ai vieilli ; je vous en fais voir les raffinements ; il y a un tour à donner à tout, même aux choses qui en paraissent les moins susceptibles. — Mon père, lui dis-je, cela est fort bon : mais comment vous accommodez-vous avec le ciel ? Si le sophi[1] avait à sa cour un homme qui fît à son égard ce que vous faites contre votre dieu, qui mît de la différence entre ses ordres, et qui apprît à ses sujets dans quel cas ils doivent les exécuter, et dans quel autre ils peuvent les violer, il le ferait empaler sur l'heure. » Je saluai mon dervis, et le quittai sans attendre sa réponse.

De Paris,
le 23 de la lune de Maharram 1714.

1. Nom donné aux rois de Perse sous la dynastie qui régna entre 1502 et 1735.

LETTRE 58

RICA À RHÉDI

À *Venise*

À Paris, mon cher Rhédi, il y a bien des métiers. Là, un homme obligeant vient, pour un peu d'argent, vous offrir le secret de faire de l'or.

Un autre vous promet de vous faire coucher avec les esprits aériens, pourvu que vous soyez seulement trente ans sans voir de femmes.

Vous trouverez encore des devins si habiles, qu'ils vous diront toute votre vie, pourvu qu'ils aient seulement eu un quart d'heure de conversation avec vos domestiques.

Des femmes adroites font de la virginité une fleur qui périt et renaît tous les jours, et se cueille la centième fois plus douloureusement que la première.

Il y en a d'autres, qui, réparant par la force de leur art toutes les injures du temps, savent rétablir sur un visage une beauté qui chancelle; et même rappeler une femme du sommet de la vieillesse, pour la faire redescendre jusqu'à la jeunesse la plus tendre.

Tous ces gens-là vivent, ou cherchent à vivre, dans une ville qui est la mère de l'invention.

Les revenus des citoyens ne s'y afferment point : ils ne consistent qu'en esprit et en industrie[1] : chacun a la sienne, qu'il fait valoir de son mieux.

Qui voudrait nombrer tous les gens de loi qui poursuivent le revenu de quelque mosquée, aurait aussitôt compté les sables de la mer, et les esclaves de notre monarque.

Un nombre infini de maîtres de langues, d'arts et de

1. Activité et adresse.

sciences, enseignent ce qu'ils ne savent pas : et ce talent est bien considérable ; car il ne faut pas beaucoup d'esprit pour montrer ce qu'on sait, mais il en faut infiniment pour enseigner ce qu'on ignore.

On ne peut mourir ici que subitement ; la mort ne saurait autrement exercer son empire : car il y a, dans tous les coins, des gens qui ont des remèdes infaillibles contre toutes les maladies imaginables.

Toutes les boutiques sont tendues de filets invisibles, où se vont prendre tous les acheteurs. L'on en sort pourtant quelquefois à bon marché : une jeune marchande cajole un homme une heure entière, pour lui faire acheter un paquet de cure-dents.

Il n'y a personne qui ne sorte de cette ville plus précautionné[1] qu'il n'y est entré : à force de faire part de son bien aux autres, on apprend à le conserver ; seul avantage des étrangers dans cette ville enchanteresse.

De Paris,
le 10 de la lune de Saphar 1714.

LETTRE 59

RICA À USBEK

À ***

J'étais l'autre jour dans une maison, où il y avait un cercle de gens de toute espèce : je trouvai la conversation occupée par deux vieilles femmes, qui avaient en vain travaillé tout le matin à se rajeunir. « Il faut avouer, disait une d'entre elles, que les hommes d'aujourd'hui sont bien diffé-

1. Prudent, avisé.

rents de ceux que nous voyions dans notre jeunesse : ils étaient polis, gracieux, complaisants ; mais, à présent, je les trouve d'une brutalité insupportable. — Tout est changé, dit pour lors un homme qui paraissait accablé de goutte[1] ; le temps n'est plus comme il était : il y a quarante ans, tout le monde se portait bien, on marchait, on était gai, on ne demandait qu'à rire et à danser : à présent, tout le monde est d'une tristesse insupportable. » Un moment après, la conversation tourna du côté de la politique. « Morbleu, dit un vieux seigneur, l'État n'est plus gouverné : trouvez-moi à présent un ministre comme monsieur Colbert[2] ; je le connaissais beaucoup, ce monsieur Colbert ; il était de mes amis ; il me faisait toujours payer de mes pensions avant qui que ce fût : le bel ordre qu'il y avait dans les finances ! tout le monde était à son aise ; mais, aujourd'hui, je suis ruiné. — Monsieur, dit pour lors un ecclésiastique, vous parlez là du temps le plus miraculeux de notre invincible monarque : y a-t-il rien de si grand que ce qu'il faisait alors pour détruire l'hérésie ? — Et comptez-vous pour rien l'abolition des duels ? dit, d'un air content, un autre homme, qui n'avait point encore parlé. La remarque est judicieuse, me dit quelqu'un à l'oreille : cet homme est charmé de l'édit ; et il l'observe si bien, qu'il y a six mois qu'il reçut cent coups de bâton, pour ne le pas violer. »

Il me semble, Usbek, que nous ne jugeons jamais des choses que par un retour secret que nous faisons sur nous-mêmes. Je ne suis pas surpris que les nègres peignent le diable d'une blancheur éblouissante, et leurs dieux noirs comme du charbon ; que la Vénus de certains peuples ait des mamelles qui lui pendent jusques aux cuisses ; et qu'en-

1. Maladie touchant les membres inférieurs, fréquente chez les personnes âgées.
2. Colbert mourut en 1683.

fin tous les idolâtres aient représenté leurs dieux avec une figure humaine, et leur aient fait part de toutes leurs inclinations. On a dit fort bien que, si les triangles faisaient un dieu, ils lui donneraient trois côtés.

Mon cher Usbek, quand je vois des hommes qui rampent sur un atome, c'est-à-dire la terre, qui n'est qu'un point de l'univers, se proposer directement pour modèles de la Providence, je ne sais comment accorder tant d'extravagance, avec tant de petitesse.

<div align="right">

De Paris,
le 14 de la lune de Saphar 1714.

</div>

LETTRE 60

USBEK À IBBEN

À Smyrne

Tu me demandes s'il y a des Juifs en France ? Sache que partout où il y a de l'argent, il y a des Juifs. Tu me demandes ce qu'ils y font ? Précisément ce qu'ils font en Perse : rien ne ressemble plus à un Juif d'Asie, qu'un Juif européen.

Ils font paraître, chez les chrétiens, comme parmi nous, une obstination invincible pour leur religion, qui va jusqu'à la folie.

La religion juive est un vieux tronc qui a produit deux branches qui ont couvert toute la terre, je veux dire le mahométisme, et le christianisme : ou plutôt, c'est une mère qui a engendré deux filles qui l'ont accablée de mille plaies : car, en fait de religion, les plus proches sont les plus grandes ennemies. Mais, quelque mauvais traitements qu'elle en ait reçu, elle ne laisse pas de se glorifier de les avoir mises au monde : elle se sert de l'une et de l'autre, pour embrasser

le monde entier, tandis que, d'un autre côté, sa vieillesse vénérable embrasse tous les temps.

Les Juifs se regardent donc comme la source de toute sainteté, et l'origine de toute religion : ils nous regardent, au contraire, comme des hérétiques qui ont changé la loi, ou plutôt comme des Juifs rebelles.

Si le changement s'était fait insensiblement, ils croient qu'ils auraient été facilement séduits : mais, comme il s'est fait tout à coup et d'une manière violente, comme ils peuvent marquer le jour et l'heure de l'une et de l'autre naissance, ils se scandalisent de trouver en nous des âges, et se tiennent fermes à une religion que le monde même n'a pas précédée.

Ils n'ont jamais eu dans l'Europe un calme pareil à celui dont ils jouissent. On commence à se défaire, parmi les chrétiens, de cet esprit d'intolérance qui les animait : on s'est mal trouvé en Espagne de les avoir chassés[1], et en France d'avoir fatigué des chrétiens dont la croyance différait un peu de celle du prince[2]. On s'est aperçu que le zèle pour les progrès de la religion est différent de l'attachement qu'on doit avoir pour elle ; et que, pour l'aimer et l'observer, il n'est pas nécessaire de haïr et de persécuter ceux qui ne l'observent pas.

Il serait à souhaiter que nos musulmans pensassent aussi sensément, sur cet article, que les chrétiens ; que l'on pût une bonne fois faire la paix entre Hali et Abubeker, et laisser à Dieu le soin de décider des mérites de ces saints prophètes. Je voudrais qu'on les honorât par des actes de vénération et de respect, et non pas par de vaines préférences ; et qu'on cherchât à mériter leur faveur, quelque

1. Les juifs furent chassés d'Espagne en 1492.
2. Montesquieu fait référence à la révocation de l'Édit de Nantes (1685) qui expulse les protestants du royaume.

place que Dieu leur ait marquée, soit à la droite, ou bien sous le marchepied de son trône.

De Paris,
le 18 de la lune de Saphar 1714.

LETTRE 61

USBEK À RHÉDI

À Venise

J'entrai l'autre jour dans une église fameuse, qu'on appelle Notre-Dame : pendant que j'admirais ce superbe édifice, j'eus occasion de m'entretenir avec un ecclésiastique, que la curiosité y avait attiré comme moi. La conversation tomba sur la tranquillité de sa profession. « La plupart des gens, me dit-il, envient le bonheur de notre état, et ils ont raison. Cependant il a ses désagréments : nous ne sommes point si séparés du monde, que nous n'y soyons appelés en mille occasions : là, nous avons un rôle très difficile à soutenir.

« Les gens du monde sont étonnants : ils ne peuvent souffrir notre approbation, ni nos censures : si nous les voulons corriger, ils nous trouvent ridicules ; si nous les approuvons, ils nous regardent comme des gens au-dessous de notre caractère. Il n'y a rien de si humiliant que de penser qu'on a scandalisé les impies mêmes. Nous sommes donc obligés de tenir une conduite équivoque, et d'en imposer aux libertins, non pas par un caractère décidé, mais par l'incertitude où nous les mettons de la manière dont nous recevons leurs discours. Il faut avoir beaucoup d'esprit pour cela ; cet état de neutralité est difficile : les gens du monde, qui hasardent tout, qui se livrent à toutes leurs saillies, qui selon le succès les poussent ou les abandonnent, réussissent bien mieux.

« Ce n'est pas tout. Cet état si heureux et si tranquille, que l'on vante tant, nous ne le conservons pas dans le monde. Dès que nous y paraissons, on nous fait disputer : on nous fait entreprendre, par exemple, de prouver l'utilité de la prière, à un homme qui ne croit pas en Dieu ; la nécessité du jeûne, à un autre qui a nié toute sa vie l'immortalité de l'âme : l'entreprise est laborieuse, et les rieurs ne sont pas pour nous. Il y a plus : une certaine envie d'attirer les autres dans nos opinions nous tourmente sans cesse, et est, pour ainsi dire, attachée à notre profession. Cela est aussi ridicule, que si on voyait les Européens travailler, en faveur de la nature humaine, à blanchir le visage des Africains. Nous troublons l'État ; nous nous tourmentons nous-mêmes, pour faire recevoir des points de religion qui ne sont point fondamentaux ; et nous ressemblons à ce conquérant de la Chine, qui poussa ses sujets à une révolte générale, pour les avoir voulu obliger à se rogner les cheveux ou les ongles.

« Le zèle même que nous avons, pour faire remplir à ceux dont nous sommes chargés les devoirs de notre sainte religion, est souvent dangereux ; et il ne saurait être accompagné de trop de prudence. Un empereur nommé Théodose fit passer au fil de l'épée tous les habitants d'une ville, même les femmes et les enfants : s'étant ensuite présenté pour entrer dans une église, un évêque nommé Ambroise lui fit fermer les portes, comme à un meurtrier et un sacrilège ; et, en cela, il fit une action héroïque [1]. Cet empereur, ayant ensuite fait la pénitence qu'un tel crime exigeait, étant admis dans l'église, alla se placer parmi les prêtres ; le même évêque l'en fit sortir : et, en cela, il fit l'action d'un fanatique ; tant il est vrai que l'on doit se défier de son zèle. Qu'im-

1. Théodose I[er] a conquis Thessalonique en 390 en massacrant les habitants. Saint Ambroise refusa qu'il entre dans la cathédrale.

portait à la religion, ou à l'État, que ce prince eût, ou n'eût pas, une place parmi les prêtres ? »

De Paris,
le premier de la lune de Rebiab, 1, 1714.

LETTRE 62

ZÉLIS À USBEK

À Paris

Ta fille ayant atteint sa septième année, j'ai cru qu'il était temps de la faire passer dans les appartements intérieurs du sérail, et de ne point attendre qu'elle ait dix ans, pour la confier aux eunuques noirs. On ne saurait de trop bonne heure priver une jeune personne des libertés de l'enfance, et lui donner une éducation sainte dans les sacrés murs où la pudeur habite.

Car je ne puis être de l'avis de ces mères, qui ne renferment leurs filles que lorsqu'elles sont sur le point de leur donner un époux ; qui, les condamnant au sérail plutôt qu'elles ne les y consacrent, leur font embrasser violemment une manière de vie qu'elles auraient dû leur inspirer. Faut-il tout attendre de la force de la raison, et rien de la douceur de l'habitude ?

C'est en vain que l'on nous parle de la subordination où la nature nous a mises : ce n'est pas assez de nous la faire sentir ; il faut nous la faire pratiquer, afin qu'elle nous soutienne dans ce temps critique où les passions commencent à naître, et à nous encourager à l'indépendance.

Si nous n'étions attachées à vous que par le devoir, nous pourrions quelquefois l'oublier : si nous n'y étions entraînées que par le penchant, peut-être un penchant plus fort

pourrait l'affaiblir. Mais, quand les lois nous donnent à un homme, elles nous dérobent à tous les autres, et nous mettent aussi loin d'eux que si nous en étions à cent mille lieues.

La nature, industrieuse en faveur des hommes, ne s'est pas bornée à leur donner des désirs ; elle a voulu que nous en eussions nous-mêmes, et que nous fussions des instruments animés de leur félicité : elle nous a mis dans le feu des passions, pour les faire vivre tranquilles : s'ils sortent de leur insensibilité, elle nous a destinées à les y faire rentrer, sans que nous puissions jamais goûter cet heureux état où nous les mettons.

Cependant, Usbek, ne t'imagine pas que ta situation soit plus heureuse que la mienne : j'ai goûté ici mille plaisirs que tu ne connais pas. Mon imagination a travaillé sans cesse à m'en faire connaître le prix : j'ai vécu, et tu n'as fait que languir.

Dans la prison même où tu me retiens, je suis plus libre que toi. Tu ne saurais redoubler tes attentions pour me faire garder, que je ne jouisse de tes inquiétudes : et tes soupçons, ta jalousie, tes chagrins, sont autant de marques de ta dépendance.

Continue, cher Usbek : fais veiller sur moi nuit et jour : ne te fie pas même aux précautions ordinaires : augmente mon bonheur, en assurant le tien ; et sache que je ne redoute rien que ton indifférence.

Du sérail d'Ispahan,
le 2 de la lune de Rebiab, 1, 1714.

LETTRE 63

RICA À USBEK

À ***

Je crois que tu veux passer ta vie à la campagne. Je ne te perdais au commencement que pour deux ou trois jours, et en voilà quinze que je ne t'ai vu. Il est vrai que tu es dans une maison charmante, que tu y trouves une société qui te convient, que tu y raisonnes tout à ton aise : il n'en faut pas davantage pour te faire oublier tout l'univers.

Pour moi, je mène à peu près la même vie que tu m'as vu mener : je me répands dans le monde, et je cherche à le connaître : mon esprit perd insensiblement tout ce qui lui reste d'asiatique, et se plie sans effort aux mœurs européennes. Je ne suis plus si étonné de voir, dans une maison, cinq ou six femmes, avec cinq ou six hommes ; et je trouve que cela n'est pas mal imaginé.

Je le puis dire : je ne connais les femmes que depuis que je suis ici : j'en ai plus appris dans un mois, que je n'aurais fait en trente ans dans un sérail.

Chez nous, les caractères sont tous uniformes, parce qu'ils sont forcés : on ne voit point les gens tels qu'ils sont, mais tels qu'on les oblige d'être : dans cette servitude du cœur et de l'esprit, on n'entend parler que la crainte, qui n'a qu'un langage ; et non pas la nature, qui s'exprime si différemment, et qui paraît sous tant de formes.

La dissimulation, cet art parmi nous si pratiqué et si nécessaire, est ici inconnue : tout parle, tout se voit, tout s'entend : le cœur se montre comme le visage : dans les mœurs, dans la vertu, dans le vice même, on aperçoit toujours quelque chose de naïf.

Il faut, pour plaire aux femmes, un certain talent différent

de celui qui leur plaît encore davantage : il consiste dans une espèce de badinage dans l'esprit, qui les amuse, en ce qu'il semble leur promettre à chaque instant ce qu'on ne peut tenir que dans de trop longs intervalles.

Ce badinage, naturellement fait pour les toilettes[1], semble être parvenu à former le caractère général de la nation : on badine au conseil, on badine à la tête d'une armée, on badine avec un ambassadeur. Les professions ne paraissent ridicules qu'à proportion du sérieux qu'on y met : un médecin ne le serait plus, si ses habits étaient moins lugubres, et s'il tuait ses malades en badinant.

De Paris,
le 10 de la lune de Rebiab, 1, 1714.

LETTRE 64

LE CHEF DES EUNUQUES NOIRS
À USBEK

À Paris

Je suis dans un embarras que je ne saurais t'exprimer, magnifique seigneur : le sérail est dans un désordre et une confusion épouvantable : la guerre règne entre tes femmes : tes eunuques sont partagés : on n'entend que plaintes, que murmures, que reproches : mes remontrances sont méprisées : tout semble permis dans ce temps de licence : et je n'ai plus qu'un vain titre dans le sérail.

Il n'y a aucune de tes femmes qui ne se juge au-dessus des autres par sa naissance, par sa beauté, par ses richesses, par son esprit, par ton amour ; et qui ne fasse valoir quelques-

1. Le moment où la personne se coiffe.

uns de ces titres pour avoir toutes les préférences : je perds à chaque instant cette longue patience, avec laquelle néanmoins j'ai eu le malheur de les mécontenter toutes : ma prudence, ma complaisance même, vertu si rare et si étrangère dans le poste que j'occupe, ont été inutiles.

Veux-tu que je te découvre, magnifique seigneur, la cause de tous ces désordres ? Elle est toute dans ton cœur, et dans les tendres égards que tu as pour elles. Si tu ne me retenais pas la main : si, au lieu de la voie des remontrances, tu me laissais celle des châtiments : si, sans te laisser attendrir à leurs plaintes et à leurs larmes, tu les envoyais pleurer devant moi, qui ne m'attendris jamais, je les façonnerais bientôt au joug qu'elles doivent porter, et je lasserais leur humeur impérieuse et indépendante.

Enlevé, dès l'âge de quinze ans, du fond de l'Afrique ma patrie, je fus d'abord vendu à un maître, qui avait plus de vingt femmes, ou concubines. Ayant jugé, à mon air grave et taciturne, que j'étais propre au sérail, il ordonna que l'on achevât de me rendre tel, et me fit faire une opération pénible dans les commencements, mais qui me fut heureuse dans la suite, parce qu'elle m'approcha de l'oreille et de la confiance de mes maîtres. J'entrai dans ce sérail, qui fut pour moi un nouveau monde. Le premier eunuque, l'homme le plus sévère que j'aie vu de ma vie, y gouvernait avec un empire absolu. On n'y entendait parler ni de divisions, ni de querelles : un silence profond régnait partout : toutes ces femmes étaient couchées à la même heure d'un bout de l'année à l'autre, et levées à la même heure : elles entraient dans le bain tour à tour, elles en sortaient au moindre signe que nous leur en faisions : le reste du temps, elles étaient presque toujours enfermées dans leurs chambres. Il avait une règle qui était de les tenir dans une grande propreté, et il avait pour cela des attentions inexprimables : le moindre refus d'obéir était puni sans miséricorde. « Je suis, disait-il,

esclave ; mais je le suis d'un homme qui est votre maître et le mien ; et j'use du pouvoir qu'il m'a donné sur vous : c'est lui qui vous châtie, et non pas moi, qui ne fais que prêter ma main. » Ces femmes n'entraient jamais dans la chambre de mon maître, qu'elles n'y fussent appelées ; elles recevaient cette grâce avec joie, et s'en voyaient privées sans se plaindre. Enfin moi, qui étais le dernier des noirs dans ce sérail tranquille, j'étais mille fois plus respecté que je ne le suis dans le tien, où je les commande tous.

Dès que ce grand eunuque eut connu mon génie, il tourna les yeux de mon côté ; il parla de moi à mon maître, comme d'un homme capable de travailler selon ses vues, et de lui succéder dans le poste qu'il remplissait : il ne fut point étonné de ma grande jeunesse ; il crut que mon attention me tiendrait lieu d'expérience. Que te dirai-je ? je fis tant de progrès dans sa confiance, qu'il ne faisait plus difficulté de mettre dans mes mains les clefs des lieux terribles, qu'il gardait depuis si longtemps. C'est sous ce grand maître que j'appris l'art difficile de commander, et que je me formai aux maximes d'un gouvernement inflexible : j'étudiai sous lui le cœur des femmes ; il m'apprit à profiter de leurs faiblesses, et à ne point m'étonner de leurs hauteurs. Souvent il se plaisait à me les voir conduire jusqu'au dernier retranchement de l'obéissance ; il les faisait ensuite revenir insensiblement, et voulait que je parusse, pour quelque temps, plier moi-même. Mais il fallait le voir dans ces moments où il les trouvait tout près du désespoir, entre les prières et les reproches : il soutenait leurs larmes sans s'émouvoir, et se sentait flatté de cette espèce de triomphe. « Voilà, disait-il d'un air content, comment il faut gouverner les femmes : leur nombre ne m'embarrasse pas ; je conduirais de même toutes celles de notre grand monarque. Comment un homme peut-il espérer de captiver leur cœur, si les fidèles eunuques n'ont commencé par soumettre leur esprit ? »

Il avait non seulement de la fermeté, mais aussi de la pénétration. Il lisait leurs pensées et leurs dissimulations ; leurs gestes étudiés, leur visage feint ne lui dérobaient rien. Il savait toutes leurs actions les plus cachées, et leurs paroles les plus secrètes. Il se servait des unes pour connaître les autres, et il se plaisait à récompenser la moindre confidence. Comme elles n'abordaient leur mari que lorsqu'elles étaient averties, l'eunuque y appelait qui il voulait, et tournait les yeux de son maître sur celles qu'il avait en vue ; et cette distinction était la récompense de quelque secret révélé. Il avait persuadé à son maître qu'il était du bon ordre qu'il lui laissât ce choix, afin de lui donner une autorité plus grande. Voilà comme on gouvernait, magnifique seigneur, dans un sérail qui était, je crois, le mieux réglé qu'il y eût en Perse.

Laisse-moi les mains libres : permets que je me fasse obéir : huit jours remettront l'ordre dans le sein de la confusion : c'est ce que ta gloire demande, et que ta sûreté exige.

De ton sérail d'Ispahan,
le 9 de la lune de Rebiab, 1, 1714.

LETTRE 65

USBEK À SES FEMMES

Au sérail d'Ispahan

J'apprends que le sérail est dans le désordre, et qu'il est rempli de querelles et de divisions intestines. Que vous recommandai-je en partant, que la paix et la bonne intelligence ? Vous me le promîtes ; était-ce pour me tromper ?

C'est vous qui seriez trompées, si je voulais suivre les

conseils que me donne le grand eunuque; si je voulais employer mon autorité, pour vous faire vivre comme mes exhortations le demandaient de vous.

Je ne sais me servir de ces moyens violents, que lorsque j'ai tenté tous les autres. Faites donc, en votre considération, ce que vous n'avez pas voulu faire à la mienne.

Le premier eunuque a grand sujet de se plaindre : il dit que vous n'avez aucun égard pour lui. Comment pouvez-vous accorder cette conduite avec la modestie de votre état ? N'est-ce pas à lui que, pendant mon absence, votre vertu est confiée ? C'est un trésor sacré, dont il est le dépositaire. Mais ces mépris, que vous lui témoignez, font voir que ceux qui sont chargés de vous faire vivre dans les lois de l'honneur vous sont à charge.

Changez donc de conduite, je vous prie ; et faites en sorte que je puisse une autre fois rejeter les propositions que l'on me fait contre votre liberté et votre repos.

Car je voudrais vous faire oublier que je suis votre maître, pour me souvenir seulement que je suis votre époux.

De Paris,
le 5 de la lune de Chahban 1714.

LETTRE 66

RICA À ***

On s'attache ici beaucoup aux sciences, mais je ne sais si on est fort savant. Celui qui doute de tout comme philosophe, n'ose rien nier comme théologien ; cet homme contradictoire est toujours content de lui, pourvu qu'on convienne des qualités.

La fureur de la plupart des Français, c'est d'avoir de l'es-

prit ; et la fureur de ceux qui veulent avoir de l'esprit, c'est de faire des livres.

Cependant il n'y a rien de si mal imaginé : la nature semblait avoir sagement pourvu à ce que les sottises des hommes fussent passagères ; et les livres les immortalisent. Un sot devrait être content d'avoir ennuyé tous ceux qui ont vécu avec lui : il veut encore tourmenter les races futures ; il veut que sa sottise triomphe de l'oubli, dont il aurait pu jouir comme du tombeau ; il veut que la postérité soit informée qu'il a vécu, et qu'elle sache à jamais qu'il a été un sot.

De tous les auteurs, il n'y en a point que je méprise plus que les compilateurs, qui vont de tous côtés chercher des lambeaux des ouvrages des autres, qu'ils plaquent dans les leurs, comme des pièces de gazon dans un parterre : ils ne sont point au-dessus de ces ouvriers d'imprimerie, qui rangent des caractères, qui, combinés ensemble, font un livre, où ils n'ont fourni que la main. Je voudrais qu'on respectât les livres originaux ; et il me semble que c'est une espèce de profanation, de tirer les pièces qui les composent du sanctuaire où elles sont, pour les exposer à un mépris qu'elles ne méritent point.

Quand un homme n'a rien à dire de nouveau, que ne se tait-il ? Qu'a-t-on affaire de ces doubles emplois ? « Mais je veux donner un nouvel ordre. — Vous êtes un habile homme ! Vous venez dans ma bibliothèque ; et vous mettez en bas les livres qui sont en haut, et en haut ceux qui sont en bas : c'est un beau chef-d'œuvre ! »

Je t'écris sur ce sujet, ***, parce que je suis outré d'un livre que je viens de quitter, qui est si gros, qu'il semblait contenir la science universelle : mais il m'a rompu la tête, sans m'avoir rien appris. Adieu.

De Paris,
le 8 de la lune de Chahban 1714.

LETTRE 67

IBBEN À USBEK

À *Paris*

Trois vaisseaux sont arrivés ici sans m'avoir apporté de tes nouvelles. Es-tu malade ? ou te plais-tu à m'inquiéter ?

Si tu ne m'aimes pas dans un pays où tu n'es lié à rien, que sera-ce au milieu de la Perse, et dans le sein de ta famille ? Mais peut-être que je me trompe : tu es assez aimable pour trouver partout des amis ; le cœur est citoyen de tous les pays ; comment une âme bien faite peut-elle s'empêcher de former des engagements ? Je te l'avoue ; je respecte les anciennes amitiés ; mais je ne suis pas fâché d'en faire partout de nouvelles.

En quelque pays que j'aie été, j'y ai vécu comme si j'avais dû y passer ma vie : j'ai eu le même empressement pour les gens vertueux ; la même compassion, ou plutôt la même tendresse pour les malheureux ; la même estime pour ceux que la prospérité n'a point aveuglés. C'est mon caractère, Usbek : partout où je trouverai des hommes, je me choisirai des amis.

Il y a ici un Guèbre[1] qui, après toi, a, je crois, la première place dans mon cœur : c'est l'âme de la probité même. Des raisons particulières l'ont obligé de se retirer dans cette ville, où il vit tranquille du produit d'un trafic honnête, avec une femme qu'il aime. Sa vie est toute marquée d'actions généreuses : et, quoiqu'il cherche la vie obscure, il y a plus d'héroïsme dans son cœur que dans celui des plus grands monarques.

1. Les *Guèbres* désignent les Parsis, qui suivent l'enseignement de Zoroastre. Ils ont été persécutés par les musulmans.

Je lui ai parlé mille fois de toi, je lui montre toutes tes lettres ; je remarque que cela lui fait plaisir, et je vois déjà que tu as un ami qui t'est inconnu.

Tu trouveras ici ses principales aventures : quelque répugnance qu'il eût à les écrire, il n'a pu les refuser à mon amitié, et je les confie à la tienne.

HISTOIRE
D'APHÉRIDON ET D'ASTARTÉ

Je suis né parmi les Guèbres, d'une religion qui est peut-être la plus ancienne qui soit au monde. Je fus si malheureux que l'amour me vint avant la raison. J'avais à peine six ans, que je ne pouvais vivre qu'avec ma sœur : mes yeux s'attachaient toujours sur elle ; et, lorsqu'elle me quittait un moment, elle les retrouvait baignés de larmes : chaque jour n'augmentait pas plus mon âge que mon amour. Mon père, étonné d'une si forte sympathie, aurait bien souhaité de nous marier ensemble, selon l'ancien usage des Guèbres, introduit par Cambyse[1] ; mais la crainte des mahométans, sous le joug desquels nous vivons, empêche ceux de notre nation de penser à ces alliances saintes, que notre religion ordonne plutôt qu'elle ne permet, et qui sont des images si naïves de l'union déjà formée par la nature.

Mon père, voyant donc qu'il aurait été dangereux de suivre mon inclination et la sienne, résolut d'éteindre une flamme qu'il croyait naissante, mais qui était déjà à son dernier période[2] : il prétexta un voyage, et m'emmena avec lui, laissant ma sœur entre les mains d'une de ses parentes ; car ma mère était morte depuis deux ans. Je ne vous dirai point quel fut le désespoir de cette séparation : j'embrassai ma

1. Roi de Perse de 529 à 522 av. J.-C.
2. Au masculin, l'apogée, le plus haut point.

sœur toute baignée de larmes ; mais je n'en versai point :
car la douleur m'avait rendu comme insensible. Nous arri-
vâmes à Tefflis [1] : et mon père, ayant confié mon éducation
à un de nos parents, m'y laissa et s'en retourna chez lui.

Quelque temps après, j'appris que, par le crédit d'un de
ses amis, il avait fait entrer ma sœur dans le beiram [2] du roi,
où elle était au service d'une sultane. Si l'on m'avait appris
sa mort, je n'en aurais pas été plus frappé : car, outre que je
n'espérais plus de la revoir, son entrée dans le beiram
l'avait rendue mahométane ; et elle ne pouvait plus, suivant
le préjugé de cette religion, me regarder qu'avec horreur.
Cependant, ne pouvant plus vivre à Tefflis, las de moi-
même et de la vie, je retournai à Ispahan. Mes premières
paroles furent amères à mon père ; je lui reprochai d'avoir
mis sa fille en un lieu où l'on ne peut entrer qu'en chan-
geant de religion. « Vous avez attiré sur votre famille, lui
dis-je, la colère de Dieu et du soleil qui vous éclaire : vous
avez plus fait que si vous aviez souillé les éléments, puisque
vous avez souillé l'âme de votre fille, qui n'est pas moins
pure : j'en mourrai de douleur et d'amour : mais puisse ma
mort être la seule peine que Dieu vous fasse sentir ! » À ces
mots, je sortis : et, pendant deux ans, je passai ma vie à aller
regarder les murailles du beiram, et considérer le lieu où
ma sœur pouvait être ; m'exposant tous les jours mille fois
à être égorgé par les eunuques, qui font la ronde autour de
ces redoutables lieux.

Enfin mon père mourut ; et la sultane que ma sœur ser-
vait, la voyant tous les jours croître en beauté, en devint
jalouse, et la maria avec un eunuque qui la souhaitait avec
passion. Par ce moyen, ma sœur sortit du sérail, et prit,
avec son eunuque, une maison à Ispahan.

1. Capitale de la Géorgie.
2. Terme confondu ici avec *harem*.

Je fus plus de trois mois sans pouvoir lui parler; l'eu-
nuque, le plus jaloux de tous les hommes, me remettant
toujours sous divers prétextes. Enfin, j'entrai dans son bei-
ram; et il me lui fit parler au travers d'une jalousie: des
yeux de lynx ne l'auraient pas pu découvrir, tant elle était
enveloppée d'habits et de voiles, et je ne la pus reconnaître
qu'au son de sa voix. Quelle fut mon émotion, quand je me
vis si près, et si éloigné d'elle! Je me contraignis, car j'étais
examiné. Quant à elle, il me parut qu'elle versa quelques
larmes. Son mari voulut me faire quelques mauvaises
excuses; mais je le traitai comme le dernier des esclaves. Il
fut bien embarrassé, quand il vit que je parlai à ma sœur une
langue qui lui était inconnue; c'était l'ancien Persan, qui est
notre langue sacrée. « Quoi, ma sœur! lui dis-je, est-il vrai
que vous avez quitté la religion de vos pères? Je sais qu'en-
trant au beiram, vous avez dû faire profession du maho-
métisme: mais, dites-moi, votre cœur a-t-il pu consentir,
comme votre bouche, à quitter une religion qui me permet
de vous aimer? Et pour qui la quittez-vous, cette religion
qui nous doit être si chère? pour un misérable encore flé-
tri des fers qu'il a portés; qui, s'il était homme, serait le
dernier de tous. — Mon frère, dit-elle, cet homme, dont
vous parlez, est mon mari: il faut que je l'honore, tout
indigne qu'il vous paraît; et je serais aussi la dernière des
femmes, si... — Ah, ma sœur! lui dis-je, vous êtes guèbre:
il n'est ni votre époux, ni ne peut l'être: si vous êtes fidèle
comme vos pères, vous ne devez le regarder que comme
un monstre. — Hélas! dit-elle, que cette religion se montre
à moi de loin! À peine en savais-je les préceptes, qu'il les
fallut oublier. Vous voyez que cette langue, que je vous
parle, ne m'est plus familière, et que j'ai toutes les peines
du monde à m'exprimer: mais comptez que le souvenir de
notre enfance me charme toujours; que, depuis ce temps-
là, je n'ai eu que de fausses joies; qu'il ne s'est pas passé de

jour que je n'aie pensé à vous ; que vous avez eu plus de part que vous ne croyez à mon mariage, et que je n'y ai été déterminée que par l'espérance de vous revoir. Mais que ce jour, qui m'a tant coûté, va me coûter encore ! Je vous vois tout hors de vous-même ; mon mari frémit de rage et de jalousie : je ne vous verrai plus ; je vous parle sans doute pour la dernière fois de ma vie : si cela était, mon frère, elle ne serait pas longue. » À ces mots, elle s'attendrit ; et, se voyant hors d'état de tenir la conversation, elle me quitta le plus désolé de tous les hommes.

Trois ou quatre jours après, je demandai à voir ma sœur : le barbare eunuque aurait bien voulu m'en empêcher : mais, outre que ces sortes de maris n'ont pas sur leurs femmes la même autorité que les autres, il aimait si éperdument ma sœur, qu'il ne savait lui rien refuser. Je la vis encore dans le même lieu et sous les mêmes voiles, accompagnée de deux esclaves ; ce qui me fit avoir recours à notre langue particulière. « Ma sœur, lui dis-je, d'où vient que je ne puis vous voir sans me trouver dans une situation affreuse ? Les murailles qui vous tiennent enfermée, ces verrous et ces grilles, ces misérables gardiens qui vous observent, me mettent en fureur. Comment avez-vous perdu la douce liberté dont jouissaient vos ancêtres ? Votre mère, qui était si chaste, ne donnait à son mari, pour garant de sa vertu, que sa vertu même : ils vivaient heureux l'un et l'autre dans une confiance mutuelle ; et la simplicité de leurs mœurs était pour eux une richesse plus précieuse mille fois que le faux éclat dont vous semblez jouir dans cette maison somptueuse. En perdant votre religion, vous avez perdu votre liberté, votre bonheur, et cette précieuse égalité, qui fait l'honneur de votre sexe. Mais ce qu'il y a de pis encore, c'est que vous êtes, non pas la femme, car vous ne pouvez pas l'être, mais l'esclave d'un esclave qui a été dégradé de l'humanité. — Ah, mon frère ! dit-elle, respectez mon époux, respectez

la religion que j'ai embrassée : selon cette religion, je n'ai pu vous entendre, ni vous parler sans crime. — Quoi, ma sœur ! lui dis-je tout transporté, vous la croyez donc véritable, cette religion ? — Ah ! dit-elle, qu'il me serait avantageux qu'elle ne le fût pas ! Je fais pour elle un trop grand sacrifice, pour que je puisse ne la pas croire : et, si mes doutes… » À ces mots, elle se tut. « Oui, vos doutes, ma sœur, sont bien fondés, quels qu'ils soient. Qu'attendez-vous d'une religion qui vous rend malheureuse dans ce monde-ci, et ne vous laisse point d'espérance pour l'autre ? Songez que la nôtre est la plus ancienne qui soit au monde ; qu'elle a toujours fleuri dans la Perse ; et n'a pas d'autre origine que cet empire, dont les commencements ne sont point connus ; que ce n'est que le hasard qui y a introduit le mahométisme ; que cette secte y a été établie, non par la voie de la persuasion, mais de la conquête. Si nos princes naturels n'avaient pas été faibles [1], vous verriez régner encore le culte de ces anciens mages. Transportez-vous dans ces siècles reculés : tout vous parlera du magisme, et rien de la secte mahométane, qui, plusieurs milliers d'années après, n'était pas même dans son enfance. — Mais, dit-elle, quand ma religion serait plus moderne que la vôtre, elle est au moins plus pure, puisqu'elle n'adore que Dieu ; au lieu que vous adorez encore le soleil, les étoiles, le feu, et même les éléments. — Je vois, ma sœur, que vous avez appris, parmi les musulmans, à calomnier notre sainte religion. Nous n'adorons ni les astres, ni les éléments, et nos pères ne les ont jamais adorés : jamais ils ne leur ont élevé des temples, jamais ils ne leur ont offert des sacrifices : ils leur ont seulement rendu un culte religieux, mais inférieur, comme à des ouvrages et des manifestations de la divinité.

1. Les derniers des Sassanides furent vaincus par les arabes pendant le califat d'Omar I^{er}.

Mais, ma sœur, au nom de Dieu qui nous éclaire, recevez ce
livre sacré que je vous porte ; c'est le livre de notre législa-
teur Zoroastre : lisez-le sans prévention : recevez dans votre
cœur les rayons de lumière, qui vous éclaireront en le
lisant : souvenez-vous de vos pères qui ont si longtemps
honoré le soleil dans la ville sainte de Balk[1] ; et enfin souve-
nez-vous de moi, qui n'espère de repos, de fortune, de vie,
que de votre changement. » Je la quittai tout transporté, et
la laissai seule décider la plus grande affaire que je pusse
avoir de ma vie.

J'y retournai deux jours après. Je ne lui parlai point ; j'at-
tendis, dans le silence, l'arrêt de ma vie, ou de ma mort.
« Vous êtes aimé, mon frère, me dit-elle, et par une Guèbre.
J'ai longtemps combattu : mais, dieux ! que l'amour lève de
difficultés ! Que je suis soulagée ! Je ne crains plus de vous
trop aimer ; je puis ne mettre point de bornes à mon amour :
l'excès même en est légitime. Ah ! que ceci convient bien à
l'état de mon cœur ! Mais vous qui avez su rompre les
chaînes que mon esprit s'était forgées, quand romprez-vous
celles qui me lient les mains ? Dès ce moment, je me donne
à vous : faites voir, par la promptitude avec laquelle vous
m'accepterez, combien ce présent vous est cher. Mon frère,
la première fois que je pourrai vous embrasser, je crois que
je mourrai dans vos bras. » Je n'exprimerais jamais bien la
joie que je sentis à ces paroles : je me crus et je me vis en
effet, en un instant, le plus heureux de tous les hommes : je
vis presque accomplir tous les désirs que j'avais formés en
vingt-cinq ans de vie, et évanouir tous les chagrins qui me
l'avaient rendue si laborieuse. Mais, quand je me fus un peu
accoutumé à ces douces idées, je trouvai que je n'étais pas
si près de mon bonheur que je me l'étais figuré tout à coup,

1. Ville d'Afghanistan qui passait pour le lieu de naissance de
Zoroastre.

quoique j'eusse surmonté le plus grand de tous les obstacles. Il fallait surprendre la vigilance de ses gardiens ; je n'osais confier à personne le secret de ma vie : je n'avais que ma sœur, elle n'avait que moi : si je manquais mon coup, je courais risque d'être empalé ; mais je ne voyais pas de peine plus cruelle que de le manquer. Nous convînmes qu'elle m'enverrait demander une horloge que son père lui avait laissée, et que j'y mettrais dedans une lime, pour scier les jalousies d'une fenêtre, qui donnait dans la rue, et une corde nouée pour descendre ; que je ne la verrais plus dorénavant ; mais que j'irais toutes les nuits, sous cette fenêtre, attendre qu'elle pût exécuter son dessein. Je passai quinze nuits entières sans voir personne, parce qu'elle n'avait pas trouvé le temps favorable. Enfin, la seizième, j'entendis une scie qui travaillait : de temps en temps l'ouvrage était interrompu, et dans ces intervalles ma frayeur était inexprimable. Après une heure de travail, je la vis qui attachait la corde ; elle se laissa aller, et glissa dans mes bras. Je ne connus plus le danger, et je restai longtemps sans bouger de là : je la conduisis hors de la ville, où j'avais un cheval tout prêt : je la mis en croupe derrière moi, et m'éloignai, avec toute la promptitude imaginable, d'un lieu qui pouvait nous être si funeste. Nous arrivâmes avant le jour chez un Guèbre, dans un lieu désert où il était retiré, vivant frugalement du travail de ses mains : nous ne jugeâmes pas à propos de rester chez lui ; et, par son conseil, nous entrâmes dans une épaisse forêt, et nous nous mîmes dans le creux d'un vieux chêne, jusqu'à ce que le bruit de notre évasion se fût dissipé. Nous vivions tous deux dans ce séjour écarté, sans témoins, nous répétant sans cesse que nous nous aimerions toujours, attendant l'occasion que quelque prêtre guèbre pût faire la cérémonie du mariage prescrite par nos livres sacrés. « Ma sœur, lui dis-je, que cette union est sainte ! la nature nous avait unis, notre sainte loi va nous

unir encore. » Enfin, un prêtre vint calmer notre impatience amoureuse. Il fit, dans la maison du paysan, toutes les cérémonies du mariage : il nous bénit, et nous souhaita mille fois toute la vigueur de Gustaspe, et la sainteté de l'Hohoraspe[1]. Bientôt après, nous quittâmes la Perse où nous n'étions pas en sûreté, et nous nous retirâmes en Géorgie. Nous y vécûmes un an, tous les jours plus charmés l'un de l'autre. Mais, comme mon argent allait finir, et que je craignais la misère pour ma sœur, non pas pour moi, je la quittai, pour aller chercher quelque secours chez nos parents. Jamais adieu ne fut plus tendre. Mais mon voyage me fut non seulement inutile, mais funeste : car, ayant trouvé d'un côté tous nos biens confisqués, de l'autre mes parents presque dans l'impuissance de me secourir, je ne rapportai d'argent précisément que ce qu'il fallait pour mon retour. Mais quel fut mon désespoir ! je ne trouvai plus ma sœur. Quelques jours avant mon arrivée, des Tartares avaient fait une incursion dans la ville où elle était ; et, comme ils la trouvèrent belle, ils la prirent, et la vendirent à des Juifs qui allaient en Turquie, et ne laissèrent qu'une petite fille dont elle était accouchée quelques mois auparavant. Je suivis ces Juifs, et les joignis à trois lieues de là : mes prières, mes larmes furent vaines ; ils me demandèrent toujours trente tomans, et ne se relâchèrent jamais d'un seul. Après m'être adressé à tout le monde, avoir imploré la protection des prêtres turcs et chrétiens, je m'adressai à un marchand arménien ; je lui vendis ma fille, et me vendis aussi pour trente-cinq tomans. J'allai aux Juifs, je leur donnai trente tomans ; et portai les cinq autres à ma sœur, que je n'avais pas encore vue. « Vous êtes libre, lui dis-je, ma sœur, et je puis vous embrasser ; voilà cinq tomans que je vous porte ;

1. Père légendaire de Gustape, roi de Bactriane qui fut converti par Zoroastre.

j'ai du regret qu'on ne m'ait pas acheté davantage. — Quoi!
dit-elle, vous vous êtes vendu? — Oui, lui dis-je. — Ah,
malheureux! qu'avez-vous fait? N'étais-je pas assez infortu-
née sans que vous travaillassiez à me le rendre davantage?
Votre liberté me consolait, et votre esclavage va me mettre
au tombeau. Ah, mon frère! que votre amour est cruel! Et
ma fille, je ne la vois point? — Je l'ai vendue aussi», lui dis-
je. Nous fondîmes tous deux en larmes, et n'eûmes pas la
force de nous rien dire. Enfin, j'allai trouver mon maître, et
ma sœur y arriva presque aussitôt que moi; elle se jeta
à ses genoux. «Je vous demande, dit-elle, la servitude,
comme les autres vous demandent la liberté: prenez-moi,
vous me vendrez plus cher que mon mari.» Ce fut alors
qu'il se fit un combat qui arracha les larmes des yeux de
mon maître. «Malheureux! dit-elle, as-tu pensé que je
pusse accepter ma liberté aux dépens de la tienne? Sei-
gneur, vous voyez deux infortunés qui mourront, si vous
nous séparez. Je me donne à vous, payez-moi: peut-être
que cet argent et mes services pourront quelque jour obte-
nir de vous ce que je n'ose vous demander. Il est de votre
intérêt de ne nous point séparer: comptez que je dispose
de sa vie.» L'Arménien était un homme doux, qui fut tou-
ché de nos malheurs. «Servez-moi l'un et l'autre avec fidé-
lité et avec zèle, et je vous promets que, dans un an, je vous
donnerai votre liberté. Je vois que vous ne méritez, ni l'un
ni l'autre, les malheurs de votre condition. Si, lorsque vous
serez libres, vous êtes aussi heureux que vous le méritez, si
la fortune vous rit, je suis certain que vous me satisferez de
la perte que je souffrirai.» Nous embrassâmes tous deux
ses genoux, et le suivîmes dans son voyage. Nous nous sou-
lagions l'un et l'autre dans les travaux de la servitude,
et j'étais charmé lorsque j'avais pu faire l'ouvrage qui était
tombé à ma sœur.

La fin de l'année arriva; notre maître tint sa parole, et

nous délivra. Nous retournâmes à Tefflis : là, je trouvai un ancien ami de mon père, qui exerçait avec succès la médecine dans cette ville : il me prêta quelque argent, avec lequel je fis quelque négoce. Quelques affaires m'appelèrent ensuite à Smyrne, où je m'établis. J'y vis depuis six ans, et j'y jouis de la plus aimable et de la plus douce société du monde : l'union règne dans ma famille, et je ne changerais pas ma condition pour celle de tous les rois du monde. J'ai été assez heureux pour retrouver le marchand arménien, à qui je dois tout ; et je lui ai rendu des services signalés.

De Smyrne,
le 27 de la lune de Gemmadi, 2, 1714.

LETTRE 68

RICA À USBEK

À ***

J'allai l'autre jour dîner chez un homme de robe[1], qui m'en avait prié plusieurs fois. Après avoir parlé de bien des choses, je lui dis : « Monsieur, il me paraît que votre métier est bien pénible. — Pas tant que vous vous l'imaginez, répondit-il : de la manière dont nous le faisons, ce n'est qu'un amusement. — Mais quoi ? N'avez-vous pas toujours la tête remplie des affaires d'autrui ? N'êtes-vous pas toujours occupé de choses qui ne sont point intéressantes ? — Vous avez raison ; ces choses ne sont point intéressantes, car nous nous y intéressons si peu que rien ; et cela même fait que le métier n'est pas si fatigant que vous

1. Les hommes de robe sont les nobles qui ont les charges de justice dans les parlements.

dites. » Quand je vis qu'il prenait la chose d'une manière si dégagée, je continuai, et lui dis : « Monsieur, je n'ai point vu votre cabinet. — Je le crois ; car je n'en ai point. Quand je pris cette charge, j'eus besoin d'argent pour la payer ; je vendis ma bibliothèque ; et le libraire qui la prit, d'un nombre prodigieux de volumes, ne me laissa que mon livre de raison[1]. Ce n'est pas que je les regrette : nous autres juges, ne nous enflons point d'une vaine science. Qu'avons-nous affaire de tous ces volumes de lois ? Presque tous les cas sont hypothétiques, et sortent de la règle générale. — Mais ne serait-ce pas, monsieur, lui dis-je, parce que vous les en faites sortir ? Car enfin, pourquoi, chez tous les peuples du monde, y aurait-il des lois, si elles n'avaient pas leur application ? et comment peut-on les appliquer, si on ne les sait pas ? — Si vous connaissiez le palais, reprit le magistrat, vous ne parleriez pas comme vous faites : nous avons des livres vivants, qui sont les avocats : ils travaillent pour nous, et se chargent de nous instruire. — Et ne se chargent-ils pas aussi quelquefois de vous tromper, lui repartis-je ? Vous ne feriez donc pas mal de vous garantir de leurs embûches. Ils ont des armes avec lesquelles ils attaquent votre équité ; il serait bon que vous en eussiez aussi pour la défendre ; et que vous n'allassiez pas vous mettre dans la mêlée, habillés à la légère, parmi des gens cuirassés jusqu'aux dents. »

De Paris,
le 13 de la lune de Chahban, 1714.

1. C'est le livre dont se servent les marchands pour tenir leurs comptes.

LETTRE 69

USBEK À RHÉDI

À *Venise*

Tu ne te serais jamais imaginé que je fusse devenu plus métaphysicien que je ne l'étais : cela est pourtant ; et tu en seras convaincu, quand tu auras essuyé ce débordement de ma philosophie.

Les philosophes les plus sensés, qui ont réfléchi sur la nature de Dieu, ont dit qu'il était un être souverainement parfait ; mais ils ont extrêmement abusé de cette idée. Ils ont fait une énumération de toutes les perfections différentes que l'homme est capable d'avoir et d'imaginer, et en ont chargé l'idée de la divinité, sans songer que souvent ces attributs s'entr'empêchent, et qu'ils ne peuvent subsister dans un même sujet sans se détruire.

Les poètes d'Occident disent qu'un peintre ayant voulu faire le portrait de la déesse de la beauté, assembla les plus belles Grecques, et prit de chacune ce qu'elle avait de plus agréable, dont il fit un tout pour ressembler à la plus belle de toutes les déesses. Si un homme en avait conclu qu'elle était blonde et brune, qu'elle avait les yeux noirs et bleus, qu'elle était douce et fière, il aurait passé pour ridicule.

Souvent Dieu manque d'une perfection qui pourrait lui donner une grande imperfection : mais il n'est jamais limité que par lui-même ; il est lui-même sa nécessité. Ainsi, quoique Dieu soit tout-puissant, il ne peut pas violer ses promesses, ni tromper les hommes. Souvent même l'impuissance n'est pas dans lui, mais dans les choses relatives ; et c'est la raison pourquoi il ne peut pas changer l'essence des choses.

Ainsi, il n'y a point sujet de s'étonner que quelques-uns de nos docteurs aient osé nier la prescience infinie de Dieu ; sur ce fondement, qu'elle est incompatible avec sa justice.

Quelque hardie que soit cette idée, la métaphysique s'y prête merveilleusement. Selon ses principes, il n'est pas possible que Dieu prévoie les choses qui dépendent de la détermination des causes libres ; parce que ce qui n'est point arrivé n'est point, et, par conséquent, ne peut être connu ; car le rien, qui n'a point de propriétés, ne peut être aperçu : Dieu ne peut point lire dans une volonté qui n'est point, et voir dans l'âme une chose qui n'existe point en elle : car, jusqu'à ce qu'elle se soit déterminée, cette action qui la détermine n'est point en elle.

L'âme est l'ouvrière de sa détermination : mais il y a des occasions où elle est tellement indéterminée, qu'elle ne sait pas même de quel côté se déterminer. Souvent même elle ne le fait que pour faire usage de sa liberté ; de manière que Dieu ne peut voir cette détermination par avance, ni dans l'action de l'âme, ni dans l'action que les objets font sur elle.

Comment Dieu pourrait-il prévoir les choses qui dépendent de la détermination des causes libres ? Il ne pourrait les voir que de deux manières : par conjecture, ce qui est contradictoire avec la prescience infinie : ou bien il les verrait comme des effets nécessaires qui suivraient infailliblement d'une cause qui les produirait de même, ce qui est encore plus contradictoire : car l'âme serait libre par la supposition ; et, dans le fait, elle ne le serait pas plus qu'une boule de billard n'est libre de se remuer lorsqu'elle est poussée par une autre.

Ne crois pas pourtant que je veuille borner la science de Dieu. Comme il fait agir les créatures à sa fantaisie, il

connaît tout ce qu'il veut connaître. Mais, quoiqu'il puisse voir tout, il ne se sert pas toujours de cette faculté : il laisse ordinairement à la créature la faculté d'agir ou de ne pas agir, pour lui laisser celle de mériter ou de démériter : c'est pour lors qu'il renonce au droit qu'il a d'agir sur elle, et de la déterminer. Mais, quand il veut savoir quelque chose, il le sait toujours ; parce qu'il n'a qu'à vouloir qu'elle arrive comme il la voit, et déterminer les créatures conformément à sa volonté. C'est ainsi qu'il tire ce qui doit arriver du nombre des choses purement possibles, en fixant, par ses décrets, les déterminations futures des esprits, et les privant de la puissance qu'il leur a donnée d'agir ou de ne pas agir.

Si l'on peut se servir d'une comparaison, dans une chose qui est au-dessus des comparaisons : un monarque ignore ce que son ambassadeur fera dans une affaire importante : s'il le veut savoir, il n'a qu'à lui ordonner de se comporter d'une telle manière ; et il pourra assurer que la chose arrivera comme il la projette.

L'Alcoran et les livres des Juifs s'élèvent sans cesse contre le dogme de la prescience absolue : Dieu y paraît partout ignorer la détermination future des esprits ; et il semble que ce soit la première vérité que Moïse ait enseignée aux hommes.

Dieu met Adam dans le paradis terrestre, à condition qu'il ne mangera point d'un certain fruit : précepte absurde dans un être qui connaîtrait les déterminations futures des âmes : car enfin un tel être peut-il mettre des conditions à ses grâces, sans les rendre dérisoires ? C'est comme si un homme, qui aurait su la prise de Bagdad, disait à un autre : « Je vous donne cent tomans, si Bagdad n'est pas pris. » Ne ferait-il pas là une bien mauvaise plaisanterie ?

Mon cher Rhédi, pourquoi tant de philosophie ? Dieu est si haut, que nous n'apercevons pas même ses nuages.

Nous ne le connaissons bien que dans ses préceptes. Il est immense, spirituel, infini. Que sa grandeur nous ramène à notre faiblesse. S'humilier toujours, c'est l'adorer toujours.

De Paris,
le dernier de la lune de Chahban 1714.

LETTRE 70

ZÉLIS À USBEK

À Paris

Soliman, que tu aimes, est désespéré d'un affront qu'il vient de recevoir. Un jeune étourdi, nommé Suphis, recherchait, depuis trois mois, sa fille en mariage : il paraissait content de la figure de la fille, sur le rapport et la peinture que lui en avaient fait les femmes qui l'avaient vue dans son enfance ; on était convenu de la dot, et tout s'était passé sans aucun incident. Hier, après les premières cérémonies, la fille sortit à cheval, accompagnée de son eunuque, et couverte, selon la coutume, depuis la tête jusqu'aux pieds. Mais, dès qu'elle fut arrivée devant la maison de son mari prétendu, il lui fit fermer la porte, et il jura qu'il ne la recevrait jamais, si on n'augmentait la dot. Les parents accoururent de côté et d'autre, pour accommoder l'affaire ; et, après bien de la résistance, Soliman convint de faire un petit présent à son gendre. Les cérémonies du mariage s'accomplirent, et l'on conduisit la fille dans le lit avec assez de violence : mais, une heure après, cet étourdi se leva furieux, lui coupa le visage en plusieurs endroits, soutenant qu'elle n'était pas vierge, et la renvoya à son père. On ne peut pas être plus frappé qu'il l'est de cette injure. Il y a des

personnes qui soutiennent que cette fille est innocente. Les pères sont bien malheureux d'être exposés à de tels affronts ! Si ma fille recevait un pareil traitement, je crois que j'en mourrais de douleur. Adieu.

Du sérail de Fatmé,
le 9 de la lune de Gemmadi, 1, 1714.

LETTRE 71

USBEK À ZÉLIS

Je plains Soliman, d'autant plus que le mal est sans remède, et que son gendre n'a fait que se servir de la liberté de la loi. Je trouve cette loi bien dure, d'exposer ainsi l'honneur d'une famille aux caprices d'un fou. On a beau dire que l'on a des indices certains pour connaître la vérité : c'est une vieille erreur dont on est aujourd'hui revenu parmi nous : et nos médecins donnent des raisons invincibles de l'incertitude de ces preuves. Il n'y a pas jusqu'aux chrétiens qui ne les regardent comme chimériques, quoiqu'elles soient clairement établies par leurs livres sacrés, et que leur ancien législateur en ait fait dépendre l'innocence ou la condamnation de toutes les filles [1].

J'apprends avec plaisir le soin que tu te donnes de l'éducation de la tienne. Dieu veuille que son mari la trouve aussi belle et aussi pure que Fatima [2] : qu'elle ait dix eunuques pour la garder : qu'elle soit l'honneur et l'ornement du sérail où elle est destinée : qu'elle n'ait sur sa tête que des lambris dorés, et ne marche que sur des tapis superbes ! Et,

1. Voir Deutéronome, XXII, 13-21.
2. Fille de Mahomet et épouse d'Ali.

pour comble de souhaits, puissent mes yeux la voir dans toute sa gloire!

De Paris,
le 5 de la lune de Chalval 1714.

LETTRE 72

RICA À IBBEN

À ***

Je me trouvai l'autre jour dans une compagnie, où je vis un homme bien content de lui. Dans un quart d'heure, il décida trois questions de morale, quatre problèmes histo- riques, et cinq points de physique. Je n'ai jamais vu un déci- sionnaire si universel; son esprit ne fut jamais suspendu par le moindre doute. On laissa les sciences; on parla des nou- velles du temps: il décida sur les nouvelles du temps. Je voulus l'attraper, et je dis en moi-même: «Il faut que je me mette dans mon fort; je vais me réfugier dans mon pays.» Je lui parlai de la Perse: mais, à peine lui eus-je dit quatre mots, qu'il me donna deux démentis, fondé sur l'autorité de messieurs Tavernier et Chardin[1]. «Ah, bon Dieu! dis-je en moi-même, quel homme est-ce là? Il connaîtra tout à l'heure les rues d'Ispahan mieux que moi!» Mon parti fut bientôt pris: je me tus, je le laissai parler, et il décide encore.

De Paris,
le 8 de la lune de Zilcadé 1715.

1. Ce sont les deux voyageurs qui ont fourni l'essentiel de la docu- mentation de Montesquieu pour ses *Lettres* (voir le Dossier, p. 420).

LETTRE 73

RICA À ***

J'ai ouï parler d'une espèce de tribunal, qu'on appelle l'Académie française. Il n'y en a point de moins respecté dans le monde ; car on dit qu'aussitôt qu'il a décidé, le peuple casse ses arrêts, et lui impose des lois qu'il est obligé de suivre.

Il y a quelque temps que, pour fixer son autorité, il donna un code de ses jugements. Cet enfant de tant de pères était presque vieux quand il naquit ; et, quoiqu'il fût légitime, un bâtard, qui avait déjà paru, l'avait presque étouffé dans sa naissance [1].

Ceux qui le composent n'ont d'autres fonctions que de jaser sans cesse : l'éloge va se placer, comme de lui-même, dans leur babil éternel ; et, sitôt qu'ils sont initiés dans ses mystères, la fureur du panégyrique [2] vient les saisir, et ne les quitte plus.

Ce corps a quarante têtes, toutes remplies de figures, de métaphores et d'antithèses : tant de bouches ne parlent presque que par exclamation : ses oreilles veulent toujours être frappées par la cadence et l'harmonie. Pour les yeux, il n'en est pas question : il semble qu'il soit fait pour parler, et non pas pour voir. Il n'est point ferme sur ses pieds ; car le temps, qui est son fléau, l'ébranle à tous les instants, et détruit tout ce qu'il a fait. On a dit autrefois que ses mains étaient avides ; je ne t'en dirai rien, et je laisse décider cela à ceux qui le savent mieux que moi.

1. Furetière avait fait paraître son propre dictionnaire en 1690, alors que celui de l'Académie ne sera achevé qu'en 1694.

2. C'est-à-dire l'habitude d'éloges hyperboliques pour ses pairs et ses prédécesseurs.

Voilà des bizarreries, ***, que l'on ne voit point dans notre Perse. Nous n'avons point l'esprit porté à ces établissements singuliers et bizarres; nous cherchons toujours la nature dans nos coutumes simples et nos manières naïves.

De Paris,
le 27 de la lune de Zilhagé 1715.

LETTRE 74

USBEK À RICA

À ***

Il y a quelques jours qu'un homme de ma connaissance me dit: «Je vous ai promis de vous produire dans les bonnes maisons de Paris; je vous mène à présent chez un grand seigneur, qui est un des hommes du royaume qui représente[1] le mieux.»

«Que veut dire cela, monsieur? est-ce qu'il est plus poli, plus affable que les autres? — Non, me dit-il. — Ah! j'entends: il fait sentir, à tous les instants, la supériorité qu'il a sur tous ceux qui l'approchent: si cela est, je n'ai que faire d'y aller; je la lui passe tout entière, et je prends condamnation.»

Il fallut pourtant marcher: et je vis un petit homme si fier; il prit une prise de tabac avec tant de hauteur, il se moucha si impitoyablement, il cracha avec tant de flegme, il caressa ses chiens d'une manière si offensante pour les hommes, que je ne pouvais me lasser de l'admirer. «Ah,

1. Se dit d'un homme qui a prestance et dignité dans l'exercice de sa charge.

bon Dieu ! dis-je en moi-même, si, lorsque j'étais à la cour de Perse, je représentais ainsi, je représentais un grand sot ! Il aurait fallu, Rica, que nous eussions eu un bien mauvais naturel, pour aller faire cent petites insultes à des gens qui venaient tous les jours chez nous nous témoigner leur bienveillance. Ils savaient bien que nous étions au-dessus d'eux ; et, s'ils l'avaient ignoré, nos bienfaits le leur auraient appris chaque jour. N'ayant rien à faire pour nous faire respecter, nous faisions tout pour nous rendre aimables : nous nous communiquions[1] aux plus petits : au milieu des grandeurs, qui endurcissent toujours, ils nous trouvaient sensibles ; ils ne voyaient que notre cœur au-dessus d'eux ; nous descendions jusqu'à leurs besoins. Mais, lorsqu'il fallait soutenir la majesté du prince dans les cérémonies publiques ; lorsqu'il fallait faire respecter la nation aux étrangers ; lorsque enfin, dans les occasions périlleuses, il fallait animer les soldats, nous remontions cent fois plus haut que nous n'étions descendus ; nous ramenions la fierté sur notre visage ; et l'on trouvait quelquefois que nous représentions assez bien. »

De Paris,
le 10 de la lune de Saphar 1715.

LETTRE 75

USBEK À RHÉDI

À Venise

Il faut que je te l'avoue : je n'ai point remarqué, chez les chrétiens, cette persuasion vive de leur religion, qui se

1. *Se communiquer à quelqu'un* veut dire « se rendre familier, entrer facilement en conversation avec quelqu'un ».

trouve parmi les musulmans. Il y a bien loin, chez eux, de la profession à la croyance, de la croyance à la conviction, de la conviction à la pratique. La religion est moins un sujet de sanctification, qu'un sujet de disputes, qui appartient à tout le monde. Les gens de cour, les gens de guerre, les femmes même, s'élèvent contre les ecclésiastiques, et leur demandent de leur prouver ce qu'ils sont résolus de ne pas croire. Ce n'est pas qu'ils se soient déterminés par raison, et qu'ils aient pris la peine d'examiner la vérité ou la fausseté de cette religion qu'ils rejettent : ce sont des rebelles qui ont senti le joug, et l'ont secoué avant de l'avoir connu. Aussi ne sont-ils pas plus fermes dans leur incrédulité que dans leur foi : ils vivent dans un flux et reflux, qui les porte sans cesse de l'un à l'autre. Un d'eux me disait un jour : « Je crois l'immortalité de l'âme par semestre ; mes opinions dépendent absolument de la constitution de mon corps : selon que j'ai plus ou moins d'esprits animaux[1], que mon estomac digère bien ou mal, que l'air que je respire est subtil ou grossier, que les viandes dont je me nourris sont légères ou solides, je suis spinoziste, socinien, catholique, impie, ou dévot[2]. Quand le médecin est auprès de mon lit, le confesseur me trouve à son avantage. Je sais bien empêcher la religion de m'affliger quand je me porte bien ; mais je lui permets de me consoler quand je suis malade : lorsque je n'ai plus rien à espérer d'un côté, la religion se présente, et me gagne par ses promesses ; je veux bien m'y livrer, et mourir du côté de l'espérance. »

Il y a longtemps que les princes chrétiens affranchirent tous les esclaves de leurs états ; parce que, disaient-ils, le

1. Sur les « esprits animaux », voir note 3, p. 74.
2. Les partisans du philosophe Spinoza, ou « spinozistes », sont considérés, comme lui, athées. Les sociniens sont une secte protestante qui entend n'interpréter les Écritures qu'à l'aide de la raison. Ils rejettent la divinité du Christ et le dogme de la Trinité.

christianisme rend tous les hommes égaux. Il est vrai que cet acte de religion leur était très utile : ils abaissaient par là les seigneurs, de la puissance desquels ils retiraient le bas peuple. Ils ont ensuite fait des conquêtes dans des pays où ils ont vu qu'il leur était avantageux d'avoir des esclaves : ils ont permis d'en acheter et d'en vendre, oubliant ce principe de religion qui les touchait tant. Que veux-tu que je te dise ? Vérité dans un temps, erreur dans un autre. Que ne faisons-nous comme les chrétiens ? Nous sommes bien simples de refuser des établissements et des conquêtes faciles dans des climats heureux*, parce que l'eau n'y est pas assez pure pour nous laver, selon les principes du saint Alcoran.

Je rends grâces au Dieu tout-puissant, qui a envoyé Hali son grand prophète, de ce que je professe une religion qui se fait préférer à tous les intérêts humains, et qui est pure comme le ciel, dont elle est descendue.

De Paris,
le 13 de la lune de Saphar 1715.

LETTRE 76

USBEK À SON AMI IBBEN

À *Smyrne*

Les lois sont furieuses en Europe contre ceux qui se tuent eux-mêmes. On les fait mourir, pour ainsi dire, une seconde fois ; ils sont traînés indignement par les rues ; on les note d'infamie ; on confisque leurs biens.

* Les mahométans ne se soucient point de prendre Venise, parce qu'ils n'y trouveraient point d'eau pour leurs purifications.

Il me paraît, Ibben, que ces lois sont bien injustes. Quand je suis accablé de douleur, de misère, de mépris, pourquoi veut-on m'empêcher de mettre fin à mes peines, et me priver cruellement d'un remède qui est en mes mains ?

Pourquoi veut-on que je travaille pour une société dont je consens de n'être plus ? que je tienne, malgré moi, une convention qui s'est faite sans moi ? La société est fondée sur un avantage mutuel : mais, lorsqu'elle me devient onéreuse, qui m'empêche d'y renoncer ? La vie m'a été donnée comme une faveur ; je puis donc la rendre, lorsqu'elle ne l'est plus : la cause cesse ; l'effet doit donc cesser aussi.

Le prince veut-il que je sois son sujet, quand je ne retire point les avantages de la sujétion ? Mes concitoyens peuvent-ils demander ce partage inique de leur utilité et de mon désespoir ? Dieu, différent de tous les bienfaiteurs, veut-il me condamner à recevoir des grâces qui m'accablent ?

Je suis obligé de suivre les lois, quand je vis sous les lois : mais, quand je n'y vis plus, peuvent-elles me lier encore ?

Mais, dira-t-on, vous troublez l'ordre de la Providence. Dieu a uni votre âme avec votre corps ; et vous l'en séparez : vous vous opposez donc à ses desseins, et vous lui résistez.

Que veut dire cela ? Troublé-je l'ordre de la Providence, lorsque je change les modifications de la matière, et que je rends carrée une boule que les premières lois du mouvement, c'est-à-dire les lois de la création et de la conservation, avaient faite ronde ? Non, sans doute : je ne fais qu'user du droit qui m'a été donné : et, en ce sens, je puis troubler à ma fantaisie toute la nature, sans que l'on puisse dire que je m'oppose à la Providence.

Lorsque mon âme sera séparée de mon corps, y aura-t-il moins d'ordre et moins d'arrangement dans l'univers ? Croyez-vous que cette nouvelle combinaison soit moins

parfaite, et moins dépendante des lois générales? que le monde y ait perdu quelque chose? et que les ouvrages de Dieu soient moins grands, ou plutôt moins immenses?

Pensez-vous que mon corps, devenu un épi de blé, un ver, un gazon, soit changé en un ouvrage de la nature moins digne d'elle? et que mon âme, dégagée de tout ce qu'elle avait de terrestre, soit devenue moins sublime?

Toutes ces idées, mon cher Ibben, n'ont d'autre source que notre orgueil. Nous ne sentons point notre petitesse; et, malgré qu'on en ait, nous voulons être comptés dans l'univers, y figurer, et y être un objet important. Nous nous imaginons que l'anéantissement d'un être aussi parfait que nous dégraderait toute la nature: et nous ne concevons pas qu'un homme de plus ou de moins dans le monde; que dis-je? tous les hommes ensemble, cent millions de têtes comme la nôtre, ne sont qu'un atome subtil et délié, que Dieu n'aperçoit qu'à cause de l'immensité de ses connaissances.

De Paris,
le 15 de la lune de Saphar 1715.

LETTRE 77

IBBEN À USBEK

À Paris

Mon cher Usbek, il me semble que, pour un vrai musulman, les malheurs sont moins des châtiments que des menaces. Ce sont des jours bien précieux que ceux qui nous portent à expier les offenses. C'est le temps des prospérités qu'il faudrait abréger. Que servent toutes ces impatiences, qu'à faire voir que nous voudrions être heureux,

indépendamment de celui qui donne les félicités, parce qu'il est la félicité même?

Si un être est composé de deux êtres, et que la nécessité de conserver l'union marque plus la soumission aux ordres du créateur, on en a pu faire une loi religieuse. Si cette nécessité de conserver l'union est un meilleur garant des actions des hommes, on en a pu faire une loi civile.

De Smyrne,
le dernier jour de la lune de Saphar 1715.

LETTRE 78

RICA À USBEK

À ***

Je t'envoie la copie d'une lettre qu'un Français qui est en Espagne a écrite ici: je crois que tu seras bien aise de la voir.

Je parcours, depuis six mois, l'Espagne et le Portugal; et je vis parmi des peuples qui, méprisant tous les autres, font aux seuls Français l'honneur de les haïr.

La gravité est le caractère brillant des deux nations; elle se manifeste principalement de deux manières: par les lunettes, et par la moustache.

Les lunettes font voir démonstrativement que celui qui les porte est un homme consommé dans les sciences, et enseveli dans de profondes lectures, à un tel point que sa vue en est affaiblie: et tout nez, qui en est orné ou chargé, peut passer sans contredit pour le nez d'un savant.

Quant à la moustache, elle est respectable par elle-même, et

indépendamment des conséquences ; quoiqu'on ne laisse pas d'en tirer quelquefois de grandes utilités, pour le service du prince et l'honneur de la nation, comme le fit bien voir un fameux général portugais dans les Indes* : car, se trouvant avoir besoin d'argent, il se coupa une de ses moustaches, et envoya demander aux habitants de Goa vingt mille pistoles sur ce gage : elles lui furent prêtées d'abord, et dans la suite il retira sa moustache avec honneur.

On conçoit aisément que des peuples graves et flegmatiques, comme ceux-là, peuvent avoir de l'orgueil : aussi en ont-ils. Ils le fondent ordinairement sur deux choses bien considérables. Ceux qui vivent dans le continent de l'Espagne et du Portugal se sentent le cœur extrêmement élevé, lorsqu'ils sont ce qu'ils appellent de vieux chrétiens ; c'est-à-dire, qu'ils ne sont pas originaires de ceux à qui l'Inquisition a persuadé dans ces derniers siècles d'embrasser la religion chrétienne. Ceux qui sont dans les Indes ne sont pas moins flattés, lorsqu'ils considèrent qu'ils ont le sublime mérite d'être, comme ils disent, hommes de chair blanche. Il n'y a jamais eu, dans le sérail du grand seigneur[1], de sultane si orgueilleuse de sa beauté, que le plus vieux et le plus vilain mâtin[2] ne l'est de la blancheur olivâtre de son teint, lorsqu'il est dans une ville du Mexique, assis sur sa porte, les bras croisés. Un homme de cette conséquence, une créature si parfaite ne travaillerait pas pour tous les trésors du monde ; et ne se résoudrait jamais, par une vile et mécanique industrie, de compromettre l'honneur et la dignité de sa peau.

Car il faut savoir que, lorsqu'un homme a un certain mérite

* Jean de Castro[3].
1. Sultan de Turquie.
2. L'homme le plus répugnant.
3. Gouverneur puis vice-roi des Indes orientales (1500-1548). Goa en était la capitale.

en Espagne, comme, par exemple, quand il peut ajouter, aux qualités dont je viens de parler, celle d'être le propriétaire d'une grande épée, ou d'avoir appris de son père l'art de faire jurer une discordante guitare, il ne travaille plus : son honneur s'intéresse au repos de ses membres. Celui qui reste assis dix heures par jour obtient précisément la moitié plus de considération qu'un autre qui n'en reste que cinq, parce que c'est sur les chaises que la noblesse s'acquiert.

Mais, quoique ces invincibles ennemis du travail fassent parade d'une tranquillité philosophique, ils ne l'ont pourtant pas dans le cœur ; car ils sont toujours amoureux. Ils sont les premiers hommes du monde pour mourir de langueur sous la fenêtre de leurs maîtresses ; et tout Espagnol qui n'est pas enrhumé ne saurait passer pour galant.

Ils sont premièrement dévots, et secondement jaloux. Ils se garderont bien d'exposer leurs femmes aux entreprises d'un soldat criblé de coups, ou d'un magistrat décrépit : mais ils les enfermeront avec un novice fervent qui baisse les yeux, ou un robuste Franciscain qui les élève.

Ils permettent à leurs femmes de paraître avec le sein découvert : mais ils ne veulent pas qu'on leur voie le talon, et qu'on les surprenne par le bout des pieds.

On dit partout que les rigueurs de l'amour sont cruelles ; elles le sont encore plus pour les Espagnols. Les femmes les guérissent de leurs peines ; mais elles ne font que leur en faire changer ; et il leur reste souvent un long et fâcheux souvenir d'une passion éteinte.

Ils ont de petites politesses, qui, en France, paraîtraient mal placées : par exemple, un capitaine ne bat jamais son soldat, sans lui en demander permission ; et l'Inquisition ne fait jamais brûler un Juif, sans lui faire ses excuses.

Les Espagnols qu'on ne brûle pas paraissent si attachés à l'Inquisition, qu'il y aurait de la mauvaise humeur de la leur ôter. Je

voudrais seulement qu'on en établît une autre; non pas contre les hérétiques; mais contre les hérésiarques[1]*, qui attribuent à de petites pratiques monacales la même efficacité qu'aux sept sacrements; qui adorent tout ce qu'ils vénèrent; et qui sont si dévots, qu'ils sont à peine chrétiens.*

Vous pourrez trouver de l'esprit et du bon sens chez les Espagnols; mais n'en cherchez point dans leurs livres. Voyez une de leurs bibliothèques, les romans d'un côté, et les scolastiques[2]* de l'autre: vous diriez que les parties en ont été faites, et le tout rassemblé, par quelque ennemi secret de la raison humaine.*

Le seul de leurs livres qui soit bon est celui qui a fait voir le ridicule de tous les autres[3]*.*

Ils ont fait des découvertes immenses dans le nouveau monde, et ils ne connaissent pas encore leur propre continent: il y a, sur leurs rivières, tel pont qui n'a pas encore été découvert, et dans leurs montagnes des nations qui leur sont inconnues.*

Ils disent que le soleil se lève et se couche dans leur pays: mais il faut dire aussi qu'en faisant sa course, il ne rencontre que des campagnes ruinées et des contrées désertes.

Je ne serais pas fâché, Usbek, de voir une lettre écrite à Madrid, par un Espagnol qui voyagerait en France; je crois qu'il vengerait bien sa nation. Quel vaste champ pour un homme flegmatique et pensif! Je m'imagine qu'il commencerait ainsi la description de Paris:

* Las Batuecas[4].
1. Fondateurs ou meneurs d'une hérésie.
2. Livres de théologie et de philosophie du Moyen Âge.
3. *Don Quichotte* de Cervantès.
4. Deux vallées situées dans les confins de l'Estrémadure et de la province de Salamanque.

Il y a ici une maison où l'on met les fous : on croirait d'abord qu'elle est la plus grande de la ville ; non : le remède est bien petit pour le mal. Sans doute que les Français, extrêmement décriés chez leurs voisins, enferment quelques fous dans une maison, pour persuader que ceux qui sont dehors ne le sont pas.

Je laisse là mon Espagnol. Adieu, mon cher Usbek.

De Paris,
le 17 de la lune de Saphar 1715.

LETTRE 79

LE GRAND EUNUQUE NOIR
À USBEK

À *Paris*

Hier des Arméniens menèrent au sérail une jeune esclave de Circassie, qu'ils voulaient vendre. Je la fis entrer dans les appartements secrets, je la déshabillai, je l'examinai avec les regards d'un juge ; et, plus je l'examinai, plus je lui trouvai de grâces. Une pudeur virginale semblait vouloir les dérober à ma vue : je vis tout ce qu'il lui en coûtait pour obéir : elle rougissait de se voir nue, même devant moi, qui, exempt des passions qui peuvent alarmer la pudeur, suis inanimé sous l'empire de ce sexe ; et qui, ministre de la modestie, dans les actions les plus libres, ne porte que de chastes regards, et ne puis inspirer que l'innocence.

Dès que je l'eus jugée digne de toi, je baissai les yeux : je lui jetai un manteau d'écarlate ; je lui mis au doigt un anneau d'or ; je me prosternai à ses pieds, je l'adorai comme la reine de ton cœur. Je payai les Arméniens ; je la dérobai à tous les yeux. Heureux Usbek ! tu possèdes plus de beautés

que n'en enferment tous les palais d'Orient. Quel plaisir pour toi, de trouver, à ton retour, tout ce que la Perse a de plus ravissant ! et de voir, dans ton sérail, renaître les grâces, à mesure que le temps et la possession travaillent à les détruire !

Du sérail de Fatmé,
le premier de la lune de Rebiab, 1, 1715.

LETTRE 80

USBEK À RHÉDI

À Venise

Depuis que je suis en Europe, mon cher Rhédi, j'ai vu bien des gouvernements. Ce n'est pas comme en Asie, où les règles de la politique se trouvent partout les mêmes.

J'ai souvent recherché quel était le gouvernement le plus conforme à la raison. Il m'a semblé que le plus parfait est celui qui va à son but à moins de frais ; de sorte que celui qui conduit les hommes de la manière qui convient le plus à leur penchant et à leur inclination, est le plus parfait.

Si, dans un gouvernement doux, le peuple est aussi soumis que dans un gouvernement sévère ; le premier est préférable, puisqu'il est plus conforme à la raison, et que la sévérité est un motif étranger.

Compte, mon cher Rhédi, que, dans un État, les peines plus ou moins cruelles ne font pas que l'on obéisse plus aux lois. Dans les pays où les châtiments sont modérés, on les craint comme dans ceux où ils sont tyranniques et affreux.

Soit que le gouvernement soit doux, soit qu'il soit cruel, on punit toujours par degrés ; on inflige un châtiment plus ou moins grand à un crime plus ou moins grand. L'imagina-

tion se plie d'elle-même aux mœurs du pays où l'on est : huit jours de prison, ou une légère amende, frappent autant l'esprit d'un Européen nourri dans un pays de douceur, que la perte d'un bras intimide un Asiatique. Ils attachent un certain degré de crainte à un certain degré de peine, et chacun la partage à sa façon : le désespoir de l'infamie vient désoler un Français condamné à une peine qui n'ôterait pas un quart d'heure de sommeil à un Turc.

D'ailleurs, je ne vois pas que la police, la justice et l'équité, soient mieux observées en Turquie, en Perse, chez le Mogol, que dans les républiques de Hollande, de Venise, et dans l'Angleterre même : je ne vois pas qu'on y commette moins de crimes ; et que les hommes, intimidés par la grandeur des châtiments, y soient plus soumis aux lois.

Je remarque, au contraire, une source d'injustice et de vexations au milieu de ces mêmes États.

Je trouve même le prince, qui est la loi même, moins maître que partout ailleurs.

Je vois que, dans ces moments rigoureux, il y a toujours des mouvements tumultueux, où personne n'est le chef : et que, quand une fois l'autorité violente est méprisée, il n'en reste plus assez à personne pour la faire revenir :

Que le désespoir même de l'impunité confirme le désordre, et le rend plus grand :

Que, dans ces États, il ne se forme point de petite révolte ; et qu'il n'y a jamais d'intervalle entre le murmure et la sédition :

Qu'il ne faut point que les grands événements y soient préparés par de grandes causes : au contraire, le moindre accident produit une grande révolution, souvent aussi imprévue de ceux qui la font, que de ceux qui la souffrent.

Lorsque Osman, empereur des Turcs, fut déposé, aucun de ceux qui commirent cet attentat ne songeait à le commettre ; ils demandaient seulement, en suppliant, qu'on leur

fît justice sur quelque grief : une voix, qu'on n'a jamais
connue, sortit de la foule par hasard ; le nom de Mustapha
fut prononcé, et soudain Mustapha fut empereur [1].

De Paris,
le 2 de la lune de Rebiab, 1, 1715.

LETTRE 81

NARGUM, ENVOYÉ DE PERSE
EN MOSCOVIE, À USBEK

À Paris

De toutes les nations du monde, mon cher Usbek, il n'y
en a pas qui ait surpassé celle des Tartares, par la gloire, ou
par la grandeur des conquêtes. Ce peuple est le vrai domi-
nateur de l'univers : tous les autres semblent êtres faits
pour le servir : il est également le fondateur et le destruc-
teur des empires : dans tous les temps, il a donné sur la
terre des marques de sa puissance ; dans tous les âges, il
a été le fléau des nations.

Les Tartares ont conquis deux fois la Chine, et ils la tien-
nent encore sous leur obéissance.

Ils dominent sur les vastes pays qui forment l'empire du
Mogol.

Maîtres de la Perse, ils sont assis sur le trône de Cyrus
et de Gustaspe. Ils ont soumis la Moscovie. Sous le nom de
Turcs, ils ont fait des conquêtes immenses dans l'Europe,

1. Mustapha I[er] fut déposé et emprisonné en 1618 par les partisans
de son neveu Osman II. Ce dernier fut déposé à son tour et étranglé
en 1622. Mustapha fut rappelé mais il fut déposé l'année suivante en
faveur d'Amurat IV.

l'Asie et l'Afrique ; et ils dominent sur ces trois parties de l'univers.

Et, pour parler de temps plus reculés, c'est d'eux que sont sortis quelques-uns des peuples qui ont renversé l'empire romain.

Qu'est-ce que les conquêtes d'Alexandre, en comparaison de celles de Gengis Khan ?

Il n'a manqué à cette victorieuse nation que des historiens, pour célébrer la mémoire de ses merveilles.

Que d'actions immortelles ont été ensevelies dans l'oubli ! que d'empires par eux fondés, dont nous ignorons l'origine ! Cette belliqueuse nation, uniquement occupée de sa gloire présente, sûre de vaincre dans tous les temps, ne songeait point à se signaler dans l'avenir par la mémoire de ses conquêtes passées.

De Moscou,
le 4 de la lune de Rebiab, 1, 1715.

LETTRE 82

RICA À IBBEN

À *Smyrne*

Quoique les Français parlent beaucoup, il y a cependant parmi eux une espèce de dervis taciturnes, qu'on appelle Chartreux. On dit qu'ils se coupent la langue en entrant dans le couvent : et on souhaiterait fort que tous les autres dervis se retranchassent de même tout ce que leur profession leur rend inutile.

À propos de gens taciturnes, il y en a de bien plus singuliers que ceux-là, et qui ont un talent bien extraordinaire. Ce sont ceux qui savent parler sans rien dire ; et qui amu-

sent une conversation pendant deux heures de temps, sans qu'il soit possible de les déceler, d'être leur plagiaire, ni de retenir un mot de ce qu'ils ont dit.

Ces sortes de gens sont adorés des femmes : mais ils ne le sont pas tant que d'autres, qui ont reçu de la nature l'aimable talent de sourire à propos, c'est-à-dire, à chaque instant, et qui portent la grâce d'une joyeuse approbation sur tout ce qu'elles disent.

Mais ils sont au comble de l'esprit, lorsqu'ils savent entendre finesse à tout, et trouver mille petits traits ingénieux dans les choses les plus communes.

J'en connais d'autres qui se sont bien trouvés d'introduire dans les conversations des choses inanimées, et d'y faire parler leur habit brodé, leur perruque blonde, leur tabatière, leur canne, et leurs gants. Il est bon de commencer de la rue à se faire écouter par le bruit du carrosse, et du marteau qui frappe rudement la porte : cet avant-propos prévient pour le reste du discours : et, quand l'exorde est beau, il rend supportables toutes les sottises qui viennent ensuite, mais qui, par bonheur, arrivent trop tard.

Je te promets que ces petits talents, dont on ne fait aucun cas chez nous, servent bien ici ceux qui sont assez heureux pour les avoir ; et qu'un homme de bon sens ne brille guère devant eux.

De Paris,
le 6 de la lune de Rebiab, 2, 1715.

LETTRE 83

USBEK À RHÉDI

À Venise

S'il y a un Dieu, mon cher Rhédi, il faut nécessairement qu'il soit juste : car, s'il ne l'était pas, il serait le plus mauvais et le plus imparfait de tous les êtres.

La justice est un rapport de convenance, qui se trouve réellement entre deux choses : ce rapport est toujours le même, quelque être qui le considère, soit que ce soit Dieu, soit que ce soit un ange, ou enfin que ce soit un homme.

Il est vrai que les hommes ne voient pas toujours ces rapports : souvent même, lorsqu'ils les voient, ils s'en éloignent ; et leur intérêt est toujours ce qu'ils voient le mieux. La justice élève sa voix ; mais elle a peine à se faire entendre dans le tumulte des passions.

Les hommes peuvent faire des injustices, parce qu'ils ont intérêt de les commettre, et qu'ils préfèrent leur propre satisfaction à celle des autres. C'est toujours par un retour sur eux-mêmes qu'ils agissent : nul n'est mauvais gratuitement : il faut qu'il y ait une raison qui détermine ; et cette raison est toujours raison d'intérêt.

Mais il n'est pas possible que Dieu fasse jamais rien d'injuste : dès qu'on suppose qu'il voit la justice, il faut nécessairement qu'il la suive : car, comme il n'a besoin de rien, et qu'il se suffit à lui-même, il serait le plus méchant de tous les êtres, puisqu'il le serait sans intérêt.

Ainsi, quand il n'y aurait pas de Dieu, nous devrions toujours aimer la justice ; c'est-à-dire, faire nos efforts pour ressembler à cet être dont nous avons une si belle idée, et qui, s'il existait, serait nécessairement juste. Libres que

nous serions du joug de la religion, nous ne devrions pas l'être de celui de l'équité.

Voilà, Rhédi, ce qui m'a fait penser que la justice est éternelle, et ne dépend point des conventions humaines. Et, quand elle en dépendrait, ce serait une vérité terrible, qu'il faudrait se dérober à soi-même.

Nous sommes entourés d'hommes plus forts que nous ; ils peuvent nous nuire de mille manières différentes ; les trois quarts du temps, ils peuvent le faire impunément. Quel repos pour nous, de savoir qu'il y a, dans le cœur de tous ces hommes, un principe intérieur qui combat en notre faveur, et nous met à couvert de leurs entreprises ?

Sans cela, nous devrions être dans une frayeur continuelle ; nous passerions devant les hommes comme devant les lions ; et nous ne serions jamais assurés un moment de notre bien, de notre honneur, et de notre vie.

Toutes ces pensées m'animent contre ces docteurs qui représentent Dieu comme un être qui fait un exercice tyrannique de sa puissance ; qui le font agir d'une manière dont nous ne voudrions pas agir nous-mêmes, de peur de l'offenser ; qui le chargent de toutes les imperfections qu'il punit en nous ; et, dans leurs opinions contradictoires, le représentent, tantôt comme un être mauvais, tantôt comme un être qui hait le mal et le punit.

Quand un homme s'examine, quelle satisfaction pour lui de trouver qu'il a le cœur juste ! Ce plaisir, tout sévère qu'il est, doit le ravir : il voit son être autant au-dessus de ceux qui ne l'ont pas, qu'il se voit au-dessus des tigres et des ours. Oui, Rhédi ; si j'étais sûr de suivre toujours inviolablement cette équité que j'ai devant les yeux, je me croirais le premier des hommes.

De Paris,
le premier de la lune Gemmadi, 1, 1715.

LETTRE 84

RICA À ***

Je fus hier aux Invalides : j'aimerais autant avoir fait cet établissement, si j'étais prince, que d'avoir gagné trois batailles. On y trouve partout la main d'un grand monarque. Je crois que c'est le lieu le plus respectable de la terre.

Quel spectacle, de voir assemblées dans un même lieu toutes ces victimes de la patrie, qui ne respirent que pour la défendre ; et qui, se sentant le même cœur, et non pas la même force, ne se plaignent que de l'impuissance où elles sont de se sacrifier encore pour elle !

Quoi de plus admirable, que de voir ces guerriers débiles[1], dans cette retraite, observer une discipline aussi exacte que s'ils y étaient contraints par la présence d'un ennemi, chercher leur dernière satisfaction dans cette image de la guerre, et partager leur cœur et leur esprit entre les devoirs de la religion et ceux de l'art militaire !

Je voudrais que les noms de ceux qui meurent pour la patrie fussent conservés dans les temples, et écrits dans des registres qui fussent comme la source de la gloire et de la noblesse.

De Paris,
le 15 de la lune de Gemmadi, 1, 1715.

1. Faibles, affaiblis.

LETTRE 85

USBEK À MIRZA

À Ispahan

Tu sais, Mirza, que quelques ministres de Chah Soliman[1] avaient formé le dessein d'obliger tous les Arméniens de Perse de quitter le royaume, ou de se faire mahométans, dans la pensée que notre empire serait toujours pollué, tandis qu'il garderait dans son sein ces infidèles.

C'était fait de la grandeur persane, si, dans cette occasion, l'aveugle dévotion avait été écoutée.

On ne sait comment la chose manqua. Ni ceux qui firent la proposition, ni ceux qui la rejetèrent, n'en connurent les conséquences : le hasard fit l'office de la raison et de la politique, et sauva l'empire d'un péril plus grand que celui qu'il aurait pu courir de la perte d'une bataille, et de la prise de deux villes.

En proscrivant les Arméniens, on pensa[2] détruire, en un seul jour, tous les négociants, et presque tous les artisans du royaume. Je suis sûr que le grand Chah Abas[3] aurait mieux aimé se faire couper les deux bras, que de signer un ordre pareil ; et qu'en envoyant au Mogol, et aux autres rois des Indes, ses sujets les plus industrieux, il aurait cru leur donner la moitié de ses États.

Les persécutions que nos mahométans zélés ont faites

1. Le Shah Soliman a régné sur la Perse de 1666 à 1694. Montesquieu dresse indirectement le parallèle avec la révocation de l'édit de Nantes.

2. Faillit.

3. Il régna de 1587 à 1629, et remporta des victoires décisives contre les Turcs.

aux Guèbres[1], les ont obligés de passer en foule dans les Indes; et ont privé la Perse de cette nation, si appliquée au labourage, et qui seule, par son travail, était en état de vaincre la stérilité de nos terres.

Il ne restait à la dévotion qu'un second coup à faire: c'était de ruiner l'industrie; moyennant quoi l'empire tombait de lui-même, et avec lui, par une suite nécessaire, cette même religion qu'on voulait rendre si florissante.

S'il faut raisonner sans prévention, je ne sais, Mirza, s'il n'est pas bon que, dans un État, il y ait plusieurs religions.

On remarque que ceux qui vivent dans des religions tolérées se rendent ordinairement plus utiles à leur patrie, que ceux qui vivent dans la religion dominante; parce qu'éloignés des honneurs, ne pouvant se distinguer que par leur opulence et leurs richesses, ils sont portés à en acquérir par leur travail, et à embrasser les emplois de la société les plus pénibles.

D'ailleurs, comme toutes les religions contiennent des préceptes utiles à la société, il est bon qu'elles soient observées avec zèle. Or, qu'y a-t-il de plus capable d'animer ce zèle, que leur multiplicité?

Ce sont des rivales qui ne se pardonnent rien. La jalousie descend jusqu'aux particuliers: chacun se tient sur ses gardes, et craint de faire des choses qui déshonoreraient son parti, et l'exposeraient aux mépris et aux censures impardonnables du parti contraire.

Aussi a-t-on toujours remarqué qu'une secte nouvelle[2], introduite dans un État, était le moyen le plus sûr pour corriger tous les abus de l'ancienne.

On a beau dire qu'il n'est pas de l'intérêt du prince de souffrir plusieurs religions dans son État. Quand toutes les

1. Voir note, p. 139.
2. Confession nouvelle.

sectes du monde viendraient s'y rassembler, cela ne lui porterait aucun préjudice ; parce qu'il n'y en a aucune qui ne prescrive l'obéissance, et ne prêche la soumission.

J'avoue que les histoires sont remplies de guerres de religion. Mais qu'on y prenne bien garde ; ce n'est point la multiplicité des religions qui a produit ces guerres, c'est l'esprit d'intolérance qui animait celle qui se croyait la dominante.

C'est cet esprit de prosélytisme[1], que les Juifs ont pris des Égyptiens, et qui d'eux est passé, comme une maladie épidémique et populaire, aux Mahométans et aux chrétiens.

C'est enfin cet esprit de vertige, dont les progrès ne peuvent être regardés que comme une éclipse entière de la raison humaine.

Car enfin, quand il n'y aurait pas de l'inhumanité à affliger la conscience des autres, quand il n'en résulterait aucun des mauvais effets qui en germent à milliers, il faudrait être fou pour s'en aviser. Celui qui veut me faire changer de religion ne le fait sans doute que parce qu'il ne changerait pas la sienne, quand on voudrait l'y forcer : il trouve donc étrange que je ne fasse pas une chose qu'il ne ferait pas lui-même, peut-être, pour l'empire du monde.

De Paris,
le 26 de la lune de Gemmadi, 1, 1715.

LETTRE 86

RICA À ***

Il semble ici que les familles se gouvernent toutes seules. Le mari n'a qu'une ombre d'autorité sur la femme, le père

1. Ardeur à convertir.

sur ses enfants, le maître sur ses esclaves. La justice se mêle de tous leurs différends : et sois sûr qu'elle est toujours contre le mari jaloux, le père chagrin, le maître incommode.

J'allai l'autre jour dans le lieu où se rend la justice. Avant d'y arriver, il faut passer sous les armes d'un nombre infini de jeunes marchandes, qui vous appellent d'une voix trompeuse. Ce spectacle d'abord est assez riant : mais il devient lugubre, lorsqu'on entre dans les grandes salles, où l'on ne voit que des gens dont l'habit est encore plus grave que la figure. Enfin, on entre dans le lieu sacré, où se révèlent tous les secrets des familles, et où les actions les plus cachées sont mises au grand jour.

Là, une fille modeste vient avouer les tourments d'une virginité trop longtemps gardée, ses combats, et sa doulou-reuse résistance : elle est si peu fière de sa victoire, qu'elle menace toujours d'une défaite prochaine ; et, pour que son père n'ignore plus ses besoins, elle les expose à tout le peuple.

Une femme effrontée vient ensuite exposer les outrages qu'elle a faits à son époux, comme une raison d'en être séparée.

Avec une modestie pareille, une autre vient dire qu'elle est lasse de porter le titre de femme, sans en jouir : elle vient révéler les mystères cachés dans la nuit du mariage : elle veut qu'on la livre aux regards des experts les plus habiles, et qu'une sentence la rétablisse dans tous les droits de la virginité. Il y en a même qui osent défier leurs maris, et leur demander en public un combat que les témoins rendent si difficile : épreuve aussi flétrissante pour la femme qui la sou-tient, que pour le mari qui y succombe [1].

1. Anecdote inspirée du procès pour impuissance intenté par la marquise de Gesvre contre son mari en 1714. L'affaire avait fait grand bruit.

Un nombre infini de filles, ravies ou séduites, font les hommes beaucoup plus mauvais qu'ils ne sont. L'amour fait retentir ce tribunal : on n'y entend parler que de pères irrités, de filles abusées, d'amants infidèles, et de maris chagrins.

Par la loi qui y est observée, tout enfant né pendant le mariage est censé être au mari : il a beau avoir de bonnes raisons pour ne pas le croire ; la loi le croit pour lui, et le soulage de l'examen et des scrupules.

Dans ce tribunal, on prend les voix à la majeure : mais on dit qu'on a reconnu, par expérience, qu'il vaudrait mieux les recueillir à la mineure : et cela est assez naturel ; car il y a très peu d'esprits justes, et tout le monde convient qu'il y en a une infinité de faux.

De Paris,
le premier de la lune de Gemmadi, 2, 1715.

LETTRE 87

RICA À ***

On dit que l'homme est un animal sociable. Sur ce pied-là, il me paraît qu'un Français est plus homme qu'un autre : c'est l'homme par excellence ; car il semble être fait uniquement pour la société.

Mais j'ai remarqué, parmi eux, des gens qui non seulement sont sociables, mais sont eux-mêmes la société universelle. Ils se multiplient dans tous les coins ; ils peuplent en un moment les quatre quartiers d'une ville : cent hommes de cette espèce abondent plus que deux mille citoyens : ils pourraient réparer, aux yeux des étrangers, les ravages de la peste et de la famine. On demande, dans les écoles, si un

corps peut être en un instant en plusieurs lieux ; ils sont une preuve de ce que les philosophes mettent en question.

Ils sont toujours empressés, parce qu'ils ont l'affaire importante de demander à tous ceux qu'ils voient, où ils vont, et d'où ils viennent.

On ne leur ôterait jamais de la tête qu'il est de la bienséance de visiter chaque jour le public en détail, sans compter les visites qu'ils font en gros dans les lieux où l'on s'assemble : mais, comme la voie en est trop abrégée, elles sont comptées pour rien dans les règles de leur cérémonial.

Ils fatiguent plus les portes des maisons à coups de marteau, que les vents et les tempêtes. Si l'on allait examiner la liste de tous les portiers, on y trouverait chaque jour leur nom estropié de mille manières en caractères suisses. Ils passent leur vie à la suite d'un enterrement, dans des compliments de condoléances, ou dans des félicitations de mariage. Le roi ne fait point de gratification à quelqu'un de ses sujets, qu'il ne leur en coûte une voiture pour lui en aller témoigner leur joie. Enfin, ils reviennent chez eux, bien fatigués, se reposer, pour pouvoir reprendre le lendemain leurs pénibles fonctions.

Un d'eux mourut l'autre jour de lassitude, et on mit cette épitaphe sur son tombeau : «C'est ici que repose celui qui ne s'est jamais reposé. Il s'est promené à cinq cent trente enterrements. Il s'est réjoui de la naissance de deux mille six cent quatre-vingts enfants. Les pensions dont il a félicité ses amis, toujours en des termes différents, montent à deux millions six cent mille livres ; le chemin qu'il a fait sur le pavé, à neuf mille six cent stades [1] ; celui qu'il a fait dans la campagne, à trente-six. Sa conversation était amusante ; il avait un fonds tout fait de trois cent soixante-cinq contes ; il possédait d'ailleurs, depuis son jeune âge, cent dix-huit

1. Un *stade* mesure 180 mètres.

apophtegmes[1] tirés des anciens, qu'il employait dans les occasions brillantes. Il est mort enfin à la soixantième année de son âge. Je me tais, voyageur ; car comment pourrais-je achever de te dire ce qu'il a fait et ce qu'il a vu ? »

De Paris,
le 3 de la lune de Gemmadi, 2, 1715.

LETTRE 88

USBEK À RHÉDI

À Venise

À Paris, règne la liberté et l'égalité. La naissance, la vertu, le mérite même de la guerre, quelque brillant qu'il soit, ne sauve pas un homme de la foule dans laquelle il est confondu. La jalousie des rangs y est inconnue. On dit que le premier de Paris est celui qui a les meilleurs chevaux à son carrosse.

Un grand seigneur est un homme qui voit le roi, qui parle aux ministres, qui a des ancêtres, des dettes et des pensions. S'il peut, avec cela, cacher son oisiveté par un air empressé, ou par un feint attachement pour les plaisirs, il croit être le plus heureux de tous les hommes.

En Perse, il n'y a de grand, que ceux à qui le monarque donne quelque part au gouvernement. Ici, il y a des gens qui sont grands par leur naissance ; mais ils sont sans crédit. Les rois sont comme ces ouvriers habiles, qui, pour exécuter leurs ouvrages, se servent toujours des machines les plus simples.

La faveur est la grande divinité des Français. Le ministre est le grand prêtre, qui lui offre bien des victimes. Ceux qui

1. Discours remarquable tourné en maxime.

l'entourent ne sont point habillés de blanc : tantôt sacrifica-
teurs, et tantôt sacrifiés, ils se dévouent eux-mêmes à leur
idole avec tout le peuple.

De Paris,
le 9 de la lune de Gemmadi, 2, 1715.

LETTRE 89

USBEK À IBBEN

À Smyrne

Le désir de la gloire n'est point différent de cet instinct
que toutes les créatures ont pour leur conservation. Il
semble que nous augmentons notre être, lorsque nous
pouvons le porter dans la mémoire des autres : c'est une
nouvelle vie que nous acquérons, et qui nous devient aussi
précieuse que celle que nous avons reçue du ciel.

Mais, comme tous les hommes ne sont pas également
attachés à la vie, ils ne sont pas aussi également sensibles à
la gloire. Cette noble passion est bien toujours gravée dans
leur cœur ; mais l'imagination et l'éducation la modifient de
mille manières.

Cette différence, qui se trouve d'homme à homme, se
fait encore plus sentir de peuple à peuple.

On peut poser pour maxime que, dans chaque État, le
désir de la gloire croît avec la liberté des sujets, et dimi-
nue avec elle : la gloire n'est jamais compagne de la servi-
tude.

Un homme de bon sens me disait l'autre jour : « On est
en France, à bien des égards, plus libre qu'en Perse ; aussi y
aime-t-on plus la gloire. Cette heureuse fantaisie fait faire
à un Français, avec plaisir et avec goût, ce que votre sultan

n'obtient de ses sujets qu'en leur mettant sans cesse devant les yeux les supplices et les récompenses.

« Aussi, parmi nous, le prince est-il jaloux de l'honneur du dernier de ses sujets. Il y a, pour le maintenir, des tribunaux respectables : c'est le trésor sacré de la nation : et le seul dont le souverain n'est pas le maître, parce qu'il ne peut l'être sans choquer ses intérêts. Ainsi, si un sujet se trouve blessé dans son honneur par son prince, soit par quelque préférence, soit par la moindre marque de mépris, il quitte, sur-le-champ, sa cour, son emploi, son service, et se retire chez lui.

« La différence qu'il y a des troupes françaises aux vôtres, c'est que les unes, composées d'esclaves naturellement lâches, ne surmontent la crainte de la mort que par celle du châtiment ; ce qui produit dans l'âme un nouveau genre de terreur qui la rend comme stupide : au lieu que les autres se présentent aux coups avec délice, et bannissent la crainte par une satisfaction qui lui est supérieure.

« Mais le sanctuaire de l'honneur, de la réputation et de la vertu, semble être établi dans les républiques, et dans les pays où l'on peut prononcer le mot de patrie. À Rome, à Athènes, à Lacédémone, l'honneur payait seul les services les plus signalés. Une couronne de chêne ou de laurier, une statue, un éloge, était récompense immense pour une bataille gagnée, ou une ville prise.

« Là, un homme qui avait fait une belle action se trouvait suffisamment récompensé par cette action même. Il ne pouvait voir un de ses compatriotes qu'il ne ressentît le plaisir d'être son bienfaiteur : il comptait le nombre de ses services par celui de ses concitoyens. Tout homme est capable de faire du bien à un homme : mais c'est ressembler aux dieux, que de contribuer au bonheur d'une société entière.

« Or cette noble émulation ne doit-elle point être entièrement éteinte dans le cœur de vos Persans, chez qui les

emplois et les dignités ne sont que des attributs de la fantaisie du souverain? La réputation et la vertu y sont regardées comme imaginaires, si elles ne sont accompagnées de la faveur du prince, avec laquelle elles naissent et meurent de même. Un homme qui a pour lui l'estime publique n'est jamais sûr de ne pas être déshonoré demain : le voilà aujourd'hui général d'armée ; peut-être que le prince le va faire son cuisinier, et qu'il ne lui laissera plus à espérer d'autre éloge que celui d'avoir fait un bon ragoût. »

De Paris,
le 15 de la lune de Gemmadi, 2, 1715.

LETTRE 90

USBEK AU MÊME

À Smyrne

De cette passion générale que la nation française a pour la gloire, il s'est formé, dans l'esprit des particuliers, un certain je ne sais quoi, qu'on appelle point d'honneur ; c'est proprement le caractère de chaque profession : mais il est plus marqué chez les gens de guerre, et c'est le point d'honneur par excellence. Il me serait bien difficile de te faire sentir ce que c'est ; car nous n'en avons point précisément d'idée.

Autrefois les Français, surtout les nobles, ne suivaient guère d'autres lois que celles de ce point d'honneur : elles réglaient toute la conduite de leur vie ; et elles étaient si sévères, qu'on ne pouvait, sans une peine plus cruelle que la mort, je ne dis pas les enfreindre, mais en éluder la plus petite disposition.

Quand il s'agissait de régler les différends, elles ne pres-

crivaient guère qu'une manière de décision, qui était le duel, qui tranchait toutes les difficultés. Mais, ce qu'il y avait de mal, c'est que souvent le jugement se rendait entre d'autres parties que celles qui y étaient intéressées.

Pour peu qu'un homme fût connu d'un autre, il fallait qu'il entrât dans la dispute, et qu'il payât de sa personne, comme s'il avait été lui-même en colère. Il se sentait toujours honoré d'un tel choix et d'une préférence si flatteuse : et tel qui n'aurait pas voulu donner quatre pistoles à un homme pour le sauver de la potence, lui et toute sa famille, ne faisait aucune difficulté d'aller risquer pour lui mille fois sa vie.

Cette manière de décider était assez mal imaginée ; car, de ce qu'un homme était plus adroit ou plus fort qu'un autre, il ne s'ensuivait pas qu'il eût de meilleures raisons.

Aussi les rois l'ont-ils défendue sous des peines très sévères : mais c'est en vain ; l'honneur, qui veut toujours régner, se révolte, et il ne reconnaît point de lois.

Ainsi les Français sont dans un État bien violent : car les mêmes lois de l'honneur obligent un honnête homme de se venger quand il a été offensé ; mais, d'un autre côté, la justice le punit des plus cruelles peines lorsqu'il se venge. Si l'on suit les lois de l'honneur, on périt sur un échafaud ; si l'on suit celles de la justice, on est banni pour jamais de la société des hommes : il n'y a donc que cette cruelle alternative, ou de mourir, ou d'être indigne de vivre.

De Paris,
le 18 de la lune de Gemmadi, 2, 1715.

LETTRE 91

USBEK À RUSTAN

À Ispahan

Il paraît ici un personnage travesti en ambassadeur de Perse, qui se joue insolemment des deux plus grands rois du monde[1]. Il apporte, au monarque des Français, des présents que le nôtre ne saurait donner à un roi d'Irimette ou de Géorgie : et, par sa lâche avarice, il a flétri la majesté des deux empires.

Il s'est rendu ridicule devant un peuple qui prétend être le plus poli de l'Europe : et il a fait dire en Occident que le roi des rois ne domine que sur des barbares.

Il a reçu des honneurs, qu'il semblait avoir voulu se faire refuser lui-même : et, comme si la cour de France avait eu plus à cœur la grandeur persane que lui, elle l'a fait paraître avec dignité devant un peuple dont il est le mépris.

Ne dis point ceci à Ispahan : épargne la tête d'un malheureux. Je ne veux pas que nos ministres le punissent de leur propre imprudence, et de l'indigne choix qu'ils ont fait.

De Paris,
le dernier de la lune de Gemmadi, 2, 1715.

1. Compte rendu sévère de l'ambassade de Mehemet Riza Beg en 1715 à Paris (voir « Du tableau au texte » p. 345-353).

LETTRE 92

USBEK À RHÉDI

À Venise

Le monarque qui a si longtemps régné n'est plus*. Il a bien fait parler des gens pendant sa vie ; tout le monde s'est tu à sa mort. Ferme et courageux dans ce dernier moment, il a paru ne céder qu'au destin. Ainsi mourut le grand Chah Abas[1], après avoir rempli toute la terre de son nom.

Ne crois pas que ce grand événement n'ait fait faire ici que des réflexions morales. Chacun a pensé à ses affaires, et à prendre ses avantages dans ce changement. Le roi, arrière-petit-fils du monarque défunt, n'ayant que cinq ans, un prince, son oncle, a été déclaré régent du royaume[2].

Le feu roi avait fait un testament qui bornait l'autorité du régent. Ce prince habile a été au Parlement ; et, y exposant tous les droits de sa naissance, il a fait casser la disposition du monarque, qui, voulant se survivre à lui-même, semblait avoir prétendu régner encore après sa mort.

Les parlements ressemblent à ces ruines que l'on foule aux pieds, mais qui rappellent toujours l'idée de quelque temple fameux par l'ancienne religion des peuples. Ils ne se mêlent guère plus que de rendre la justice ; et leur autorité est toujours languissante, à moins que quelque conjoncture imprévue ne vienne lui rendre la force et la vie. Ces grands corps ont suivi le destin des choses humaines : ils ont cédé au temps qui détruit tout, à la corruption des mœurs qui a tout affaibli, à l'autorité suprême qui a tout abattu.

* Il [Louis XIV] mourut le 1er septembre 1715.
1. Voir note 3, p. 177.
2. Il s'agit du duc Philippe d'Orléans (1674-1723).

Mais le régent, qui a voulu se rendre agréable au peuple, a paru d'abord respecter cette image de la liberté publique ; et, comme s'il avait pensé à relever de terre le temple et l'idole, il a voulu qu'on les regardât comme l'appui de la monarchie, et le fondement de toute autorité légitime.

De Paris,
le 4 de la lune de Rhegeb 1715.

LETTRE 93

USBEK À SON FRÈRE,
SANTON AU MONASTÈRE
DE CASBIN

Je m'humilie devant toi, sacré santon [1], et je me prosterne : je regarde les vestiges de tes pieds, comme la prunelle de mes yeux. Ta sainteté est si grande, qu'il semble que tu aies le cœur de notre saint prophète : tes austérités étonnent le ciel même : les anges t'ont regardé du sommet de la gloire, et ont dit : «Comment est-il encore sur la terre, puisque son esprit est avec nous, et vole autour du trône qui est soutenu par les nuées ?»

Et comment ne t'honorerais-je pas, moi qui ai appris, de nos docteurs, que les dervis, même infidèles, ont toujours un caractère de sainteté qui les rend respectables aux vrais croyants ; et que Dieu s'est choisi, dans tous les coins de la terre, des âmes plus pures que les autres, qu'il a séparées du monde impie, afin que leurs mortifications et leurs prières ferventes suspendissent sa colère, prête à tomber sur tant de peuples rebelles ?

1. Membre d'une confrérie religieuse.

Les chrétiens disent des merveilles de leurs premiers santons, qui se réfugièrent à milliers dans les déserts affreux de la Thébaïde, et eurent, pour chefs, Paul, Antoine et Pacôme. Si ce qu'ils en disent est vrai, leurs vies sont aussi pleines de prodiges que celles de nos plus sacrés immaums. Ils passaient quelquefois dix ans entiers sans voir un seul homme : mais ils habitaient la nuit et le jour avec des démons : ils étaient sans cesse tourmentés par ces esprits malins : ils les trouvaient au lit, ils les trouvaient à table ; jamais d'asile contre eux. Si tout ceci est vrai, santon vénérable, il faudrait avouer que personne n'aurait jamais vécu en plus mauvaise compagnie.

Les chrétiens sensés regardent toutes ces histoires comme une allégorie bien naturelle, qui nous peut servir à nous faire sentir le malheur de la condition humaine. En vain cherchons-nous, dans le désert, un état tranquille ; les tentations nous suivent toujours : nos passions, figurées par les démons, ne nous quittent point encore : ces monstres du cœur, ces illusions de l'esprit, ces vains fantômes de l'erreur et du mensonge, se montrent toujours à nous pour nous séduire, et nous attaquent jusque dans les jeûnes et les cilices, c'est-à-dire, jusque dans notre force même.

Pour moi, santon vénérable, je sais que l'envoyé de Dieu a enchaîné Satan, et l'a précipité dans les abîmes : il a purifié la terre, autrefois pleine de son empire, et l'a rendue digne du séjour des anges et des prophètes.

De Paris,
le 9 de la lune de Chahban 1715.

LETTRE 94

USBEK À RHÉDI

À Venise

Je n'ai jamais ouï parler du droit public, qu'on n'ait commencé par rechercher soigneusement quelle est l'origine des sociétés; ce qui me paraît ridicule. Si les hommes n'en formaient point, s'ils se quittaient et se fuyaient les uns les autres, il faudrait en demander la raison, et chercher pourquoi ils se tiennent séparés: mais ils naissent tous liés les uns aux autres; un fils est né auprès de son père, et il s'y tient: voilà la société, et la cause de la société.

Le droit public est plus connu en Europe qu'en Asie: cependant on peut dire que les passions des princes, la patience des peuples, la flatterie des écrivains, en ont corrompu tous les principes.

Ce droit, tel qu'il est aujourd'hui, est une science qui apprend aux princes jusqu'à quel point ils peuvent violer la justice, sans choquer leurs intérêts. Quel dessein, Rhédi, de vouloir, pour endurcir leur conscience, mettre l'iniquité en système, d'en donner des règles, d'en former des principes; et d'en tirer des conséquences!

La puissance illimitée de nos sublimes sultans, qui n'a d'autre règle qu'elle-même, ne produit pas plus de monstres, que cet art indigne, qui veut faire plier la justice, tout inflexible qu'elle est.

On dirait, Rhédi, qu'il y a deux justices toutes différentes: l'une qui règle les affaires des particuliers, qui règne dans le droit civil; l'autre qui règle les différends qui surviennent de peuple à peuple, qui tyrannise dans le droit public: comme si le droit public n'était pas lui-même un droit civil; non pas, à la vérité, d'un pays particulier, mais du monde.

Je t'expliquerai, dans une autre lettre, mes pensées là-dessus.

<div align="right">

De Paris,
le premier de la lune de Zilhagé 1716.

</div>

LETTRE 95

USBEK AU MÊME

Les magistrats doivent rendre la justice de citoyen à citoyen : chaque peuple la doit rendre lui-même de lui à un autre peuple. Dans cette seconde distribution de justice, on ne peut employer d'autres maximes que dans la première.

De peuple à peuple, il est rarement besoin de tiers pour juger, parce que les sujets de disputes sont presque toujours clairs et faciles à terminer. Les intérêts de deux nations sont ordinairement si séparés, qu'il ne faut qu'aimer la justice pour la trouver ; on ne peut guère se prévenir dans sa propre cause.

Il n'en est pas de même des différends qui arrivent entre particuliers. Comme ils vivent en société, leurs intérêts sont si mêlés et si confondus, il y en a de tant de sortes différentes, qu'il est nécessaire qu'un tiers débrouille ce que la cupidité des parties cherche à obscurcir.

Il n'y a que deux sortes de guerres justes : les unes qui se font pour repousser un ennemi qui attaque, les autres pour secourir un allié qui est attaqué.

Il n'y aurait point de justice de faire la guerre pour des querelles particulières du prince, à moins que le cas ne fût si grave, qu'il méritât la mort du prince, ou du peuple qui l'a commis. Ainsi un prince ne peut faire la guerre, parce qu'on lui aura refusé un honneur qui lui est dû, ou

parce qu'on aura eu quelque procédé peu convenable à l'égard de ses ambassadeurs, et autres choses pareilles ; non plus qu'un particulier ne peut tuer celui qui lui refuse la préséance. La raison en est que, comme la déclaration de guerre doit être un acte de justice, dans laquelle il faut toujours que la peine soit proportionnée à la faute, il faut voir si celui à qui on déclare la guerre mérite la mort. Car, faire la guerre à quelqu'un, c'est vouloir le punir de mort.

Dans le droit public, l'acte de justice le plus sévère, c'est la guerre ; puisqu'elle peut avoir l'effet de détruire la société.

Les représailles sont du second degré. C'est une loi que les tribunaux n'ont pu s'empêcher d'observer, de mesurer la peine par le crime.

Un troisième acte de justice, est de priver un prince des avantages qu'il peut tirer de nous, proportionnant toujours la peine à l'offense.

Le quatrième acte de justice, qui doit être le plus fréquent, est la renonciation à l'alliance du peuple dont on a à se plaindre. Cette peine répond à celle du bannissement que les tribunaux ont établie, pour retrancher les coupables de la société. Ainsi un prince, à l'alliance duquel nous renonçons, est retranché de notre société, et n'est plus un des membres qui la composent.

On ne peut pas faire de plus grand affront à un prince, que de renoncer à son alliance, ni lui faire de plus grand honneur, que de la contracter. Il n'y a rien, parmi les hommes, qui leur soit plus glorieux, et même plus utile, que d'en voir d'autres toujours attentifs à leur conservation.

Mais, pour que l'alliance nous lie, il faut qu'elle soit juste : ainsi une alliance, faite entre deux nations pour en opprimer une troisième, n'est pas légitime ; et on peut la violer sans crime.

Il n'est pas même de l'honneur et de la dignité du prince,

de s'allier avec un tyran. On dit qu'un monarque d'Égypte fit avertir le roi de Samos de sa cruauté et de sa tyrannie, et le somma de s'en corriger : comme il ne le fit pas, il lui envoya dire qu'il renonçait à son amitié et à son alliance[1].

La conquête ne donne point un droit par elle-même. Lorsque le peuple subsiste, elle est un gage de la paix et de la réparation du tort : et, si le peuple est détruit, ou dispersé, elle est le monument d'une tyrannie.

Les traités de paix sont si sacrés parmi les hommes, qu'il semble qu'ils soient la voix de la nature, qui réclame ses droits. Ils sont tous légitimes, lorsque les conditions en sont telles que les deux peuples peuvent se conserver : sans quoi, celle des deux sociétés qui doit périr, privée de sa défense naturelle par la paix, la peut chercher dans la guerre.

Car la nature, qui a établi les différents degrés de force et de faiblesse parmi les hommes, a encore souvent égalé la faiblesse à la force par le désespoir.

Voilà, cher Rhédi, ce que j'appelle le droit public ; voilà le droit des gens, ou plutôt celui de la raison.

De Paris,
le 4 de la lune de Zilhagé 1716.

1. Amasis, roi d'Égypte, rompit son alliance avec Polycrate, tyran de Samos.

LETTRE 96

LE PREMIER EUNUQUE
À USBEK

À *Paris*

Il est arrivé ici beaucoup de femmes jaunes du royaume de Visapour[1] : j'en ai acheté une pour ton frère le gouverneur de Mazenderan[2], qui m'envoya, il y a un mois, son commandement sublime et cent tomans.

Je me connais en femmes, d'autant mieux qu'elles ne me surprennent pas, et qu'en moi les yeux ne sont point troublés par les mouvements du cœur.

Je n'ai jamais vu de beauté si régulière, et si parfaite : ses yeux brillants portent la vie sur son visage, et relèvent l'éclat d'une couleur qui pourrait effacer tous les charmes de la Circassie.

Le premier eunuque d'un négociant d'Ispahan la marchandait avec moi : mais elle se dérobait dédaigneusement à ses regards, et semblait chercher les miens, comme si elle avait voulu me dire qu'un vil marchand n'était pas digne d'elle, et qu'elle était destinée à un plus illustre époux.

Je te l'avoue : je sens dans moi-même une joie secrète, quand je pense aux charmes de cette belle personne : il me semble que je la vois entrer dans le sérail de ton frère : je me plais à prévoir l'étonnement de toutes ses femmes ; la douleur impérieuse des unes ; l'affliction muette, mais plus douloureuse, des autres ; la consolation maligne de celles qui n'espèrent plus rien, et l'ambition irritée de celles qui espèrent encore.

1. Royaume du sud de l'Inde dans la province de Bombay.
2. Province persane au sud de la mer Caspienne.

Je vais, d'un bout du royaume à l'autre, faire changer tout un sérail de face. Que de passions je vais émouvoir! que de craintes et de peines je prépare!

Cependant, dans le trouble du dedans, le dehors ne sera pas moins tranquille: les grandes révolutions seront cachées dans le fond du cœur; les chagrins seront dévorés, et les joies contenues: l'obéissance ne sera pas moins exacte, et la règle moins inflexible: la douceur, toujours contrainte de paraître, sortira du fond même du désespoir.

Nous remarquons que, plus nous avons de femmes sous nos yeux, moins elles nous donnent d'embarras. Une plus grande nécessité de plaire, moins de facilité de s'unir, plus d'exemples de soumission, tout cela leur forme des chaînes. Les unes sont sans cesse attentives sur les démarches des autres: il semble que, de concert avec nous, elles travaillent à se rendre plus dépendantes: elles font une partie de notre ouvrage, et nous ouvrent les yeux, quand nous les fermons. Que dis-je? elles irritent sans cesse le maître contre leurs rivales: et elles ne voient pas combien elles se trouvent près de celles qu'on punit.

Mais tout cela, magnifique seigneur, tout cela n'est rien sans la présence du maître. Que pouvons-nous faire, avec ce vain fantôme d'une autorité qui ne se communique jamais tout entière? Nous ne représentons que faiblement la moitié de toi-même: nous ne pouvons que leur montrer une odieuse sévérité. Toi, tu tempères la crainte par les espérances; plus absolu quand tu caresses, que tu ne l'es quand tu menaces.

Reviens donc, magnifique seigneur, reviens dans ces lieux porter partout les marques de ton empire. Viens adoucir les passions désespérées: viens ôter tout prétexte de faillir: viens apaiser l'amour qui murmure, et rendre le devoir même

aimable : viens enfin soulager tes fidèles eunuques d'un far-
deau qui s'appesantit chaque jour.

Du sérail d'Ispahan,
le 8 de la lune de Zilhagé 1716.

LETTRE 97

USBEK À HASSEIN,
DERVIS DE LA MONTAGNE
DE JARON

Ô toi, sage dervis, dont l'esprit curieux brille de tant de
connaissances, écoute ce que je vais te dire.

Il y a ici des philosophes, qui, à la vérité, n'ont point
atteint jusqu'au faîte de la sagesse orientale : ils n'ont point
été ravis jusqu'au trône lumineux : ils n'ont ni entendu les
paroles ineffables dont les concerts des anges retentissent,
ni senti les formidables accès d'une fureur divine : mais, lais-
sés à eux-mêmes, privés des saintes merveilles, ils suivent,
dans le silence, les traces de la raison humaine.

Tu ne saurais croire jusqu'où ce guide les a conduits. Ils
ont débrouillé le chaos ; et ont expliqué, par une mécanique
simple, l'ordre de l'architecture divine. L'auteur de la nature
a donné du mouvement à la matière : il n'en a pas fallu davan-
tage pour produire cette prodigieuse variété d'effets que
nous voyons dans l'univers.

Que les législateurs ordinaires nous proposent des lois,
pour régler les sociétés des hommes ; des lois aussi sujettes
au changement que l'esprit de ceux qui les proposent, et
des peuples qui les observent : ceux-ci ne nous parlent que
des lois générales, immuables, éternelles, qui s'observent
sans aucune exception, avec un ordre, une régularité, et
une promptitude infinie, dans l'immensité des espaces.

Et que crois-tu, homme divin, que soient ces lois ? Tu t'imagines peut-être qu'entrant dans le conseil de l'Éternel, tu vas être étonné par la sublimité des mystères : tu renonces par avance à comprendre ; tu ne te proposes que d'admirer.

Mais tu changeras bientôt de pensée : elles n'éblouissent point par un faux respect : leur simplicité les a fait longtemps méconnaître ; et ce n'est qu'après bien des réflexions, qu'on en a vu toute la fécondité et toute l'étendue.

La première est que tout corps tend à décrire une ligne droite, à moins qu'il ne rencontre quelque obstacle qui l'en détourne : et la seconde, qui n'en est qu'une suite, c'est que tout corps qui tourne autour d'un centre tend à s'en éloigner ; parce que, plus il en est loin, plus la ligne qu'il décrit approche de la ligne droite.

Voilà, sublime dervis, la clef de la nature : voilà des principes féconds, dont on tire des conséquences à perte de vue.

La connaissance de cinq ou six vérités a rendu leur philosophie pleine de miracles ; et leur a fait faire presque autant de prodiges et de merveilles, que tout ce qu'on nous raconte de nos saints prophètes.

Car enfin, je suis persuadé qu'il n'y a aucun de nos docteurs qui n'eût été embarrassé, si on lui eût dit de peser, dans une balance, tout l'air qui est autour de la terre, ou de mesurer toute l'eau qui tombe chaque année sur sa surface ; et qui n'eût pensé plus de quatre fois, avant de dire combien de lieues le son fait dans une heure ; quel temps un rayon de lumière emploie à venir du soleil à nous ; combien de toises il y a d'ici à Saturne ; quelle est la courbe selon laquelle un vaisseau doit être taillé, pour être le meilleur voilier qu'il soit possible.

Peut-être que, si quelque homme divin avait orné les

ouvrages de ces philosophes de paroles hautes et sublimes ; s'il y avait mêlé des figures hardies et des allégories mysté-rieuses, il aurait fait un bel ouvrage, qui n'aurait cédé qu'au saint Alcoran.

Cependant, s'il te faut dire ce que je pense, je ne m'ac-commode guère du style figuré. Il y a, dans notre Alcoran, un grand nombre de petites choses, qui me paraissent tou-jours telles, quoiqu'elles soient relevées par la force et la vie de l'expression. Il semble d'abord que les livres inspirés ne sont que les idées divines rendues en langage humain : au contraire, dans notre Alcoran, on trouve souvent le langage de Dieu, et les idées des hommes ; comme si, par un admi-rable caprice, Dieu y avait dicté les paroles, et que l'homme eût fourni les pensées.

Tu diras peut-être que je parle trop librement de ce qu'il y a de plus saint parmi nous ; tu croiras que c'est le fruit de l'indépendance où l'on vit dans ce pays. Non : grâces au ciel, l'esprit n'a pas corrompu le cœur ; et, tandis que je vivrai, Hali sera mon prophète.

De Paris,
le 10 de la lune de Chahban, 1716.

LETTRE 98

USBEK À IBBEN

À *Smyrne*

Il n'y a point de pays au monde où la fortune soit si inconstante que dans celui-ci. Il arrive, tous les dix ans, des révolutions qui précipitent le riche dans la misère, et enlèvent le pauvre avec des ailes rapides au comble des richesses. Celui-ci est étonné de sa pauvreté ; celui-là l'est

de son abondance. Le nouveau riche admire la sagesse de la Providence ; le pauvre, l'aveugle fatalité du destin.

Ceux qui lèvent les tributs[1] nagent au milieu des trésors : parmi eux, il y a peu de Tantales[2]. Ils commencent pourtant ce métier par la dernière misère. Ils sont méprisés comme de la boue, pendant qu'ils sont pauvres : quand ils sont riches, on les estime assez ; aussi ne négligent-ils rien pour acquérir de l'estime.

Ils sont à présent dans une situation bien terrible. On vient d'établir une chambre, qu'on appelle de justice, parce qu'elle va leur ravir tout leur bien. Ils ne peuvent, ni détourner, ni cacher leurs effets[3] ; car on les oblige de les déclarer au juste, sous peine de la vie : ainsi on les fait passer par un défilé bien étroit, je veux dire entre la vie et leur argent. Pour comble d'infortune, il y a un ministre connu par son esprit[4], qui les honore de ses plaisanteries, et badine sur toutes les délibérations du conseil. On ne trouve pas tous les jours des ministres disposés à faire rire le peuple ; et l'on doit savoir bon gré à celui-ci de l'avoir entrepris.

Le corps des laquais est plus respectable en France qu'ailleurs : c'est un séminaire[5] de grands seigneurs ; il remplit le vide des autres états. Ceux qui le composent prennent la place des grands malheureux, des magistrats ruinés, des gentilshommes tués dans les fureurs de la guerre : et, quand ils ne peuvent pas suppléer par eux-mêmes, ils relèvent toutes les grandes maisons par le moyen de leurs filles, qui sont comme une espèce de fumier qui engraisse les terres montagneuses et arides.

1. Impôts.
2. Figure mythologique punie aux enfers pour son avarice.
3. Valeurs et titres commerciaux.
4. Allusion probable au duc de Noailles, président du Conseil des finances pendant les premières années de la Régence (1715-1718).
5. Lieu de formation.

Je trouve, Ibben, la Providence admirable dans la manière dont elle a distribué les richesses. Si elle ne les avait accordées qu'aux gens de bien, on ne les aurait pas assez distinguées de la vertu, et on n'en aurait plus senti tout le néant. Mais, quand on examine qui sont les gens qui en sont les plus chargés, à force de mépriser les riches, on vient enfin à mépriser les richesses.

De Paris,
le 26 de la lune de Maharram 1717.

LETTRE 99

RICA À RHÉDI

À Venise

Je trouve les caprices de la mode, chez les Français, étonnants. Ils ont oublié comment ils étaient habillés cet été ; ils ignorent encore plus comment ils le seront cet hiver : mais, surtout, on ne saurait croire combien il en coûte à un mari, pour mettre sa femme à la mode.

Que me servirait de te faire une description exacte de leur habillement et de leurs parures ? Une mode nouvelle viendrait détruire tout mon ouvrage, comme celui de leurs ouvriers ; et, avant que tu eusses reçu ma lettre, tout serait changé.

Une femme qui quitte Paris, pour aller passer six mois à la campagne, en revient aussi antique que si elle s'y était oubliée trente ans. Le fils méconnaît le portrait de sa mère ; tant l'habit, avec lequel elle est peinte, lui paraît étranger : il s'imagine que c'est quelque Américaine qui y est représentée, ou que le peintre a voulu exprimer quelqu'une de ses fantaisies.

Quelquefois les coiffures montent insensiblement, et une

révolution les fait descendre tout à coup. Il a été un temps
que leur hauteur immense mettait le visage d'une femme au
milieu d'elle-même : dans un autre, c'étaient les pieds qui
occupaient cette place ; les talons faisaient un piédestal qui
les tenait en l'air. Qui pourrait le croire ? les architectes ont
été souvent obligés de hausser, de baisser, et d'élargir leurs
portes, selon que les parures des femmes exigeaient d'eux
ce changement ; et les règles de leur art ont été asservies à
ces caprices. On voit quelquefois, sur un visage, une quan-
tité prodigieuse de mouches[1] ; et elles disparaissent toutes
le lendemain. Autrefois, les femmes avaient de la taille et
des dents ; aujourd'hui il n'en est pas question. Dans cette
changeante nation, quoi qu'en disent les mauvais plaisants,
les filles se trouvent autrement faites que leurs mères.

Il en est, des manières et de la façon de vivre, comme des
modes : les Français changent de mœurs, selon l'âge de leur
roi. Le monarque pourrait même parvenir à rendre la
nation grave, s'il l'avait entrepris. Le prince imprime le
caractère de son esprit à la cour, la cour à la ville, la ville
aux provinces. L'âme du souverain est un moule qui donne
la forme à toutes les autres.

De Paris,
le 8 de la lune de Saphar 1717.

LETTRE 100

RICA AU MÊME

Je te parlais l'autre jour de l'inconstance prodigieuse des
Français sur leurs modes. Cependant il est inconcevable à

1. Petites pièces rondes de tissu soyeux, de couleur noire, portées
sur le visage.

quel point ils en sont entêtés : ils y rappellent tout : c'est la règle avec laquelle ils jugent de tout ce qui se fait chez les autres nations : ce qui est étranger leur paraît toujours ridicule. Je t'avoue que je ne saurais guère ajuster cette fureur pour leurs coutumes, avec l'inconstance avec laquelle ils en changent tous les jours.

Quand je te dis qu'ils méprisent tout ce qui est étranger, je ne parle que des bagatelles ; car, sur les choses importantes, ils semblent s'être méfiés d'eux-mêmes, jusqu'à se dégrader. Ils avouent de bon cœur que les autres peuples sont plus sages, pourvu qu'on convienne qu'ils sont mieux vêtus : ils veulent bien s'assujettir aux lois d'une nation rivale, pourvu que les perruquiers français décident en législateurs sur la forme des perruques étrangères. Rien ne leur paraît si beau que de voir le goût de leurs cuisiniers régner du septentrion au midi, et les ordonnances de leurs coiffeuses portées dans toutes les toilettes de l'Europe.

Avec ces nobles avantages, que leur importe que le bon sens leur vienne d'ailleurs, et qu'ils aient pris de leurs voisins tout ce qui concerne le gouvernement politique et civil ?

Qui peut penser qu'un royaume, le plus ancien et le plus puissant de l'Europe, soit gouverné, depuis plus de dix siècles, par des lois qui ne sont pas faites pour lui ? Si les Français avaient été conquis, ceci ne serait pas difficile à comprendre : mais ils sont les conquérants.

Ils ont abandonné les lois anciennes, faites par leurs premiers rois dans les assemblées générales de la nation : et, ce qu'il y a de singulier, c'est que les lois romaines, qu'ils ont prises à la place, étaient en partie faites et en partie rédigées par des empereurs contemporains de leurs législateurs.

Et, afin que l'acquisition fût entière, et que tout le bon sens leur vînt d'ailleurs, ils ont adopté toutes les constitutions des papes, et en ont fait une nouvelle partie de leur droit : nouveau genre de servitude.

Il est vrai que, dans les derniers temps, on a rédigé par écrit quelques statuts des villes et des provinces : mais ils sont presque tous pris du droit romain.

Cette abondance de lois adoptées, et, pour ainsi dire, naturalisées, est si grande, qu'elle accable également la justice et les juges. Mais ces volumes de lois ne sont rien en comparaison de cette armée effroyable de glossateurs, de commentateurs, de compilateurs ; gens aussi faibles par le peu de justesse de leur esprit, qu'ils sont forts par leur nombre prodigieux.

Ce n'est pas tout : ces lois étrangères ont introduit des formalités dont l'excès est la honte de la raison humaine. Il serait assez difficile de décider si la forme s'est rendue plus pernicieuse, lorsqu'elle est entrée dans la jurisprudence, ou lorsqu'elle s'est logée dans la médecine : si elle a fait plus de ravages sous la robe d'un jurisconsulte, que sous le large chapeau d'un médecin ; et si, dans l'une, elle a plus ruiné de gens qu'elle n'en a tué dans l'autre.

De Paris,
le 17 de la lune de Saphar 1717.

LETTRE 101

USBEK À ***

On parle toujours ici de la constitution. J'entrai l'autre jour dans une maison, où je vis d'abord un gros homme avec un teint vermeil, qui disait d'une voix forte : « J'ai donné mon mandement : je n'irai point répondre à tout ce que vous dites : mais lisez-le, ce mandement ; et vous verrez que j'y ai résolu tous vos doutes. J'ai bien sué pour le faire,

dit-il en portant la main sur le front; j'ai eu besoin de toute ma doctrine; et il m'a fallu lire bien des auteurs latins. — Je le crois, dit un homme qui se trouva là; car c'est un bel ouvrage: et je défierais bien ce jésuite, qui vient si souvent vous voir, d'en faire un meilleur. — Lisez-le donc, reprit-il; et vous serez plus instruit sur ces matières dans un quart d'heure, que si je vous en avais parlé toute la journée.» Voilà comme il évitait d'entrer en conversation, et de commettre sa suffisance. Mais, comme il se vit pressé, il fut obligé de sortir de ses retranchements; et il commença à dire théologiquement force sottises, soutenu d'un dervis qui les lui rendait très respectueusement. Quand deux hommes qui étaient là lui niaient quelque principe, il disait d'abord: «Cela est certain, nous l'avons jugé ainsi; et nous sommes des juges infaillibles. — Et comment, lui dis-je alors, êtes-vous des juges infaillibles? — Ne voyez-vous pas, reprit-il, que le Saint-Esprit nous éclaire? — Cela est heureux, lui répondis-je; car, de la manière dont vous avez parlé tout aujourd'hui, je reconnais que vous avez grand besoin d'être éclairé.»

De Paris,
le 18 de la lune de Rebiab, 1, 1717.

LETTRE 102

USBEK À IBBEN

À *Smyrne*

Les plus puissants États de l'Europe sont ceux de l'empereur[1], des rois de France, d'Espagne, et d'Angleterre. L'Ita-

1. L'empereur d'Allemagne.

lie, et une grande partie de l'Allemagne, sont partagées en un nombre infini de petits États, dont les princes sont, à proprement parler, les martyrs de la souveraineté. Nos glorieux sultans ont plus de femmes que quelques-uns de ces princes n'ont de sujets. Ceux d'Italie, qui ne sont pas si unis, sont plus à plaindre : leurs États sont ouverts comme des caravansérails, où ils sont obligés de loger les premiers qui viennent : il faut donc qu'ils s'attachent aux grands princes, et leur fassent part de leur frayeur, plutôt que de leur amitié.

La plupart des gouvernements d'Europe sont monarchiques, ou plutôt sont ainsi appelés : car je ne sais pas s'il y en a jamais eu véritablement de tels ; au moins est-il difficile qu'ils aient subsisté longtemps dans leur pureté. C'est un État violent, qui dégénère toujours en despotisme, ou en république. La puissance ne peut jamais être également partagée entre le peuple et le prince ; l'équilibre est trop difficile à garder : il faut que le pouvoir diminue d'un côté, pendant qu'il augmente de l'autre : mais l'avantage est ordinairement du côté du prince, qui est à la tête des armées.

Aussi le pouvoir des rois d'Europe est-il bien grand, et on peut dire qu'ils l'ont tel qu'ils le veulent : mais ils ne l'exercent point avec tant d'étendue que nos sultans ; premièrement, parce qu'ils ne veulent point choquer les mœurs et la religion des peuples ; secondement, parce qu'il n'est pas de leur intérêt de le porter si loin.

Rien ne rapproche plus nos princes de la condition de leurs sujets, que cet immense pouvoir qu'ils exercent sur eux ; rien ne les soumet plus aux revers et aux caprices de la fortune.

L'usage où ils sont de faire mourir tous ceux qui leur déplaisent, au moindre signe qu'ils font, renverse la proportion qui doit être entre les fautes et les peines, qui est comme l'âme des États, et l'harmonie des empires ; et cette

proportion, scrupuleusement gardée par les princes chrétiens, leur donne un avantage infini sur nos sultans.

Un Persan qui, par imprudence ou par malheur, s'est attiré la disgrâce du prince, est sûr de mourir : la moindre faute ou le moindre caprice le met dans cette nécessité. Mais, s'il avait attenté à la vie de son souverain, s'il avait voulu livrer ses places aux ennemis, il en serait quitte aussi pour perdre la vie : il ne court donc pas plus de risque dans ce dernier cas que dans le premier.

Aussi, dans la moindre disgrâce, voyant la mort certaine, et ne voyant rien de pis, il se porte naturellement à troubler l'État, et à conspirer contre le souverain ; seule ressource qui lui reste.

Il n'en est pas de même des grands d'Europe, à qui la disgrâce n'ôte rien que la bienveillance et la faveur. Ils se retirent de la cour, et ne songent qu'à jouir d'une vie tranquille et des avantages de leur naissance. Comme on ne les fait guère périr que pour le crime de lèse-majesté, ils craignent d'y tomber, par la considération de ce qu'ils ont à perdre, et du peu qu'ils ont à gagner : ce qui fait qu'on voit peu de révoltes, et peu de princes qui périssent d'une mort violente.

Si, dans cette autorité illimitée qu'ont nos princes, ils n'apportaient pas tant de précautions pour mettre leur vie en sûreté, ils ne vivraient pas un jour ; et, s'ils n'avaient à leur solde un nombre innombrable de troupes, pour tyranniser le reste de leurs sujets, leur empire ne subsisterait pas un mois.

Il n'y a que quatre ou cinq siècles qu'un roi de France prit des gardes, contre l'usage de ces temps-là, pour se garantir des assassins qu'un petit prince d'Asie avait envoyés pour le faire périr[1] : jusque-là les rois avaient vécu tranquilles au

1. D'après une chronique, Richard Cœur de Lion tenta de faire assassiner le roi de France Philippe Auguste, en soudoyant des membres de la secte musulmane des *Haschichins*.

milieu de leurs sujets, comme des pères au milieu de leurs enfants.

Bien loin que les rois de France puissent, de leur propre mouvement, ôter la vie à un de leurs sujets, comme nos sultans, ils portent au contraire toujours avec eux la grâce de tous les criminels : il suffit qu'un homme ait été assez heureux pour voir l'auguste visage de son prince, pour qu'il cesse d'être indigne de vivre. Ces monarques sont comme le soleil, qui porte partout la chaleur et la vie.

De Paris,
le 8 de la lune de Rebiab, 2, 1717.

LETTRE 103

USBEK AU MÊME

Pour suivre l'idée de ma dernière lettre, voici, à peu près, ce que me disait l'autre jour un Européen assez sensé :

« Le plus mauvais parti que les princes d'Asie aient pu prendre, c'est de se cacher comme ils font. Ils veulent se rendre plus respectables : mais ils font respecter la royauté, et non pas le roi ; et attachent l'esprit des sujets à un certain trône, et non pas à une certaine personne.

« Cette puissance invisible, qui gouverne, est toujours la même pour le peuple. Quoique dix rois, qu'il ne connaît que de nom, se soient égorgés l'un après l'autre, il ne sent aucune différence : c'est comme s'il avait été gouverné successivement par des esprits.

« Si le détestable parricide[1] de notre grand roi Henri IV

1. Celui qui tue son père. Sens élargi ici, dans la mesure où le roi est considéré comme le « père » de son peuple. C'est Ravaillac qui poignarda Henri IV.

avait porté ce coup sur un roi des Indes, maître du sceau
royal, et d'un trésor immense qui aurait semblé amassé
pour lui, il aurait pris tranquillement les rênes de l'empire,
sans qu'un seul homme eût pensé à réclamer son roi, sa
famille et ses enfants.

« On s'étonne de ce qu'il n'y a presque jamais de change-
ment dans le gouvernement des princes d'Orient : d'où
vient cela, si ce n'est de ce qu'il est tyrannique et affreux ?

« Les changements ne peuvent être faits que par le
prince, ou par le peuple : mais, là, les princes n'ont garde
d'en faire ; parce que, dans un si haut degré de puissance, ils
ont tout ce qu'ils peuvent avoir : s'ils changeaient quelque
chose, ce ne pourrait être qu'à leur préjudice.

« Quant aux sujets, si quelqu'un d'eux forme quelque
résolution, il ne saurait l'exécuter sur l'État ; il faudrait qu'il
contrebalançât, tout à coup, une puissance redoutable et
toujours unique ; le temps lui manque, comme les moyens :
mais il n'a qu'à aller à la source de ce pouvoir ; et il ne lui
faut qu'un bras et qu'un instant.

« Le meurtrier monte sur le trône, pendant que le
monarque en descend, tombe, et va expirer à ses pieds.

« Un mécontent, en Europe, songe à entretenir quelque
intelligence secrète, à se jeter chez les ennemis, à se saisir de
quelque place, à exciter quelques vains murmures parmi les
sujets. Un mécontent, en Asie, va droit au prince, étonne,
frappe, renverse : il en efface jusqu'à l'idée ; dans un instant
l'esclave et le maître, dans un instant usurpateur et légitime.

« Malheureux le roi qui n'a qu'une tête ! Il semble ne
réunir sur elle toute sa puissance, que pour indiquer au
premier ambitieux l'endroit où il la trouvera tout entière. »

De Paris,
le 17 de la lune de Rebiab, 2, 1717.

LETTRE 104

USBEK AU MÊME

Tous les peuples d'Europe ne sont pas également soumis à leurs princes : par exemple, l'humeur impatiente des Anglais ne laisse guère à leur roi le temps d'appesantir son autorité. La soumission et l'obéissance sont les vertus dont ils se piquent le moins. Ils disent, là-dessus, des choses bien extraordinaires. Selon eux, il n'y a qu'un lien qui puisse attacher les hommes, qui est celui de la gratitude : un mari, une femme, un père et un fils, ne sont liés entre eux que par l'amour qu'ils se portent, ou par les bienfaits qu'ils se procurent : et ces motifs divers de reconnaissance sont l'origine de tous les royaumes, et de toutes les sociétés.

Mais, si un prince, bien loin de faire vivre ses sujets heureux, veut les accabler et les détruire, le fondement de l'obéissance cesse ; rien ne les lie, rien ne les attache à lui ; et ils rentrent dans leur liberté naturelle. Ils soutiennent que tout pouvoir sans bornes ne saurait être légitime, parce qu'il n'a jamais pu avoir d'origine légitime. Car nous ne pouvons pas, disent-ils, donner à un autre plus de pouvoir sur nous que nous n'en avons nous-mêmes : or nous n'avons pas sur nous-mêmes un pouvoir sans bornes ; par exemple, nous ne pouvons pas nous ôter la vie : personne n'a donc, concluent-ils, sur la terre, un tel pouvoir.

Le crime de lèse-majesté n'est autre chose, selon eux, que le crime que le plus faible commet contre le plus fort, en lui désobéissant, de quelque manière qu'il lui désobéisse. Aussi le peuple d'Angleterre, qui se trouva le plus fort contre un de leurs rois, déclara-t-il que c'était un crime de lèse-majesté à un prince de faire la guerre à ses sujets. Ils ont donc grande raison, quand ils disent que le précepte

de leur Alcoran, qui ordonne de se soumettre aux puissances, n'est pas bien difficile à suivre, puisqu'il leur est impossible de ne le pas observer; d'autant que ce n'est pas au plus vertueux qu'on les oblige de se soumettre, mais à celui qui est le plus fort.

Les Anglais disent qu'un de leurs rois, ayant vaincu et fait prisonnier un prince qui lui disputait la couronne, voulut lui reprocher son infidélité et sa perfidie : « Il n'y a qu'un moment, dit le prince infortuné, qu'il vient d'être décidé lequel de nous deux est le traître. »

Un usurpateur déclare rebelles tous ceux qui n'ont point opprimé la patrie comme lui; et, croyant qu'il n'y a pas de loi là où il ne voit point de juges, il fait révérer, comme des arrêts du ciel, les caprices du hasard et de la fortune.

De Paris,
le 20 de la lune de Rebiab, 2, 1717.

LETTRE 105

RHÉDI À USBEK

À Paris

Tu m'as beaucoup parlé, dans une de tes lettres, des sciences et des arts[1] cultivés en Occident. Tu me vas regarder comme un barbare : mais je ne sais si l'utilité que l'on en retire dédommage les hommes du mauvais usage que l'on en fait tous les jours.

J'ai ouï dire que la seule invention des bombes avait ôté la liberté à tous les peuples de l'Europe. Les princes ne pouvant plus confier la garde des places aux bourgeois, qui, à la

1. Techniques.

première bombe, se seraient rendus, ont eu un prétexte pour entretenir de gros corps de troupes réglées, avec lesquelles ils ont, dans la suite, opprimé leurs sujets.

Tu sais que, depuis l'invention de la poudre, il n'y a plus de places imprenables; c'est-à-dire, Usbek, qu'il n'y a plus d'asile sur la terre contre l'injustice et la violence.

Je tremble toujours qu'on ne parvienne, à la fin, à découvrir quelque secret qui fournisse une voie plus abrégée pour faire périr les hommes, détruire les peuples et les nations entières.

Tu as lu les historiens : fais-y bien attention ; presque toutes les monarchies n'ont été fondées que sur l'ignorance des arts, et n'ont été détruites que parce qu'on les a trop cultivés. L'ancien empire de Perse peut nous en fournir un exemple domestique.

Il n'y a pas longtemps que je suis en Europe ; mais j'ai ouï parler à des gens sensés des ravages de la chimie [1]. Il semble que ce soit un quatrième fléau, qui ruine les hommes et les détruit en détail, mais continuellement ; tandis que la guerre, la peste, la famine, les détruisent en gros, mais par intervalles.

Que nous a servi l'invention de la boussole, et la découverte de tant de peuples, qu'à nous communiquer leurs maladies plutôt que leurs richesses [2] ? L'or et l'argent avaient été établis, par une convention générale, pour être le prix de toutes les marchandises, et un gage de leur valeur, par la raison que ces métaux étaient rares et inutiles à tout autre usage : que nous importait-il donc qu'ils devinssent plus

1. Au sens de «médecine chimique», qui avait parfois recours à des préparations dangereuses, contrairement à la médecine d'inspiration galénique qui préconisait les remèdes doux.

2. Référence allusive mais transparente à la syphilis (appelée alors «vérole») dont on faisait remonter l'origine aux marins de Christophe Colomb de retour d'Amérique.

communs ? et que, pour marquer la valeur d'une denrée, nous eussions deux ou trois signes au lieu d'un ? Cela n'en était que plus incommode.

Mais, d'un autre côté, cette invention a été bien pernicieuse aux pays qui ont été découverts. Les nations entières ont été détruites ; et les hommes qui ont échappé à la mort ont été réduits à une servitude si rude, que le récit en fait frémir les musulmans.

Heureuse l'ignorance des enfants de Mahomet ! Aimable simplicité, si chérie de notre saint prophète, vous me rappelez toujours la naïveté des anciens temps, et la tranquillité qui régnait dans le cœur de nos premiers pères.

De Venise,
le 5 de la lune de Rhamazan 1717.

LETTRE 106

USBEK À RHÉDI

À Venise

Ou tu ne penses pas ce que tu dis, ou bien tu fais mieux que tu ne penses. Tu as quitté ta patrie pour t'instruire ; et tu méprises toute instruction : tu viens, pour te former, dans un pays où l'on cultive les beaux-arts ; et tu les regardes comme pernicieux. Te le dirai-je, Rhédi ? je suis plus d'accord avec toi, que tu ne l'es avec toi-même.

As-tu bien réfléchi à l'état barbare et malheureux où nous entraînerait la perte des arts ? Il n'est pas nécessaire de se l'imaginer, on peut le voir. Il y a encore des peuples sur la terre, chez lesquels un singe passablement instruit pourrait vivre avec honneur ; il s'y trouverait, à peu près, à la portée des autres habitants ; on ne lui trouverait point

l'esprit singulier, ni le caractère bizarre ; il passerait tout comme un autre, et serait même distingué par sa gentillesse.

Tu dis que les fondateurs des empires ont presque tous ignoré les arts. Je ne te nie pas que des peuples barbares n'aient pu, comme des torrents impétueux, se répandre sur la terre, et couvrir de leurs armées féroces les royaumes les plus policés. Mais, prends-y garde ; ils ont appris les arts, ou les ont fait exercer aux peuples vaincus ; sans cela, leur puissance aurait passé comme le bruit du tonnerre et des tempêtes.

Tu crains, dis-tu, que l'on n'invente quelque manière de destruction plus cruelle que celle qui est en usage. Non : si une fatale invention venait à se découvrir, elle serait bientôt prohibée par le droit des gens[1] ; et le consentement unanime des nations ensevelirait cette découverte. Il n'est point de l'intérêt des princes de faire des conquêtes par de pareilles voies : ils doivent chercher des sujets, et non pas des terres.

Tu te plains de l'invention de la poudre et des bombes ; tu trouves étrange qu'il n'y ait plus de place imprenable : c'est-à-dire, que tu trouves étrange que les guerres soient aujourd'hui terminées plus tôt qu'elles ne l'étaient autrefois.

Tu dois avoir remarqué, en lisant les histoires, que, depuis l'invention de la poudre, les batailles sont beaucoup moins sanglantes qu'elles ne l'étaient parce qu'il n'y a presque plus de mêlée.

Et, quand il se serait trouvé quelque cas particulier où un art aurait été préjudiciable, doit-on, pour cela, le rejeter ? Penses-tu, Rhédi, que la religion que notre saint prophète a

1. Interdite par le droit international.

apportée du ciel soit pernicieuse, parce qu'elle servira un jour à confondre les perfides chrétiens ?

Tu crois que les arts amollissent les peuples, et, par là, sont cause de la chute des empires. Tu parles de la ruine de celui des anciens Perses, qui fut l'effet de leur mollesse : mais il s'en faut bien que cet exemple décide, puisque les Grecs, qui les vainquirent tant de fois, et les subjuguèrent, cultivaient les arts avec infiniment plus de soin qu'eux.

Quand on dit que les arts rendent les hommes efféminés, on ne parle pas du moins des gens qui s'y appliquent ; puisqu'ils ne sont jamais dans l'oisiveté, qui, de tous les vices, est celui qui amollit le plus le courage.

Il n'est donc question que de ceux qui en jouissent. Mais, comme, dans un pays policé, ceux qui jouissent des commodités d'un art sont obligés d'en cultiver un autre, à moins de se voir réduits à une pauvreté honteuse ; il suit que l'oisiveté et la mollesse sont incompatibles avec les arts.

Paris est peut-être la ville du monde la plus sensuelle, et où l'on raffine le plus sur les plaisirs ; mais c'est peut-être celle où l'on mène une vie plus dure. Pour qu'un homme vive délicieusement, il faut que cent autres travaillent sans relâche. Une femme s'est mis dans la tête qu'elle devait paraître à une assemblée avec une certaine parure ; il faut que, dès ce moment, cinquante artisans ne dorment plus, et n'aient plus le loisir de boire et de manger : elle commande, et elle est obéie plus promptement que ne serait notre monarque, parce que l'intérêt est le plus grand monarque de la terre.

Cette ardeur pour le travail, cette passion de s'enrichir, passe de condition en condition, depuis les artisans jusqu'aux grands. Personne n'aime à être plus pauvre que celui qu'il vient de voir immédiatement au-dessous de lui. Vous voyez, à Paris, un homme qui a de quoi vivre jusqu'au jour

du jugement, qui travaille sans cesse, et court risque d'ac-
courcir ses jours, pour amasser, dit-il, de quoi vivre.

Le même esprit gagne la nation ; on n'y voit que travail et
qu'industrie. Où est donc ce peuple efféminé dont tu parles
tant ?

Je suppose, Rhédi, qu'on ne souffrît dans un royaume que
les arts absolument nécessaires à la culture des terres, qui
sont pourtant en grand nombre ; et qu'on en bannît tous
ceux qui ne servent qu'à la volupté, ou à la fantaisie ; je le
soutiens, cet État serait un des plus misérables qu'il y eût au
monde.

Quand les habitants auraient assez de courage, pour se
passer de tant de choses qu'ils doivent à leurs besoins, le
peuple dépérirait tous les jours ; et l'État deviendrait si faible,
qu'il n'y aurait si petite puissance qui ne pût le conquérir.

Il serait aisé d'entrer dans un long détail, et de te faire
voir que les revenus des particuliers cesseraient presque
absolument, et par conséquent ceux du prince. Il n'y aurait
presque plus de relation de facultés entre les citoyens : on
verrait finir cette circulation de richesses, et cette progres-
sion de revenus, qui vient de la dépendance où sont les arts
les uns des autres : chaque particulier vivrait de sa terre, et
n'en retirerait que ce qu'il lui faut précisément pour ne pas
mourir de faim. Mais, comme ce n'est pas quelquefois la
vingtième partie des revenus d'un État, il faudrait que le
nombre des habitants diminuât à proportion, et qu'il n'en
restât que la vingtième partie.

Fais bien attention jusqu'où vont les revenus de l'indus-
trie. Un fonds ne produit, annuellement, à son maître, que la
vingtième partie de sa valeur ; mais, avec une pistole de cou-
leur, un peintre fera un tableau qui lui en vaudra cinquante.
On en peut dire de même des orfèvres, des ouvriers en
laine, en soie, et de toutes sortes d'artisans.

De tout ceci, on doit conclure, Rhédi, que, pour qu'un

prince soit puissant, il faut que les sujets vivent dans les délices : il faut qu'il travaille à leur procurer toutes sortes de superfluités, avec autant d'attention que les nécessités de la vie.

De Paris,
le 14 de la lune de Chalval 1717.

LETTRE 107

RICA À IBBEN

À *Smyrne*

J'ai vu le jeune monarque. Sa vie est bien précieuse à ses sujets : elle ne l'est pas moins à toute l'Europe, par les grands troubles que sa mort pourrait produire. Mais les rois sont comme les dieux ; et, pendant qu'ils vivent, on doit les croire immortels. Sa physionomie est majestueuse, mais charmante : une belle éducation semble concourir avec un heureux naturel, et promet déjà un grand prince.

On dit que l'on ne peut jamais connaître le caractère des rois d'Occident, jusqu'à ce qu'ils aient passé par les deux grandes épreuves, de leur maîtresse, et de leur confesseur. On verra bientôt l'un et l'autre travailler à se saisir de l'esprit de celui-ci ; et il se livrera, pour cela, de grands combats. Car, sous un jeune prince, ces deux puissances sont toujours rivales : mais elles se concilient et se réunissent, sous un vieux. Sous un jeune prince, le dervis a un rôle bien difficile à soutenir ; la force du roi fait sa faiblesse : mais l'autre triomphe également de sa faiblesse et de sa force.

Lorsque j'arrivai en France, je trouvai le feu roi absolument gouverné par les femmes : et cependant, dans l'âge où il était, je crois que c'était le monarque de la terre qui en avait le

moins besoin. J'entendis un jour une femme qui disait : « Il faut que l'on fasse quelque chose pour ce jeune colonel : sa valeur m'est connue ; j'en parlerai au ministre. » Une autre disait : « Il est surprenant que ce jeune abbé ait été oublié ; il faut qu'il soit évêque ; il est homme de naissance, et je pourrais répondre de ses mœurs. » Il ne faut pas pourtant que tu t'imagines que celles qui tenaient ces discours fussent des favorites du prince : elles ne lui avaient peut-être pas parlé deux fois en leur vie ; chose pourtant très facile à faire chez les princes européens. Mais c'est qu'il n'y a personne qui ait quelque emploi à la cour, dans Paris, ou dans les provinces, qui n'ait une femme par les mains de laquelle passent toutes les grâces et quelquefois les injustices qu'il peut faire. Ces femmes ont toutes des relations les unes avec les autres, et forment une espèce de république, dont les membres toujours actifs se secourent et se servent mutuellement : c'est comme un nouvel État dans l'État : et celui qui est à la cour, à Paris, dans les provinces, qui voit agir des ministres, des magistrats, des prélats, s'il ne connaît les femmes qui les gouvernent, est comme un homme qui voit bien une machine qui joue, mais qui n'en connaît point les ressorts.

Crois-tu, Ibben, qu'une femme s'avise d'être la maîtresse d'un ministre pour coucher avec lui ? Quelle idée ! c'est pour lui présenter cinq ou six placets tous les matins : et la bonté de leur naturel paraît dans l'empressement qu'elles ont de faire du bien à une infinité de gens malheureux, qui leur procurent cent mille livres de rente.

On se plaint, en Perse, de ce que le royaume est gouverné par deux ou trois femmes : c'est bien pis en France, où les femmes en général gouvernent, et non seulement prennent en gros, mais même se partagent en détail toute l'autorité.

De Paris,
le dernier de la lune de Chalval 1717.

LETTRE 108

USBEK À ***

Il y a une espèce de livres que nous ne connaissons point en Perse, et qui me paraissent ici fort à la mode : ce sont les journaux[1]. La paresse se sent flattée, en les lisant : on est ravi de pouvoir parcourir trente volumes en un quart d'heure.

Dans la plupart des livres, l'auteur n'a pas fait les compliments ordinaires, que les lecteurs sont aux abois : il les fait entrer à demi morts dans une matière noyée au milieu d'une mer de paroles. Celui-ci veut s'immortaliser par un *in-douze*, celui-là par un *in-quarto* ; un autre, qui a de plus belles inclinations, vise à l'*in-folio*[2] : il faut donc qu'il étende son sujet à proportion ; ce qu'il fait sans pitié, comptant pour rien la peine du pauvre lecteur, qui se tue à réduire ce que l'auteur a pris tant de peine à amplifier.

Je ne sais, ***, quel mérite il y a à faire de pareils ouvrages : j'en ferais bien autant, si je voulais ruiner ma santé, et un libraire.

Le grand tort qu'ont les journalistes, c'est qu'ils ne parlent que des livres nouveaux : comme si la vérité était jamais nouvelle. Il me semble que, jusqu'à ce qu'un homme ait lu tous les livres anciens, il n'a aucune raison de leur préférer les nouveaux.

Mais, lorsqu'ils s'imposent la loi de ne parler que des ouvrages encore tout chauds de la forge, ils s'en imposent une autre, qui est d'être très ennuyeux. Ils n'ont garde de

1. C'est-à-dire des périodiques littéraires donnant de larges extraits et commentaires des productions du temps.
2. Ces termes désignent les différents formats des livres, du plus petit au plus grand.

critiquer les livres dont ils font les extraits, quelque raison qu'ils en aient : et, en effet, quel est l'homme assez hardi, pour vouloir se faire dix ou douze ennemis tous les mois ?

La plupart des auteurs ressemblent aux poètes, qui souffriront une volée de coups de bâton sans se plaindre ; mais qui, peu jaloux de leurs épaules, le sont si fort de leurs ouvrages, qu'ils ne sauraient soutenir la moindre critique. Il faut donc bien se donner de garde[1] de les attaquer par un endroit si sensible ; et les journalistes le savent bien. Ils font donc tout le contraire : ils commencent par louer la matière qui est traitée ; première fadeur : de là ils passent aux louanges de l'auteur ; louanges forcées : car ils ont affaire à des gens qui sont encore en haleine, tout prêts à se faire faire raison[2], et à foudroyer, à coups de plume, un téméraire journaliste.

De Paris,
le 5 de la lune de Zilcadé 1718.

LETTRE 109

RICA À ***

L'université de Paris est la fille aînée des rois de France, et très aînée ; car elle a plus de neuf cents ans : aussi rêve-t-elle[3] quelquefois.

On m'a conté qu'elle eut, il y a quelque temps, un grand démêlé avec quelques docteurs, à l'occasion de la lettre *Q**,

* Il veut parler de la querelle de Ramus[4].
1. Se garde.
2. Se faire rendre justice.
3. Délire-t-elle.
4. Grand humaniste de la Renaissance (1515-1572), grammairien et mathématicien de renom.

qu'elle voulait que l'on prononçât comme un *K*. La dispute s'échauffa si fort, que quelques-uns furent dépouillés de leurs biens ; il fallut que le Parlement terminât le différend ; et il accorda permission, par un arrêt solennel, à tous les sujets du roi de France, de prononcer cette lettre à leur fantaisie. Il faisait beau voir les deux corps de l'Europe les plus respectables, occupés à décider du sort d'une lettre de l'alphabet !

Il semble, mon cher ***, que les têtes des plus grands hommes s'étrécissent lorsqu'elles sont assemblées ; et que, là où il y a plus de sages, il y ait aussi moins de sagesse. Les grands corps s'attachent toujours si fort aux minuties, aux vains usages, que l'essentiel ne va jamais qu'après. J'ai ouï dire qu'un roi d'Aragon* ayant assemblé les états d'Aragon et de Catalogne, les premières séances s'employèrent à décider en quelle langue les délibérations seraient conçues : la dispute était vive ; et les états se seraient rompus mille fois, si l'on n'avait imaginé un expédient, qui était que la demande serait faite en langage catalan, et la réponse en aragonais.

De Paris,
le 25 de la lune de Zilhagé 1718.

LETTRE 110

RICA À ***

Le rôle d'une jolie femme est beaucoup plus grave que l'on ne pense. Il n'y a rien de plus sérieux que ce qui se passe le matin à la toilette, au milieu de ses domestiques : un général d'armée n'emploie pas plus d'attention à placer

* C'était en 1610.

sa droite, ou son corps de réserve, qu'elle en met à poster une mouche[1] qui peut manquer, mais dont elle espère ou prévoit le succès.

Quelle gêne d'esprit, quelle attention, pour concilier sans cesse les intérêts de deux rivaux; pour paraître neutre à tous les deux, pendant qu'elle est livrée à l'un et à l'autre; et se rendre médiatrice sur tous les sujets de plainte qu'elle leur donne!

Quelle occupation pour faire succéder et renaître les parties de plaisirs, et prévenir tous les accidents qui pourraient les rompre!

Avec tout cela, la plus grande peine n'est pas de se divertir; c'est de le paraître. Ennuyez-les tant que vous voudrez; elles vous le pardonneront, pourvu que l'on puisse croire qu'elles se sont réjouies.

Je fus, il y a quelques jours, d'un souper que des femmes firent à la campagne. Dans le chemin, elles disaient sans cesse: «Au moins, il faudra bien nous divertir.»

Nous nous trouvâmes assez mal assortis, et par conséquent assez sérieux. «Il faut avouer, dit une de ces femmes, que nous nous divertissons bien: il n'y a pas aujourd'hui, dans Paris, une partie si gaie que la nôtre.» Comme l'ennui me gagnait, une femme me secoua, et me dit: «Hé bien, ne sommes-nous pas de bonne humeur? — Oui, lui répondis-je en bâillant; je crois que je crèverai à force de rire.» Cependant la tristesse triomphait toujours des réflexions; et, quant à moi, je me sentis conduit, de bâillement en bâillement, dans un sommeil léthargique, qui finit tous mes plaisirs.

De Paris,
le 11 de la lune de Maharram 1718.

1. Voir note, p. 203.

LETTRE III

USBEK À ***

Le règne du feu roi a été si long, que la fin en avait fait oublier le commencement. C'est aujourd'hui la mode de ne s'occuper que des événements arrivés dans sa minorité ; et on ne lit plus que les mémoires de ces temps-là [1].

Voici le discours qu'un des généraux de la ville de Paris prononça dans un conseil de guerre : et j'avoue que je n'y comprends pas grand-chose.

Messieurs, quoique nos troupes aient été repoussées avec perte, je crois qu'il nous sera facile de réparer cet échec. J'ai six couplets de chanson tout prêts à mettre au jour, qui, je m'assure, remettront toutes choses dans l'équilibre. J'ai fait choix de quelques voix très nettes, qui, sortant de la cavité de certaines poitrines très fortes, émouvront merveilleusement le peuple. Ils sont sur un air qui a fait, jusqu'à présent, un effet tout particulier.

Si cela ne suffit pas, nous ferons paraître une estampe qui fera voir Mazarin pendu.

Par bonheur pour nous, il ne parle pas bien français ; et il l'écorche tellement, qu'il n'est pas possible que ses affaires ne déclinent. Nous ne manquons pas de faire bien remarquer au peuple le ton ridicule dont il prononce. Nous relevâmes, il y a quelques jours, une faute de grammaire si grossière, qu'on en fit des farces par tous les carrefours.

J'espère qu'avant qu'il soit huit jours, le peuple fera, du nom de Mazarin, un mot générique, pour exprimer toutes les bêtes de somme, et celles qui servent à tirer.

1. En particulier les *Mémoires* du cardinal de Retz, qui paraissent en 1717.

Depuis notre défaite, notre musique l'a si furieusement vexé sur le péché originel, que, pour ne pas voir ses partisans réduits à la moitié, il a été obligé de renvoyer tous ses pages.

Ranimez-vous donc; reprenez courage: et soyez sûrs que nous lui ferons repasser les monts à coups de sifflets.

De Paris,
le 4 de la lune de Chahban 1718.

LETTRE 112

RHÉDI À USBEK

À Paris

Pendant le séjour que je fais en Europe, je lis les historiens anciens et modernes: je compare tous les temps: j'ai du plaisir à les voir passer, pour ainsi dire, devant moi: et j'arrête surtout mon esprit à ces grands changements qui ont rendu les âges si différents des âges, et la terre si peu semblable à elle-même.

Tu n'as peut-être pas fait attention à une chose qui cause tous les jours ma surprise. Comment le monde est-il si peu peuplé, en comparaison de ce qu'il était autrefois? Comment la nature a-t-elle pu perdre cette prodigieuse fécondité des premiers temps? Serait-elle déjà dans sa vieillesse? et tomberait-elle de langueur?

J'ai resté plus d'un an en Italie, où je n'ai vu que le débris de cette ancienne Italie, si fameuse autrefois. Quoique tout le monde habite les villes, elles sont entièrement désertes et dépeuplées: il semble qu'elles ne subsistent encore que pour marquer le lieu où étaient ces cités puissantes dont l'histoire a tant parlé.

Il y a des gens qui prétendent que la seule ville de Rome

contenait autrefois plus de peuple qu'un grand royaume de l'Europe n'en a aujourd'hui. Il y a eu tel citoyen romain qui avait dix, et même vingt mille esclaves, sans compter ceux qui travaillaient dans les maisons de campagne : et, comme on y comptait quatre ou cinq cent mille citoyens, on ne peut fixer le nombre de ses habitants, sans que l'imagination ne se révolte.

Il y avait autrefois, dans la Sicile, de puissants royaumes, et des peuples nombreux, qui en ont disparu depuis : cette île n'a plus rien de considérable que ses volcans.

La Grèce est si déserte, qu'elle ne contient pas la centième partie de ses anciens habitants.

L'Espagne, autrefois si remplie, ne fait voir aujourd'hui que des campagnes inhabitées ; et la France n'est rien, en comparaison de cette ancienne Gaule dont parle César.

Les pays du nord sont fort dégarnis ; et il s'en faut bien que les peuples y soient, comme autrefois, obligés de se partager, et d'envoyer dehors, comme des essaims, des colonies et des nations entières, chercher de nouvelles demeures.

La Pologne et la Turquie en Europe n'ont presque plus de peuples.

On ne saurait trouver, dans l'Amérique, la cinquantième partie des hommes qui y formaient de si grands empires.

L'Asie n'est guère en meilleur état. Cette Asie mineure, qui contenait tant de puissantes monarchies, et un nombre si prodigieux de grandes villes, n'en a plus que deux ou trois. Quant à la grande Asie, celle qui est soumise au Turc n'est pas plus peuplée : pour celle qui est sous la domination de nos rois, si on la compare à l'état florissant où elle était autrefois, on verra qu'elle n'a qu'une très petite partie des habitants qui y étaient sans nombre du temps des Xerxès et des Darius.

Quant aux petits états qui sont autour de ces grands empires, ils sont réellement déserts : tels sont les royaumes

d'Irimette, de Circassie, et de Guriel[1]. Ces princes, avec de vastes états, comptent à peine cinquante mille sujets.

L'Égypte n'a pas moins manqué que les autres pays.

Enfin, je parcours la terre, et je n'y trouve que des délabrements : je crois la voir sortir des ravages de la peste et de la famine.

L'Afrique a toujours été si inconnue, qu'on ne peut en parler si précisément que des autres parties du monde : mais, à ne faire attention qu'aux côtes de la Méditerranée, connues de tout temps, on voit qu'elle a extrêmement déchu de ce qu'elle était sous les Carthaginois et les Romains. Aujourd'hui, ses princes sont si faibles, que ce sont les plus petites puissances du monde.

Après un calcul aussi exact qu'il peut l'être dans ces sortes de choses, j'ai trouvé qu'il y a, à peine, sur la terre la dixième partie des hommes qui y étaient dans les anciens temps. Ce qu'il y a d'étonnant, c'est qu'elle se dépeuple tous les jours : et, si cela continue, dans dix siècles, elle ne sera qu'un désert.

Voilà, mon cher Usbek, la plus terrible catastrophe qui soit jamais arrivée dans le monde. Mais à peine s'en est-on aperçu, parce qu'elle est arrivée insensiblement, et dans le cours d'un grand nombre de siècles : ce qui marque un vice intérieur, un venin secret et caché, une maladie de langueur, qui afflige la nature humaine.

De Venise,
le 10 de la lune de Rhegeb 1718.

1. Royaumes d'Arménie sous la dépendance de la Perse.

LETTRE 113
USBEK À RHÉDI
À Venise

Le monde, mon cher Rhédi, n'est point incorruptible ; les cieux même ne le sont pas : les astronomes sont des témoins oculaires de leurs changements, qui sont des effets bien naturels du mouvement universel de la matière.

La terre est soumise, comme les autres planètes, aux lois des mouvements, elle souffre, au-dedans d'elle, un combat perpétuel de ses principes : la mer et le continent semblent être dans une guerre éternelle ; chaque instant produit de nouvelles combinaisons.

Les hommes, dans une demeure si sujette aux changements, sont dans un état aussi incertain : cent mille causes peuvent agir, capables de les détruire, et, à plus forte raison, d'augmenter ou de diminuer leur nombre.

Je ne te parlerai pas de ces catastrophes particulières, si communes chez les historiens, qui ont détruit des villes et des royaumes entiers : il y en a de générales, qui ont mis bien des fois le genre humain à deux doigts de sa perte.

Les histoires sont pleines de ces pestes universelles qui ont, tour à tour, désolé l'univers. Elles parlent d'une entre autres qui fut si violente, qu'elle brûla jusqu'à la racine des plantes, et se fit sentir dans tout le monde connu, jusqu'à l'empire du Catay[1] : un degré de plus de corruption aurait, peut-être dans un seul jour, détruit toute la nature humaine.

Il n'y a pas deux siècles que la plus honteuse de toutes les maladies se fit sentir en Europe, en Asie et en Afrique[2] ; elle

1. Ancienne dénomination pour la Chine.
2. La vérole ou syphilis.

fit, dans très peu de temps, des effets prodigieux : c'était fait des hommes, si elle avait continué ses progrès avec la même furie. Accablés de maux dès leur naissance, incapables de soutenir le poids des charges de la société, ils auraient péri misérablement.

Qu'aurait-ce été, si le venin eût été un peu plus exalté [1] ? Et il le serait devenu, sans doute, si l'on n'avait été assez heureux pour trouver un remède aussi puissant que celui qu'on a découvert [2]. Peut-être que cette maladie, attaquant les parties de la génération, aurait attaqué la génération même.

Mais pourquoi parler de la destruction qui aurait pu arriver au genre humain ? N'est-elle pas arrivée en effet ? Et le déluge ne le réduisit-il pas à une seule famille ?

Il y a des philosophes qui distinguent deux créations ; celle des choses, et celle de l'homme : ils ne peuvent comprendre que la matière et les choses créées n'aient que six mille ans ; que Dieu ait différé, pendant toute l'éternité, ses ouvrages, et n'ait usé que d'hier de sa puissance créatrice. Serait-ce parce qu'il ne l'aurait pas pu ? ou parce qu'il ne l'aurait pas voulu ? Mais, s'il ne l'a pas pu dans un temps, il ne l'a pas pu dans l'autre. C'est donc parce qu'il ne l'a pas voulu : mais, comme il n'y a point de succession dans Dieu, si l'on admet qu'il ait voulu quelque chose une fois, il l'a voulu toujours, et dès le commencement.

*Cependant, tous les historiens nous parlent d'un premier père : ils nous font voir la nature humaine naissante. N'est-il pas naturel de penser qu'Adam fut sauvé d'un malheur commun, comme Noé le fut du Déluge ; et que ces

* *Dans les précédentes éditions, avant cet alinéa, on lisait celui-ci :* Il ne faut donc pas compter les années du monde : le nombre des grains de sable de la mer ne leur est pas plus comparable qu'un instant.
1. Vocabulaire de la chimie : « actif ».
2. Le mercure.

grands événements ont été fréquents sur la terre, depuis la création du monde?

Mais toutes les destructions ne sont pas violentes. Nous voyons plusieurs parties de la terre se lasser de fournir à la subsistance des hommes : que savons-nous si la terre entière n'a pas des causes générales, lentes et imperceptibles de lassitude?

J'ai été bien aise de te donner ces idées générales, avant de répondre plus particulièrement à ta lettre sur la diminution des peuples, arrivée depuis dix-sept à dix-huit siècles. Je te ferai voir, dans une lettre suivante, qu'indépendamment des causes physiques, il y en a de morales qui ont produit cet effet.

De Paris,
le 8 de la lune de Chahban 1718.

LETTRE 114

USBEK AU MÊME

Tu cherches la raison pourquoi la terre est moins peuplée qu'elle ne l'était autrefois : et, si tu y fais bien attention, tu verras que la grande différence vient de celle qui est arrivée dans les mœurs.

Depuis que la religion chrétienne et la mahométane ont partagé le monde romain, les choses sont bien changées, il s'en faut de beaucoup que ces deux religions soient aussi favorables à la propagation de l'espèce, que celle de ces maîtres de l'univers.

Dans cette dernière, la polygamie était défendue ; et, en cela, elle avait un très grand avantage sur la religion mahométane ; le divorce y était permis ce qui lui en donnait un autre, non moins considérable, sur la chrétienne.

Je ne trouve rien de si contradictoire que cette pluralité des femmes permise par le saint Alcoran, et l'ordre de les satisfaire, donné dans le même livre. Voyez vos femmes, dit le prophète, parce que vous leur êtes nécessaire comme leurs vêtements, et qu'elles vous sont nécessaires comme vos vêtements[1]. Voilà un précepte qui rend la vie d'un véritable musulman bien laborieuse. Celui qui a les quatre femmes établies par la loi, et seulement autant de concubines, ou d'esclaves, ne doit-il pas être accablé de tant de vêtements ?

Vos femmes sont vos labourages, dit encore le prophète ; approchez-vous donc de vos labourages : faites du bien pour vos âmes ; et vous le trouverez un jour[2].

Je regarde un bon musulman comme un athlète, destiné à combattre sans relâche ; mais qui, bientôt faible et accablé de ses premières fatigues, languit dans le champ même de la victoire ; et se trouve, pour ainsi dire, enseveli sous ses propres triomphes.

La nature agit toujours avec lenteur, et, pour ainsi dire, avec épargne : ses opérations ne sont jamais violentes : jusque dans ses productions, elle veut de la tempérance[3] : elle ne va jamais qu'avec règle et mesure : si on la précipite, elle tombe bientôt dans la langueur ; elle emploie toute la force qui lui reste à se conserver, perdant absolument sa vertu productrice, et sa puissance générative.

C'est dans cet état de défaillance que nous met toujours ce grand nombre de femmes, plus propre à nous épuiser qu'à nous satisfaire. Il est très ordinaire, parmi nous, de voir un homme, dans un sérail prodigieux, avec un très petit nombre d'enfants : ces enfants mêmes sont, la plupart du

1. Coran (II, 183).
2. Coran (II, 223).
3. Modération.

temps, faibles et malsains, et se sentent de la langueur de leur père.

Ce n'est pas tout : ces femmes, obligées à une continence forcée, ont besoin d'avoir des gens pour les garder, qui ne peuvent être que des eunuques : la religion, la jalousie, et la raison même, ne permettent pas d'en laisser approcher d'autres : ces gardiens doivent être en grand nombre, soit afin de maintenir la tranquillité au-dedans parmi les guerres que ces femmes se font sans cesse, soit pour empêcher les entreprises du dehors. Ainsi un homme qui a dix femmes, ou concubines, n'a pas trop d'autant d'eunuques pour les garder. Mais quelle perte pour la société, que ce grand nombre d'hommes morts dès leur naissance ! Quelle dépopulation ne doit-il pas s'ensuivre !

Les filles esclaves qui sont dans le sérail, pour servir avec les eunuques ce grand nombre de femmes, y vieillissent presque toujours dans une affligeante virginité : elles ne peuvent pas se marier pendant qu'elles y restent ; et leurs maîtresses, une fois accoutumées à elles, ne s'en défont presque jamais.

Voilà comment un seul homme occupe à ses plaisirs tant de sujets de l'un et de l'autre sexe, les fait mourir pour l'État, et les rend inutiles à la propagation de l'espèce.

Constantinople et Ispahan sont les capitales des deux plus grands empires du monde : c'est là que tout doit aboutir ; et que les peuples, attirés de mille manières, se rendent de toutes parts. Cependant elles périssent d'elles-mêmes ; et elles seraient bientôt détruites, si les souverains n'y faisaient venir, presque à chaque siècle, des nations entières pour les repeupler. J'épuiserai ce sujet dans une autre lettre.

De Paris,
le 13 de la lune de Chahban, 1718.

LETTRE 115

USBEK AU MÊME

Les Romains n'avaient pas moins d'esclaves que nous ; ils en avaient même plus : mais ils en faisaient un meilleur usage.

Bien loin d'empêcher, par des voies forcées, la multiplication de ces esclaves, ils la favorisaient, au contraire, de tout leur pouvoir ; ils les associaient, le plus qu'ils pouvaient, par des espèces de mariages : par ce moyen, ils remplissaient leurs maisons de domestiques de tous les sexes, de tous les âges, et l'État d'un peuple innombrable.

Ces enfants, qui faisaient, à la longue, la richesse d'un maître, naissaient sans nombre autour de lui : il était seul chargé de leur nourriture et de leur éducation : les pères, libres de ce fardeau, suivaient uniquement le penchant de la nature, et multipliaient, sans craindre une trop nombreuse famille.

Je t'ai dit que, parmi nous, tous les esclaves sont occupés à garder nos femmes, et à rien de plus ; qu'ils sont, à l'égard de l'État, dans une perpétuelle léthargie : de manière qu'il faut restreindre à quelques hommes libres, à quelques chefs de famille, la culture des arts et des terres, lesquels mêmes s'y donnent le moins qu'ils peuvent.

Il n'en était pas de même chez les Romains. La république se servait, avec un avantage infini, de ce peuple d'esclaves. Chacun d'eux avait son pécule, qu'il possédait aux conditions que son maître lui imposait : avec ce pécule, il travaillait, et se tournait du côté où le portait son industrie. Celui-ci faisait la banque ; celui-là se donnait au commerce de la mer ; l'un vendait des marchandises en détail ; l'autre s'appliquait à quelque art mécanique, ou bien affermait et

faisait valoir des terres : mais il n'y en avait aucun qui ne s'attachât, de tout son pouvoir, à faire profiter ce pécule, qui lui procurait, en même temps, l'aisance dans la servitude présente, et l'espérance d'une liberté future : cela faisait un peuple laborieux, animait les arts et l'industrie.

Ces esclaves, devenus riches par leurs soins et leur travail, se faisaient affranchir, et devenaient citoyens. La république se réparait sans cesse, et recevait dans son sein de nouvelles familles, à mesure que les anciennes se détruisaient.

J'aurai peut-être, dans mes lettres suivantes, occasion de te prouver que, plus il y a d'hommes dans un État, plus le commerce y fleurit ; je prouverai aussi facilement que, plus le commerce y fleurit, plus le nombre des hommes y augmente : ces deux choses s'entraident, et se favorisent nécessairement.

Si cela est, combien ce nombre prodigieux d'esclaves, toujours laborieux, devait-il s'accroître et s'augmenter ? L'industrie et l'abondance les faisait naître ; et eux, de leur côté, faisaient naître l'abondance et l'industrie.

De Paris,
le 16 de la lune de Chahban 1718.

LETTRE 116

USBEK AU MÊME

Nous avons jusqu'ici parlé des pays mahométans, et cherché la raison pourquoi ils sont moins peuplés que ceux qui étaient soumis à la domination des Romains : examinons à présent ce qui a produit cet effet chez les chrétiens.

Le divorce était permis dans la religion païenne, et il fut

défendu aux chrétiens. Ce changement, qui parut d'abord de si petite conséquence, eut insensiblement des suites terribles, et telles qu'on peut à peine les croire.

On ôta non seulement toute la douceur du mariage, mais aussi l'on donna atteinte à sa fin : en voulant resserrer ses nœuds, on les relâcha ; et, au lieu d'unir les cœurs, comme on le prétendait, on les sépara pour jamais.

Dans une action si libre, et où le cœur doit avoir tant de part, on mit la gêne, la nécessité, et la fatalité du destin même. On compta pour rien les dégoûts, les caprices, et l'insociabilité des humeurs : on voulut fixer le cœur, c'est-à-dire ce qu'il y a de plus variable et de plus inconstant dans la nature : on attacha, sans retour et sans espérance, des gens accablés l'un de l'autre, et presque toujours mal assortis : et l'on fit comme ces tyrans qui faisaient lier des hommes vivants à des corps morts.

Rien ne contribuait plus à l'attachement mutuel, que la faculté du divorce : un mari et une femme étaient portés à soutenir patiemment les peines domestiques, sachant qu'ils étaient maîtres de les faire finir ; et ils gardaient souvent ce pouvoir en main toute leur vie, sans en user, par cette seule considération, qu'ils étaient libres de le faire.

Il n'en est pas de même des chrétiens, que leurs peines présentes désespèrent pour l'avenir. Ils ne voient, dans les désagréments du mariage, que leur durée, et, pour ainsi dire, leur éternité : de là viennent les dégoûts, les discordes, les mépris ; et c'est autant de perdu pour la postérité. À peine a-t-on trois ans de mariage, qu'on en néglige l'essentiel : on passe ensemble trente ans de froideur : il se forme des séparations intestines aussi fortes, et peut-être plus pernicieuses que si elles étaient publiques : chacun vit et reste de son côté ; et tout cela au préjudice des races futures. Bientôt un homme, dégoûté d'une femme éternelle, se livrera aux filles de joie : commerce honteux et si contraire à la

société; lequel, sans remplir l'objet du mariage, n'en représente tout au plus que les plaisirs.

Si, de deux personnes ainsi liées, il y en a une qui n'est pas propre au dessein de la nature, et à la propagation de l'espèce, soit par son tempérament, soit par son âge, elle ensevelit l'autre avec elle, et la rend aussi inutile qu'elle l'est elle-même.

Il ne faut donc point s'étonner si l'on voit, chez les chrétiens, tant de mariages fournir un si petit nombre de citoyens. Le divorce est aboli: les mariages mal assortis ne se raccommodent plus: les femmes ne passent plus, comme chez les Romains, successivement dans les mains de plusieurs maris, qui en tiraient, dans le chemin, le meilleur parti qu'il était possible.

J'ose le dire: si, dans une république comme Lacédémone, où les citoyens étaient sans cesse gênés par des lois singulières et subtiles, et dans laquelle il n'y avait qu'une famille qui était la république, il avait été établi que les maris changeassent de femmes tous les ans, il en serait né un peuple innombrable.

Il est assez difficile de faire bien comprendre la raison qui a porté les chrétiens à abolir le divorce. Le mariage, chez toutes les nations du monde, est un contrat susceptible de toutes les conventions; et on n'en a dû bannir que celles qui auraient pu en affaiblir l'objet. Mais les chrétiens ne le regardent pas dans ce point de vue; aussi ont-ils bien de la peine à dire ce que c'est. Ils ne le font pas consister dans le plaisir des sens: au contraire, comme je te l'ai déjà dit, il semble qu'ils veulent l'en bannir autant qu'ils peuvent: mais c'est une image, une figure, et quelque chose de mystérieux, que je ne comprends point.

De Paris,
le 19 de la lune de Chahban 1718.

LETTRE 117

USBEK AU MÊME

La prohibition du divorce n'est pas la seule cause de la dépopulation des pays chrétiens : le grand nombre d'eunuques qu'ils ont parmi eux n'en est pas une moins considérable.

Je parle des prêtres et des dervis, de l'un et de l'autre sexe, qui se vouent à une continence éternelle : c'est, chez les chrétiens, la vertu par excellence ; en quoi je ne les comprends pas, ne sachant ce que c'est qu'une vertu dont il ne résulte rien.

Je trouve que leurs docteurs se contredisent manifestement, quand ils disent que le mariage est saint, et que le célibat, qui lui est opposé, l'est encore davantage ; sans compter qu'en fait de préceptes et de dogmes fondamentaux, le bien est toujours le mieux.

Le nombre de ces gens faisant profession de célibat est prodigieux. Les pères y condamnaient autrefois les enfants dès le berceau : aujourd'hui, ils s'y vouent eux-mêmes dès l'âge de quatorze ans ; ce qui revient à peu près à la même chose.

Ce métier de continence a anéanti plus d'hommes, que les pestes et les guerres les plus sanglantes n'ont jamais fait. On voit, dans chaque maison religieuse, une famille éternelle, où il ne naît personne, et qui s'entretient aux dépens de toutes les autres. Ces maisons sont toujours ouvertes, comme autant de gouffres ou s'ensevelissent les races futures.

Cette politique est bien différente de celle des Romains, qui établissaient des lois pénales contre ceux qui se refusaient aux lois du mariage, et voulaient jouir d'une liberté si contraire à l'utilité publique.

Je ne te parle ici que des pays catholiques. Dans la religion protestante, tout le monde est en droit de faire des enfants ; elle ne souffre ni prêtres, ni dervis : et si, dans l'établissement de cette religion, qui ramenait tout aux premiers temps, les fondateurs n'avaient été accusés sans cesse d'intempérance, il ne faut pas douter qu'après avoir rendu la pratique du mariage universelle, ils n'en eussent encore adouci le joug, et achevé d'ôter toute la barrière qui sépare, en ce point, le Nazaréen et Mahomet.

Mais, quoi qu'il en soit, il est certain que la religion donne aux protestants un avantage infini sur les catholiques.

J'ose le dire ; dans l'état présent où est l'Europe, il n'est pas possible que la religion catholique y subsiste cinq cents ans.

Avant l'abaissement de la puissance d'Espagne, les catholiques étaient beaucoup plus forts que les protestants. Ces derniers sont peu à peu parvenus à un équilibre. Les protestants deviendront plus riches et plus puissants, et les catholiques plus faibles.

Les pays protestants doivent être, et sont réellement plus peuplés que les catholiques : d'où il suit, premièrement, que les tributs y sont plus considérables, parce qu'ils augmentent à proportion du nombre de ceux qui les payent : secondement, que les terres y sont mieux cultivées : enfin, que le commerce y fleurit davantage, parce qu'il y a plus de gens qui ont une fortune à faire ; et qu'avec plus de besoins, on y a plus de ressources pour les remplir. Quand il n'y a que le nombre de gens suffisants pour la culture des terres, il faut que le commerce périsse ; et, lorsqu'il n'y a que celui qui est nécessaire pour entretenir le commerce, il faut que la culture des terres manque : c'est-à-dire, il faut que tous les deux tombent en même temps, parce que l'on ne s'attache jamais à l'un, que ce ne soit aux dépens de l'autre.

Quant aux pays catholiques, non seulement la culture

des terres y est abandonnée, mais même l'industrie y est pernicieuse : elle ne consiste qu'à apprendre cinq ou six mots d'une langue morte. Dès qu'un homme a cette provision par-devers lui, il ne doit plus s'embarrasser de sa fortune ; il trouve, dans le cloître, une vie tranquille, qui, dans le monde, lui aurait coûté des sueurs et des peines.

Ce n'est pas tout. Les dervis ont en leurs mains presque toutes les richesses de l'État ; c'est une société de gens avares, qui prennent toujours, et ne rendent jamais ; ils accumulent sans cesse des revenus, pour acquérir des capitaux. Tant de richesses tombent, pour ainsi dire, en paralysie ; plus de circulation, plus de commerce, plus d'arts, plus de manufactures.

Il n'y a point de prince protestant qui ne lève sur ses peuples beaucoup plus d'impôts que le pape n'en lève sur ses sujets : cependant ces derniers sont pauvres, pendant que les autres vivent dans l'opulence. Le commerce ranime tout chez les uns, et le monachisme porte la mort partout chez les autres.

De Paris,
le 26 de la lune de Chahban 1718.

LETTRE 118

USBEK AU MÊME

Nous n'avons plus rien à dire de l'Asie et de l'Europe ; passons à l'Afrique. On ne peut guère parler que de ses côtes, parce qu'on n'en connaît pas l'intérieur.

Celles de Barbarie, où la religion mahométane est établie, ne sont plus si peuplées qu'elles étaient du temps des Romains, par les raisons que je t'ai déjà dites. Quant aux

côtes de la Guinée, elles doivent être furieusement dégarnies depuis deux cents ans que les petits rois, ou chefs des villages, vendent leurs sujets aux princes de l'Europe, pour les porter dans leurs colonies en Amérique.

Ce qu'il y a de singulier, c'est que cette Amérique, qui reçoit tous les ans tant de nouveaux habitants, est elle-même déserte, et ne profite point des pertes continuelles de l'Afrique. Ces esclaves, qu'on transporte dans un autre climat, y périssent à milliers : et les travaux des mines où l'on occupe sans cesse et les naturels du pays et les étrangers, les exhalaisons malignes qui en sortent, le vif-argent dont il faut faire un continuel usage, les détruisent sans ressource.

Il n'y a rien de si extravagant que de faire périr un nombre innombrable d'hommes, pour tirer du fond de la terre l'or et l'argent ; ces métaux d'eux-mêmes absolument inutiles, et qui ne sont des richesses, que parce qu'on les a choisis pour en être les signes.

De Paris,
le dernier de la lune de Chahban 1718.

LETTRE 119

USBEK AU MÊME

La fécondité d'un peuple dépend quelquefois des plus petites circonstances du monde ; de manière qu'il ne faut souvent qu'un nouveau tour dans son imagination, pour le rendre beaucoup plus nombreux qu'il n'était.

Les Juifs, toujours exterminés, et toujours renaissants, ont réparé leurs pertes et leurs destructions continuelles, par cette seule espérance qu'ont parmi eux toutes les familles, d'y voir naître un roi puissant, qui sera le maître de la terre.

Les anciens rois de Perse n'avaient tant de milliers de sujets, qu'à cause de ce dogme de la religion des mages, que les actes les plus agréables à Dieu que les hommes puissent faire, c'était de faire un enfant, labourer un champ, et planter un arbre.

Si la Chine a dans son sein un peuple si prodigieux, cela ne vient que d'une certaine manière de penser : car, comme les enfants regardent leurs pères comme des dieux ; qu'ils les respectent comme tels dès cette vie ; qu'ils les honorent après leur mort par des sacrifices, dans lesquels ils croient que leurs âmes, anéanties dans le Tyen[1], reprennent une nouvelle vie ; chacun est porté à augmenter une famille si soumise dans cette vie, et si nécessaire dans l'autre.

D'un autre côté, les pays des Mahométans deviennent tous les jours déserts, à cause d'une opinion, qui, toute sainte qu'elle est, ne laisse pas d'avoir des effets très pernicieux, lorsqu'elle est enracinée dans les esprits. Nous nous regardons comme des voyageurs qui ne doivent penser qu'à une autre patrie : les travaux utiles et durables, les soins pour assurer la fortune de nos enfants, les projets qui tendent au-delà d'une vie courte et passagère, nous paraissent quelque chose d'extravagant. Tranquilles pour le présent, sans inquiétude pour l'avenir, nous ne prenons la peine, ni de réparer les édifices publics, ni de défricher les terres incultes, ni de cultiver celles qui sont en état de recevoir nos soins : nous vivons dans une insensibilité générale, et nous laissons tout faire à la Providence.

C'est un esprit de vanité qui a établi, chez les Européens, l'injuste droit d'aînesse, si défavorable à la propagation, en ce qu'il porte l'attention d'un père sur un seul de ses enfants, et détourne ses yeux de tous les autres ; en ce qu'il

1. Transcription d'un mot chinois signifiant « ciel ».

l'oblige, pour rendre solide la fortune d'un seul, de s'oppo-
ser à l'établissement de plusieurs; enfin, en ce qu'il détruit
l'égalité des citoyens, qui en fait toute l'opulence.

De Paris,
le 4 de la lune de Rhamazan 1718.

LETTRE 120

USBEK AU MÊME

Les pays habités par les sauvages sont ordinairement peu
peuplés, par l'éloignement qu'ils ont presque tous pour le
travail et la culture de la terre. Cette malheureuse aversion
est si forte, que, lorsqu'ils font quelque imprécation contre
quelqu'un de leurs ennemis, ils ne lui souhaitent autre
chose que d'être réduit à labourer un champ; croyant qu'il
n'y a que la chasse et la pêche qui soit un exercice noble et
digne d'eux.

Mais, comme il y a souvent des années où la chasse et la
pêche rendent très peu, ils sont désolés par des famines
fréquentes: sans compter qu'il n'y a pas de pays si abondant
en gibier et en poisson, qu'il puisse donner la subsistance à
un grand peuple, parce que les animaux fuient toujours les
endroits trop habités.

D'ailleurs, les bourgades de sauvages, au nombre de deux
ou trois cents habitants, détachées les unes des autres,
ayant des intérêts aussi séparés que ceux de deux empires,
ne peuvent pas se soutenir; parce qu'elles n'ont pas la res-
source des grands États, dont toutes les parties se répon-
dent, et se secourent mutuellement.

Il y a, chez les sauvages, une autre coutume, qui n'est pas
moins pernicieuse que la première; c'est la cruelle habitude

où sont les femmes de se faire avorter, afin que leur grossesse ne les rende pas désagréables à leurs maris[1].

Il y a ici des lois terribles contre ce désordre ; elles vont jusqu'à la fureur. Toute fille qui n'a point été déclarer sa grossesse au magistrat, est punie de mort, si son fruit périt : la pudeur et la honte, les accidents même, ne l'excusent pas.

De Paris,
le 9 de la lune de Rhamazan 1718.

LETTRE 121

USBEK AU MÊME

L'effet ordinaire des colonies est d'affaiblir les pays d'où on les tire, sans peupler ceux où on les envoie.

Il faut que les hommes restent où ils sont : il y a des maladies qui viennent de ce qu'on change un bon air contre un mauvais ; d'autres qui viennent précisément de ce qu'on en change.

L'air se charge, comme les plantes, des particules de la terre de chaque pays. Il agit tellement sur nous, que notre tempérament en est fixé. Lorsque nous sommes transportés dans un autre pays, nous devenons malades. Les liquides étant accoutumés à une certaine consistance, les solides à une certaine disposition, tous les deux à un certain degré de mouvement, n'en peuvent plus souffrir d'autres, et ils résistent à un nouveau pli.

Quand un pays est désert, c'est un préjugé de quelque vice particulier de la nature du terrain ou du climat : ainsi,

1. Montesquieu a trouvé cette coutume dans l'*Histoire de la grande île de Madagascar* de Flacourt (1658).

quand on ôte les hommes d'un ciel heureux, pour les envoyer dans un tel pays, on fait précisément le contraire de ce qu'on se propose.

Les Romains savaient cela par expérience : ils reléguaient tous les criminels en Sardaigne ; et ils y faisaient passer des Juifs. Il fallut se consoler de leur perte ; chose que le mépris qu'ils avaient pour ces misérables rendait très facile.

Le grand Chah Abas, voulant ôter aux Turcs le moyen d'entretenir de grosses armées sur les frontières, transporta presque tous les Arméniens hors de leur pays, et en envoya plus de vingt mille familles dans la province de Guilan, qui périrent presque toutes en très peu de temps.

Tous les transports de peuples faits à Constantinople n'ont jamais réussi.

Ce nombre prodigieux de nègres, dont nous avons parlé, n'a point rempli l'Amérique.

Depuis la destruction des Juifs sous Adrien, la Palestine est sans habitants.

Il faut donc avouer que les grandes destructions sont presque irréparables ; parce qu'un peuple qui manque à un certain point reste dans le même état : et si, par hasard, il se rétablit, il faut des siècles pour cela.

Que si, dans un état de défaillance, la moindre des circonstances dont je t'ai parlé vient à concourir, non seulement il ne se répare pas, mais il dépérit tous les jours, et tend à son anéantissement.

L'expulsion des Maures d'Espagne se fait encore sentir comme le premier jour : bien loin que ce vide se remplisse, il devient tous les jours plus grand.

Depuis la dévastation de l'Amérique, les Espagnols, qui ont pris la place de ses anciens habitants, n'ont pu la repeupler : au contraire, par une fatalité que je ferais mieux de nommer une justice divine, les destructeurs se détruisent eux-mêmes, et se consument tous les jours.

Les princes ne doivent donc point songer à peupler de grands pays par des colonies. Je ne dis pas qu'elles ne réussissent quelquefois : il y a des climats si heureux, que l'espèce s'y multiplie toujours ; témoin ces îles* qui ont été peuplées par des malades que quelques vaisseaux y avaient abandonnés, et qui y recouvraient aussitôt la santé.

Mais, quand ces colonies réussiraient, au lieu d'augmenter la puissance, elles ne feraient que la partager ; à moins qu'elles n'eussent très peu d'étendue, comme sont celles que l'on envoie pour occuper quelque place pour le commerce.

Les Carthaginois avaient, comme les Espagnols, découvert l'Amérique, ou au moins de grandes îles dans lesquelles ils faisaient un commerce prodigieux : mais, quand ils virent le nombre de leurs habitants diminuer, cette sage république défendit à ses sujets ce commerce et cette navigation.

J'ose le dire : au lieu de faire passer les Espagnols dans les Indes, il faudrait faire repasser les Indiens et les métis en Espagne ; il faudrait rendre à cette monarchie tous ses peuples dispersés : et, si la moitié seulement de ces grandes colonies se conservait, l'Espagne deviendrait la puissance de l'Europe la plus redoutable.

On peut comparer les empires à un arbre, dont les branches trop étendues ôtent tout le suc du tronc, et ne servent qu'à faire de l'ombrage.

Rien n'est plus propre à corriger les princes de la fureur des conquêtes lointaines, que l'exemple des Portugais et des Espagnols.

Ces deux nations ayant conquis avec une rapidité inconcevable des royaumes immenses, plus étonnées de leurs vic-

* L'auteur parle peut-être de l'île de Bourbon[1].
1. Aujourd'hui, *île de la Réunion*. L'anecdote est fournie par Flacourt à nouveau (voir note, p. 243).

toires que les peuples vaincus de leur défaite, songèrent aux moyens de les conserver; et prirent chacune, pour cela, une voie différente.

Les Espagnols, désespérant de retenir les nations vaincues dans la fidélité, prirent le parti de les exterminer, et d'y envoyer d'Espagne des peuples fidèles: jamais dessein horrible ne fut plus ponctuellement exécuté. On vit un peuple, aussi nombreux que tous ceux de l'Europe ensemble, disparaître de la terre, à l'arrivée de ces barbares, qui semblèrent, en découvrant les Indes, n'avoir pensé qu'à découvrir aux hommes quel était le dernier période[1] de la cruauté.

Par cette barbarie, ils conservèrent ce pays sous leur domination. Juge par là combien les conquêtes sont funestes, puisque les effets en sont tels: car enfin, ce remède affreux était unique. Comment auraient-ils pu retenir tant de millions d'hommes dans l'obéissance? Comment soutenir une guerre civile de si loin? Que seraient-ils devenus, s'ils avaient donné le temps à ces peuples de revenir de l'admiration où ils étaient de l'arrivée de ces nouveaux dieux, et de la crainte de leurs foudres?

Quant aux Portugais, ils prirent une voie tout opposée; ils n'employèrent pas les cruautés: aussi furent-ils bientôt chassés de tous les pays qu'ils avaient découverts. Les Hollandais favorisèrent la rébellion de ces peuples, et en profitèrent.

Quel prince envierait le sort de ces conquérants? qui voudrait de ces conquêtes à ces conditions? Les uns en furent aussitôt chassés; les autres en firent des déserts, et rendirent leur propre pays un désert encore.

C'est le destin des héros de se ruiner à conquérir des pays qu'ils perdent soudain, ou à soumettre des nations qu'ils sont obligés eux-mêmes de détruire; comme cet insensé

1. Apogée, le plus haut point.

qui se consumait à acheter des statues qu'il jetait dans la mer, et des glaces qu'il brisait aussitôt.

De Paris,
le 18 de la lune de Rhamazan 1718.

LETTRE 122

USBEK AU MÊME

La douceur du gouvernement contribue merveilleusement à la propagation de l'espèce. Toutes les républiques en sont une preuve constante ; et, plus que toutes, la Suisse et la Hollande, qui sont les deux plus mauvais pays de l'Europe, si l'on considère la nature du terrain, et qui cependant sont les plus peuplés.

Rien n'attire plus les étrangers que la liberté, et l'opulence qui la suit toujours : l'une se fait rechercher par elle-même, et nous sommes conduits par nos besoins dans les pays où l'on trouve l'autre.

L'espèce se multiplie dans un pays où l'abondance fournit aux enfants, sans rien diminuer de la subsistance des pères.

L'égalité même des citoyens, qui produit ordinairement l'égalité dans les fortunes, porte l'abondance et la vie dans toutes les parties du corps politique, et la répand partout.

Il n'en est pas de même des pays soumis au pouvoir arbitraire : le prince, les courtisans, et quelques particuliers, possèdent toutes les richesses, pendant que tous les autres gémissent dans une pauvreté extrême.

Si un homme est mal à son aise, et qu'il sente qu'il fera des enfants plus pauvres que lui, il ne se mariera pas ; ou, s'il se marie, il craindra d'avoir un trop grand nombre d'enfants, qui pourraient achever de déranger sa fortune, et qui descendraient de la condition de leur père.

J'avoue que le rustique ou paysan, étant une fois marié, peuplera indifféremment, soit qu'il soit riche, soit qu'il soit pauvre ; cette considération ne le touche pas : il a toujours un héritage sûr à laisser à ses enfants, qui est son hoyau[1] ; et rien ne l'empêche de suivre aveuglément l'instinct de la nature.

Mais à quoi sert, dans un État, ce nombre d'enfants, qui languissent dans la misère ? Ils périssent presque tous, à mesure qu'ils naissent ; ils ne prospèrent jamais ; faibles et débiles, ils meurent en détail de mille manières, tandis qu'ils sont emportés en gros par les fréquentes maladies populaires que la misère et la mauvaise nourriture produisent toujours : ceux qui en échappent atteignent l'âge viril sans en avoir la force, et languissent tout le reste de leur vie.

Les hommes sont comme les plantes, qui ne croissent jamais heureusement, si elles ne sont bien cultivées : chez les peuples misérables, l'espèce perd, et même quelquefois dégénère.

La France peut fournir un grand exemple de tout ceci. Dans les guerres passées, la crainte où étaient tous les enfants de famille d'être enrôlés dans la milice les obligeait de se marier, et cela dans un âge trop tendre et dans le sein de la pauvreté. De tant de mariages, il naissait bien des enfants, que l'on cherche encore en France, et que la misère, la famine et les maladies en ont fait disparaître.

Que si, dans un ciel aussi heureux, dans un royaume aussi policé que la France, on fait de pareilles remarques, que sera-ce dans les autres États ?

De Paris,
le 23 de la lune de Rhamazan 1718.

1. Espèce de pioche pour travailler la terre.

LETTRE 123

USBEK AU MOLLAK
MÉHÉMET-ALI, GARDIEN
DES TROIS TOMBEAUX
À COM

Que nous servent les jeûnes des immaums, et les cilices[1] des mollaks ? La main de Dieu s'est deux fois appesantie sur les enfants de la Loi : le soleil s'obscurcit, et semble n'éclairer plus que leurs défaites : leurs armées s'assemblent, et elles sont dissipées comme la poussière.

L'empire des Osmanlins est ébranlé par les deux plus grands échecs qu'il ait jamais reçus[2] : un moufti chrétien ne le soutient qu'avec peine : le grand vizir d'Allemagne est le fléau de Dieu, envoyé pour châtier les sectateurs d'Omar : il porte partout la colère du ciel, irrité contre leur rébellion et leur perfidie.

Esprit sacré des immaums, tu pleures nuit et jour sur les enfants du prophète que le détestable Omar a dévoyés : tes entrailles s'émeuvent à la vue de leurs malheurs : tu désires leur conversion, et non pas leur perte : tu voudrais les voir réunis sous l'étendard d'Hali, par les larmes des saints ; et non pas dispersés dans les montagnes et dans les déserts, par la terreur des infidèles.

De Paris,
le 1 de la lune de Chalval 1718.

1. Chemises d'étoffe rude portées à même la peau pour mortification.
2. Les Turcs perdent successivement Temesvar en 1716 et Belgrade en 1717.

LETTRE 124

USBEK À RHÉDI

À Venise

Quel peut être le motif de ces libéralités immenses que les princes versent sur leurs courtisans ? Veulent-ils se les attacher ? ils leur sont déjà acquis autant qu'ils peuvent l'être. Et, d'ailleurs, s'ils acquièrent quelques-uns de leurs sujets en les achetant, il faut bien, par la même raison, qu'ils en perdent une infinité d'autres en les appauvrissant.

Quand je pense à la situation des princes, toujours entourés d'hommes avides et insatiables, je ne puis que les plaindre : et je les plains encore davantage, lorsqu'ils n'ont pas la force de résister à des demandes toujours onéreuses à ceux qui ne demandent rien.

Je n'entends jamais parler de leurs libéralités, des grâces et des pensions qu'ils accordent, que je ne me livre à mille réflexions : une foule d'idées se présente à mon esprit : il me semble que j'entends publier cette ordonnance :

« Le courage infatigable de quelques-uns de nos sujets à nous demander des pensions, ayant exercé sans relâche notre magnificence royale, nous avons enfin cédé à la multitude des requêtes qu'ils nous ont présentées, lesquelles ont fait jusqu'ici la plus grande sollicitude du trône. Ils nous ont représenté qu'ils n'ont point manqué, depuis notre avènement à la couronne, de se trouver à notre lever ; que nous les avons toujours vus sur notre passage immobiles comme des bornes ; et qu'ils se sont extrêmement élevés pour regarder, sur les épaules les plus hautes, notre séré-

nité. Nous avons même reçu plusieurs requêtes de la part de quelques personnes du beau sexe, qui nous ont supplié de faire attention qu'il est notoire qu'elles sont d'un entretien très difficile : quelques-unes même très surannées nous ont prié, branlant la tête, de faire attention qu'elles ont fait l'ornement de la cour des rois nos prédécesseurs ; et que, si les généraux de leurs armées ont rendu l'État redoutable par leurs faits militaires, elles n'ont point rendu la cour moins célèbre par leurs intrigues. Ainsi, désirant traiter les suppliants avec bonté, et leur accorder toutes leurs prières, nous avons ordonné ce qui suit :

» Que tout laboureur, ayant cinq enfants, retranchera journellement la cinquième partie du pain qu'il leur donne. Enjoignons aux pères de famille de faire la diminution, sur chacun d'eux, aussi juste que faire se pourra.

» Défendons expressément à tous ceux qui s'appliquent à la culture de leurs héritages, ou qui les ont donnés à titre de ferme, d'y faire aucune réparation, de quelque espèce qu'elle soit.

» Ordonnons que toutes personnes qui s'exercent à des travaux vils et mécaniques, lesquelles n'ont jamais été au lever de notre majesté, n'achètent désormais d'habits, à eux, à leurs femmes, et à leurs enfants, que de quatre ans en quatre ans : leur interdisons, en outre, très étroitement, ces petites réjouissances qu'ils avaient coutume de faire dans leurs familles les principales fêtes de l'année.

» Et, d'autant que nous demeurons avertis que la plupart des bourgeois de nos bonnes villes sont entièrement occupés à pourvoir à l'établissement de leurs filles, lesquelles ne se sont rendues recommandables, dans notre État, que par une triste et ennuyeuse modestie ; nous ordonnons qu'ils attendront à les marier, jusqu'à ce qu'ayant atteint l'âge limité par les ordonnances, elles viennent à les

y contraindre. Défendons à nos magistrats de pourvoir à l'éducation de leurs enfants. »

De Paris,
le premier de la lune de Chalval 1718.

LETTRE 125

RICA À ***

On est bien embarrassé dans toutes les religions, quand il s'agit de donner une idée des plaisirs qui sont destinés à ceux qui ont bien vécu. On épouvante facilement les méchants par une longue suite de peines, dont on les menace : mais, pour les gens vertueux, on ne sait que leur promettre. Il semble que la nature des plaisirs soit d'être d'une courte durée ; l'imagination a peine à en représenter d'autres.

J'ai vu des descriptions du paradis, capables d'y faire renoncer tous les gens de bon sens : les uns font jouer sans cesse de la flûte ces ombres heureuses ; d'autres les condamnent au supplice de se promener éternellement ; d'autres enfin, qui les font rêver là-haut aux maîtresses d'ici bas, n'ont pas cru que cent millions d'années fussent un terme assez long, pour leur ôter le goût de ces inquiétudes amoureuses.

Je me souviens, à ce propos, d'une histoire que j'ai ouï raconter à un homme qui avait été dans le pays du Mogol ; elle fait voir que les prêtres indiens ne sont pas moins stériles que les autres, dans les idées qu'ils ont des plaisirs du paradis.

Une femme, qui venait de perdre son mari, vint en cérémonie chez le gouverneur de la ville lui demander la permission de se brûler : mais comme, dans les pays soumis

aux Mahométans, on abolit, tant qu'on peut, cette cruelle coutume, il la refusa absolument.

Lorsqu'elle vit ses prières impuissantes, elle se jeta dans un furieux emportement. « Voyez, disait-elle, comme on est gêné ! Il ne sera seulement pas permis à une pauvre femme de se brûler, quand elle en a envie ! A-t-on jamais vu rien de pareil ? Ma mère, ma tante, mes sœurs se sont bien brûlées. Et, quand je vais demander permission à ce maudit gouverneur, il se fâche, et se met à crier comme un enragé. »

Il se trouva là par hasard un jeune bonze : « Homme infidèle, lui dit le gouverneur, est-ce toi qui as mis cette fureur dans l'esprit de cette femme ? — Non, dit-il, je ne lui ai jamais parlé : mais, si elle m'en croit, elle consommera son sacrifice ; elle fera une action agréable au dieu Brama : aussi en sera-t-elle bien récompensée ; car elle retrouvera, dans l'autre monde, son mari, et elle recommencera avec lui un second mariage. — Que dites-vous ? dit la femme surprise. Je retrouverai mon mari ? Ah ! je ne me brûle pas. Il était jaloux, chagrin, et d'ailleurs si vieux, que, si le dieu Brama n'a point fait sur lui quelque réforme, sûrement il n'a pas besoin de moi. Me brûler pour lui !… pas seulement le bout du doigt pour le retirer du fond des enfers. Deux vieux bonzes, qui me séduisaient, et qui savaient de quelle manière je vivais avec lui, n'avaient garde de me tout dire : mais, si le dieu Brama n'a que ce présent à me faire, je renonce à cette béatitude. Monsieur le gouverneur, je me fais mahométane. Et pour vous, dit-elle en regardant le bonze, vous pouvez, si vous voulez, aller dire à mon mari que je me porte fort bien. »

De Paris,
le 2 de la lune de Chalval 1718.

LETTRE 126

RICA À USBEK

À ***

Je t'attends ici demain : cependant je t'envoie tes lettres d'Ispahan. Les miennes portent que l'ambassadeur du grand Mogol a reçu ordre de sortir du royaume. On ajoute qu'on a fait arrêter le prince, oncle du roi, qui est chargé de son éducation ; qu'on l'a fait conduire dans un château, où il est très étroitement gardé ; et qu'on l'a privé de tous ses honneurs[1]. Je suis touché du sort de ce prince, et je le plains.

Je te l'avoue, Usbek, je n'ai jamais vu couler les larmes de personne, sans en être attendri : je sens de l'humanité pour les malheureux, comme s'il n'y avait qu'eux qui fussent hommes : et les grands même, pour lesquels je trouve dans mon cœur de la dureté quand ils sont élevés, je les aime sitôt qu'ils tombent.

En effet, qu'ont-ils affaire dans la prospérité d'une inutile tendresse ? elle approche trop de l'égalité. Ils aiment bien mieux du respect, qui ne demande point de retour. Mais, sitôt qu'ils sont déchus de leur grandeur, il n'y a que nos plaintes qui puissent leur en rappeler l'idée.

Je trouve quelque chose de bien naïf, et même de bien grand, dans les paroles d'un prince[2], qui, prêt de tomber entre les mains de ses ennemis, voyant ses courtisans

1. Allusion au complot en 1718 contre le régent par l'ambassadeur du roi d'Espagne en France, le prince de Cellamare. Le duc du Maine, fils naturel de Louis XIV, et surintendant de l'éducation de Louis XV, avait trempé dans cette conspiration.
2. Darius, après sa défaite contre Alexandre le Grand.

autour de lui qui pleuraient : « Je sens, leur dit-il, à vos larmes, que je suis encore votre roi. »

De Paris,
le 3 de la lune de Chalval 1718.

LETTRE 127

RICA À IBBEN

À Smyrne

Tu as ouï[1] parler mille fois du fameux roi de Suède : il assiégeait une place, dans un royaume qu'on nomme la Norvège : comme il visitait la tranchée, seul avec un ingénieur, il a reçu un coup dans la tête dont il est mort. On a fait sur-le-champ arrêter son premier ministre : les états se sont assemblés, et l'ont condamné à perdre la tête[2].

Il était accusé d'un grand crime : c'était d'avoir calomnié la nation, et de lui avoir fait perdre la confiance de son roi : forfait qui, selon moi, mérite mille morts.

Car enfin, si c'est une mauvaise action de noircir dans l'esprit du prince le dernier de ses sujets ; qu'est-ce, lorsque l'on noircit la nation entière, et qu'on lui ôte la bienveillance de celui que la Providence a établi pour faire son bonheur ?

Je voudrais que les hommes parlassent aux rois, comme les anges parlent à notre saint prophète.

Tu sais que, dans les banquets sacrés, où le seigneur des seigneurs descend du plus sublime trône du monde, pour se communiquer à ses esclaves, je me suis fait une loi

1. Entendu.
2. Le baron Henri de Goerz fut exécuté au début de 1719, après la mort de Charles XII, roi de Suède, tué lors du siège de Fredrikshald, en novembre 1718.

sévère de captiver une langue indocile : on ne m'a jamais vu abandonner une seule parole qui pût être amère au dernier de ses sujets. Quand il m'a fallu cesser d'être sobre, je n'ai point cessé d'être honnête homme ; et, dans cette épreuve de notre fidélité, j'ai risqué ma vie, et jamais ma vertu.

Je ne sais comment il arrive qu'il n'y a presque jamais de prince si méchant, que son ministre ne le soit encore davantage ; s'il fait quelque action mauvaise, elle a presque toujours été suggérée : de manière que l'ambition des princes n'est jamais si dangereuse, que la bassesse d'âme de ses conseillers. Mais comprends-tu qu'un homme, qui n'est que d'hier dans le ministère, qui peut-être n'y sera pas demain, puisse devenir dans un moment l'ennemi de lui-même, de sa famille, de sa patrie, et du peuple qui naîtra à jamais de celui qu'il va faire opprimer ?

Un prince a des passions ; le ministre les remue : c'est de ce côté-là qu'il dirige son ministère : il n'a point d'autre but, ni n'en veut connaître. Les courtisans le séduisent par leurs louanges ; et lui le flatte plus dangereusement par ses conseils, par les desseins qu'il lui inspire, et par les maximes qu'il lui propose.

De Paris,
le 25 de la lune de Saphar 1719.

LETTRE 128

RICA À USBEK

À ***

Je passais l'autre jour sur le Pont-Neuf, avec un de mes amis : il rencontra un homme de sa connaissance, qu'il me dit être un géomètre ; et il n'y avait rien qui n'y parût : car il

était dans une rêverie profonde ; il fallut que mon ami le tirât longtemps par la manche, et le secouât pour le faire descendre jusqu'à lui ; tant il était occupé d'une courbe, qui le tourmentait peut-être depuis plus de huit jours. Ils se firent tous deux beaucoup d'honnêtetés, et s'apprirent réciproquement quelques nouvelles littéraires. Ces discours les menèrent jusque sur la porte d'un café, où j'entrai avec eux.

Je remarquai que notre géomètre y fut reçu de tout le monde avec empressement, et que les garçons du café en faisaient beaucoup plus de cas que de deux mousquetaires qui étaient dans un coin. Pour lui, il parut qu'il se trouvait dans un lieu agréable : car il dérida un peu son visage, et se mit à rire, comme s'il n'avait pas eu la moindre teinture de géométrie.

Cependant son esprit régulier toisait tout ce qui se disait dans la conversation. Il ressemblait à celui qui, dans un jardin, coupait avec son épée la tête des fleurs qui s'élevaient au-dessus des autres. Martyr de sa justesse, il était offensé d'une saillie[1], comme une vue délicate est offensée par une lumière trop vive. Rien pour lui n'était indifférent, pourvu qu'il fût vrai. Aussi la conversation était-elle singulière. Il était arrivé ce jour-là, de la campagne, avec un homme qui avait vu un château superbe, et des jardins magnifiques : et il n'avait vu lui, qu'un bâtiment de soixante pieds de long, sur trente-cinq de large ; et un bosquet barlong[2] de dix arpents : il aurait fort souhaité que les règles de la perspective eussent été tellement observées, que les allées des avenues eussent paru partout de même largeur ; et il aurait donné, pour cela, une méthode infaillible. Il parut fort satis-

1. Parole spirituelle.
2. Suivant la forme d'un quadrilatère irrégulier ayant deux côtés parallèles de longueur différente.

fait d'un cadran qu'il y avait démêlé, d'une structure fort singulière : et il s'échauffa fort contre un savant, qui était auprès de moi, qui malheureusement lui demanda si ce cadran marquait les heures babyloniennes[1]. Un nouvelliste parla du bombardement du château de Fontarabie[2] : et il nous donna soudain les propriétés de la ligne que les bombes avaient décrite en l'air ; et, charmé de savoir cela, il voulut en ignorer entièrement le succès. Un homme se plaignait d'avoir été ruiné l'hiver d'auparavant, par une inondation : « Ce que vous me dites là m'est fort agréable, dit alors le géomètre : je vois que je ne me suis pas trompé dans l'observation que j'ai faite ; et qu'il est au moins tombé, sur la terre, deux pouces d'eau plus que l'année passée. »

Un moment après, il sortit, et nous le suivîmes. Comme il allait assez vite, et qu'il négligeait de regarder devant lui, il fut rencontré directement par un autre homme : ils se choquèrent rudement ; et, de ce coup, ils rejaillirent chacun de leur côté, en raison réciproque de leur vitesse et de leurs masses. Quand ils furent un peu revenus de leur étourdissement, cet homme, portant la main sur le front, dit au géomètre : « Je suis bien aise que vous m'ayez heurté ; car j'ai une grande nouvelle à vous apprendre : je viens de donner mon Horace au public. — Comment ! dit le géomètre : il y a deux mille ans qu'il y est. — Vous ne m'entendez pas, reprit l'autre : c'est une traduction de cet ancien auteur, que je viens de mettre au jour : il y a vingt ans que je m'occupe à faire des traductions.

« Quoi ! monsieur ! dit le géomètre, il y a vingt ans que vous ne pensez pas ? Vous parlez pour les autres, et ils pensent pour vous ? — Monsieur, dit le savant, croyez-vous

1. Découpage horaire du lever au coucher du soleil, pratiqué sur les cadrans solaires et variable suivant les saisons.
2. Bourgade sur le golfe de Gascogne, lieu d'une bataille en 1719.

que je n'aie pas rendu un grand service au public, de lui rendre la lecture des bons auteurs familière ! — Je ne dis pas tout à fait cela : j'estime autant qu'un autre les sublimes génies que vous travestissez. Mais vous ne leur ressemblerez point ; car, si vous traduisez toujours, on ne vous traduira jamais.

« Les traductions sont comme ces monnaies de cuivre, qui ont bien la même valeur qu'une pièce d'or, et même sont d'un plus grand usage pour le peuple ; mais elles sont toujours faibles et d'un mauvais aloi.

« Vous voulez, dites-vous, faire renaître parmi nous ces illustres morts ; et j'avoue que vous leur donnez bien un corps : mais vous ne leur rendez pas la vie ; il y manque toujours un esprit pour les animer.

« Que ne vous appliquez-vous plutôt à la recherche de tant de belles vérités, qu'un calcul facile nous fait découvrir tous les jours ? » Après ce petit conseil, ils se séparèrent, je crois, très mécontents l'un de l'autre.

De Paris,
le dernier de la lune de Rebiab, 2, 1719.

LETTRE 129

USBEK À RHÉDI

À Venise

La plupart des législateurs ont été des hommes bornés, que le hasard a mis à la tête des autres, et qui n'ont presque consulté que leurs préjugés et leurs fantaisies.

Il semble qu'ils aient méconnu la grandeur et la dignité même de leur ouvrage : ils se sont amusés à faire des institutions puériles, avec lesquelles ils se sont, à la vérité,

conformés aux petits esprits, mais décrédités[1] auprès des gens de bon sens.

Ils se sont jetés dans des détails inutiles ; ils ont donné dans les cas particuliers : ce qui marque un génie étroit, qui ne voit les choses que par parties, et n'embrasse rien d'une vue générale.

Quelques-uns ont affecté de se servir d'une autre langue que la vulgaire ; chose absurde pour un faiseur de lois : comment peut-on les observer, si elles ne sont pas connues ?

Ils ont souvent aboli sans nécessité celles qu'ils ont trouvées établies ; c'est-à-dire qu'ils ont jeté les peuples dans les désordres inséparables des changements.

Il est vrai que, par une bizarrerie qui vient plutôt de la nature que de l'esprit des hommes, il est quelquefois nécessaire de changer certaines lois. Mais le cas est rare ; et, lorsqu'il arrive, il n'y faut toucher que d'une main tremblante : on y doit observer tant de solennités, et apporter tant de précautions, que le peuple en conclue naturellement que les lois sont bien saintes, puisqu'il faut tant de formalités pour les abroger.

Souvent ils les ont faites trop subtiles, et ont suivi des idées logiciennes, plutôt que l'équité naturelle. Dans la suite, elles ont été trouvées trop dures ; et, par un esprit d'équité, on a cru devoir s'en écarter : mais ce remède était un nouveau mal. Quelles que soient les lois, il faut toujours les suivre, et les regarder comme la conscience publique, à laquelle celle des particuliers doit se conformer toujours.

Il faut pourtant avouer que quelques-uns d'entre eux ont eu une attention qui marque beaucoup de sagesse ; c'est qu'ils ont donné aux pères une grande autorité sur leurs enfants. Rien ne soulage plus les magistrats ; rien ne dégarnit plus les tribunaux ; rien enfin ne répand plus de tran-

1. Discrédités.

quillité dans un État, où les mœurs font toujours de meilleurs citoyens que les lois.

C'est, de toutes les puissances, celle dont on abuse le moins : c'est la plus sacrée de toutes les magistratures ; c'est la seule qui ne dépend pas des conventions, et qui les a même précédées.

On remarque que, dans les pays où l'on met dans les mains paternelles plus de récompenses et de punitions, les familles sont mieux réglées : les pères sont l'image du créateur de l'univers, qui, quoiqu'il puisse conduire les hommes par son amour, ne laisse pas de se les attacher encore par les motifs de l'espérance et de la crainte.

Je ne finirai pas cette lettre sans te faire remarquer la bizarrerie de l'esprit des Français. On dit qu'ils ont retenu, des lois romaines, un nombre infini de choses inutiles, et même pis ; et ils n'ont pas pris d'elles la puissance paternelle, qu'elles ont établie comme la première autorité légitime.

De Paris,
le 4 de la lune de Gemmadi, 2, 1719.

LETTRE 130

RICA À ***

Je te parlerai, dans cette lettre, d'une certaine nation qu'on appelle les nouvellistes, qui s'assemblent dans un jardin magnifique, où leur oisiveté est toujours occupée[1]. Ils

1. Ce *jardin* où se réunissent les nouvellistes est celui des Tuileries. Le *nouvelliste* aime savoir et débiter des nouvelles. Le plus souvent, il les diffuse périodiquement sous forme manuscrite : c'est ce que l'on appelle les « nouvelles à la main ».

sont très inutiles à l'État ; et leurs discours de cinquante ans n'ont pas un effet différent de celui qu'aurait pu produire un silence aussi long : cependant ils se croient considérables, parce qu'ils s'entretiennent de projets magnifiques, et traitent de grands intérêts.

La base de leurs conversations est une curiosité frivole et ridicule : il n'y a point de cabinet si mystérieux, qu'ils ne prétendent pénétrer ; ils ne sauraient consentir à ignorer quelque chose ; ils savent combien notre auguste sultan a de femmes, combien il fait d'enfants toutes les années, et, quoiqu'ils ne fassent aucune dépense en espions, ils sont instruits des mesures qu'il prend pour humilier l'empereur des Turcs et celui des Mogols.

À peine ont-ils épuisé le présent, qu'ils se précipitent dans l'avenir ; et, marchant au-devant de la Providence ils la préviennent[1] sur toutes les démarches des hommes. Ils conduisent un général par la main ; et, après l'avoir loué de mille sottises qu'il n'a pas faites, ils lui en préparent mille autres qu'il ne fera pas.

Ils font voler les armées comme les grues, et tomber les murailles comme des cartons : ils ont des ponts sur toutes les rivières, des routes secrètes dans toutes les montagnes, des magasins immenses dans les sables brûlants : il ne leur manque que le bon sens.

Il y a un homme, avec qui je loge, qui reçut cette lettre d'un nouvelliste : comme elle m'a paru singulière, je la gardai ; la voici.

Monsieur,

Je me trompe rarement dans mes conjectures sur les affaires du temps. Le premier janvier 1711, je prédis que l'empereur

1. Précédent.

Joseph mourrait dans le cours de l'année : il est vrai que, comme il se portait fort bien, je crus que je me ferais moquer de moi, si je m'expliquais d'une manière bien claire ; ce qui fit que je me servis de termes un peu énigmatiques : mais les gens qui savent raisonner m'entendirent bien. Le 17 avril de la même année, il mourut de la petite vérole.

Dès que la guerre fut déclarée entre l'empereur et les Turcs, j'allai chercher nos messieurs dans tous les coins des Tuileries ; je les assemblai près du bassin, et leur prédis qu'on ferait le siège de Belgrade, et qu'il serait pris. J'ai été assez heureux pour que ma prédiction ait été accomplie. Il est vrai que, vers le milieu du siège, je pariai cent pistoles qu'il serait pris le 18 août* ; il ne fut pris que le lendemain : peut-on perdre à si beau jeu ?

Lorsque je vis que la flotte d'Espagne débarquait en Sardaigne, je jugeai qu'elle en ferait la conquête : je le dis, et cela se trouva vrai. Enflé de ce succès, j'ajoutai que cette flotte victorieuse irait débarquer à Final, pour faire la conquête du Milanais. Comme je trouvai de la résistance à faire recevoir cette idée, je voulus la soutenir glorieusement : je pariai cinquante pistoles, et je les perdis encore : car ce diable d'Alberoni, malgré la foi des traités, envoya sa flotte en Sicile et trompa tout à la fois deux grands politiques, le duc de Savoie et moi.

Tout cela, monsieur, me déroute si fort, que j'ai résolu de prédire toujours, et de ne parier jamais. Autrefois, nous ne connaissions point aux Tuileries l'usage des paris, et feu monsieur le comte de L.[1] ne les souffrait guère : mais, depuis qu'une troupe de petits-maîtres s'est mêlée parmi nous, nous ne savons plus où nous en sommes. À peine ouvrons-nous la bouche pour dire une nouvelle, qu'un de ces jeunes gens propose de parier contre.

L'autre jour, comme j'ouvrais mon manuscrit, et accommodais

* 1717.
1. Le comte de Lionne (mort en 1716) qui bénéficiait d'un réseau de correspondants étrangers.

mes lunettes sur mon nez, un de ces fanfarons, saisissant juste-
ment l'intervalle du premier mot au second, me dit : « Je parie
cent pistoles que non. » Je fis semblant de n'avoir pas fait d'at-
tention à cette extravagance ; et, reprenant la parole d'une voix
plus forte, je dis : « Monsieur le maréchal de *** ayant appris…
— Cela est faux, me dit-il : vous avez toujours des nouvelles
extravagantes ; il n'y a pas le sens commun à tout cela. » Je vous
prie, monsieur, de me faire le plaisir de me prêter trente pis-
toles ; car je vous avoue que ces paris m'ont fort dérangé. Je vous
envoie la copie de deux lettres que j'ai écrites au ministre. Je
suis, etc.

Lettres d'un nouvelliste au ministre.

Monseigneur,

Je suis le sujet le plus zélé que le roi ait jamais eu. C'est moi
qui obligeai un de mes amis d'exécuter le projet que j'avais
formé d'un livre, pour démontrer que Louis le grand était le plus
grand de tous les princes qui ont mérité le nom de grand. Je tra-
vaille depuis longtemps à un autre ouvrage, qui fera encore plus
d'honneur à notre nation, si votre grandeur veut m'accorder un
privilège : mon dessein est de prouver que, depuis le commence-
ment de la monarchie, les Français n'ont jamais été battus ; et
que ce que les historiens ont dit jusqu'ici de nos désavantages,
sont de véritables impostures. Je suis obligé de les redresser en
bien des occasions ; et j'ose me flatter que je brille surtout dans
la critique. Je suis, monseigneur, etc.

Monseigneur,

Depuis la perte que nous avons faite de monsieur le comte
de L, nous vous supplions d'avoir la bonté de nous permettre
d'élire un président. Le désordre se met dans nos conférences ;
et les affaires d'État n'y sont pas traitées avec la même discus-

*sion que par le passé : nos jeunes gens vivent absolument sans
égard pour les anciens et entre eux sans discipline : c'est le véritable conseil de Roboam[1], où les jeunes imposent aux vieillards.
Nous avons beau leur représenter que nous étions paisibles possesseurs des Tuileries vingt ans avant qu'ils fussent au monde : je
crois qu'ils nous en chasseront à la fin ; et qu'obligés de quitter
ces lieux, où nous avons tant de fois évoqué les ombres de nos
héros français, il faudra que nous allions tenir nos conférences
au jardin du roi[2], ou dans quelque lieu plus écarté. Je suis...*

*De Paris,
le 7 de la lune de Gemmadi, 2, 1719.*

LETTRE 131

RHÉDI À RICA

À Paris

Une des choses qui a le plus exercé ma curiosité en arrivant en Europe, c'est l'histoire et l'origine des républiques.
Tu sais que la plupart des Asiatiques n'ont pas seulement
d'idée de cette sorte de gouvernement, et que l'imagination
ne les a pas servis jusqu'à leur faire comprendre qu'il puisse
y en avoir sur la terre d'autre que le despotique.

Les premiers gouvernements que nous connaissons étaient
monarchiques : ce ne fut que par hasard, et par la succession des siècles, que les républiques se formèrent.

La Grèce ayant été abîmée par un déluge, de nouveaux
habitants vinrent la peupler : elle tira presque toutes ses

1. Fils de Salomon, réputé pour sa dureté. Voir la Bible, I Rois,
XII, 8.
2. C'est aujourd'hui le Jardin des Plantes.

colonies d'Égypte, et des contrées de l'Asie les plus voisines : et, comme ces pays étaient gouvernés par des rois, les peuples qui en sortirent furent gouvernés de même. Mais la tyrannie de ces princes devenant trop pesante, on secoua le joug ; et, du débris de tant de royaumes, s'élevèrent ces républiques, qui firent si fort fleurir la Grèce, seule polie au milieu des barbares.

L'amour de la liberté, la haine des rois, conserva longtemps la Grèce dans l'indépendance, et étendit au loin le gouvernement républicain. Les villes grecques trouvèrent des alliées dans l'Asie mineure : elles y envoyèrent des colonies aussi libres qu'elles, qui leur servirent de remparts contre les entreprises des rois de Perse. Ce n'est pas tout : la Grèce peupla l'Italie ; l'Italie, l'Espagne, et peut-être les Gaules. On sait que cette grande Hespérie, si fameuse chez les anciens, était au commencement la Grèce, que ses voisins regardaient comme un séjour de félicité : les Grecs, qui ne trouvaient point chez eux ce pays heureux, l'allèrent chercher en Italie ; ceux d'Italie, en Espagne ; ceux d'Espagne, dans la Bétique[1] ou le Portugal : de manière que toutes ces régions portèrent ce nom chez les anciens. Ces colonies grecques apportèrent avec elles un esprit de liberté, qu'elles avaient pris dans ce doux pays. Ainsi on ne voit guère, dans ces temps reculés, de monarchie dans l'Italie, l'Espagne, les Gaules. Tu verras bientôt que les peuples du nord et d'Allemagne n'étaient pas moins libres : et, si l'on trouve des vestiges de quelque royauté parmi eux, c'est qu'on a pris pour des rois les chefs des armées ou des républiques.

Tout ceci se passait en Europe : car, pour l'Asie et l'Afrique, elles ont toujours été accablées sous le despo-

1. C'est l'ancienne dénomination des provinces de Grenade et d'Andalousie.

tisme, si vous en exceptez quelques villes de l'Asie mineure dont nous avons parlé, et la république de Carthage en Afrique.

Le monde fut partagé entre deux puissantes républiques, celle de Rome et celle de Carthage : il n'y a rien de si connu que les commencements de la république romaine, et rien qui le soit si peu que l'origine de Carthage. On ignore absolument la suite des princes africains depuis Didon[1], et comment ils perdirent leur puissance. C'eût été un grand bonheur pour le monde que l'agrandissement prodigieux de la république romaine, s'il n'y avait pas eu cette différence injuste, entre les citoyens romains et les peuples vaincus ; si l'on avait donné aux gouverneurs des provinces une autorité moins grande ; si les lois si saintes, pour empêcher leur tyrannie, avaient été observées ; et s'ils ne s'étaient pas servis, pour les faire taire, des mêmes trésors que leur injustice avait amassés.

César opprima la république romaine, et la soumit à un pouvoir arbitraire.

L'Europe gémit longtemps sous un gouvernement militaire et violent ; et la douceur romaine fut changée en une cruelle oppression.

Cependant une infinité de nations inconnues sortirent du nord, se répandirent comme des torrents dans les provinces romaines ; et, trouvant autant de facilité à faire des conquêtes qu'à exercer leurs pirateries, elles démembrèrent l'empire, et fondèrent des royaumes. Ces peuples étaient libres ; et ils bornaient si fort l'autorité de leurs rois, qu'ils n'étaient proprement que des chefs ou des généraux. Ainsi ces royaumes, quoique fondés par la force, ne sentirent point le joug du vainqueur. Lorsque les peuples d'Asie,

1. D'après Virgile (*Énéide*), fondatrice légendaire de Carthage.

comme les Turcs et les Tartares, firent des conquêtes, soumis à la volonté d'un seul, ils ne songèrent qu'à lui donner de nouveaux sujets, et à établir, par les armes, son autorité violente : mais les peuples du nord, libres dans leur pays, s'emparant des provinces romaines, ne donnèrent point à leurs chefs une grande autorité. Quelques-uns même de ces peuples, comme les Vandales en Afrique, les Goths en Espagne, déposaient leurs rois dès qu'ils n'en étaient pas satisfaits : et, chez les autres, l'autorité du prince était bornée de mille manières différentes : un grand nombre de seigneurs la partageaient avec lui ; les guerres n'étaient entreprises que de leur consentement : les dépouilles étaient partagées entre le chef et les soldats ; aucun impôt en faveur du prince ; les lois étaient faites dans les assemblées de la nation. Voilà le principe fondamental de tous ces états, qui se formèrent des débris de l'Empire romain.

De Venise,
le 20 de la lune de Rhegeb 1719.

LETTRE 132

RICA À ***

Je fus, il y a cinq ou six mois, dans un café : j'y remarquai un gentilhomme assez bien mis, qui se faisait écouter : il parlait du plaisir qu'il y avait de vivre à Paris ; il déplorait sa situation d'être obligé d'aller languir dans la province. « J'ai, dit-il, quinze mille livres de rentes en fonds de terre ; et je me croirais plus heureux, si j'avais le quart de ce bien-là en argent et en effets portables partout. J'ai beau presser mes fermiers, et les accabler de frais de justice ; je ne fais que les rendre plus insolvables : je n'ai jamais pu voir cent pistoles à

la fois. Si je devais dix mille francs, on me ferait saisir toutes
mes terres, et je serais à l'hôpital[1]. »

Je sortis sans avoir fait grande attention à tout ce dis-
cours : mais, me trouvant hier dans ce quartier, j'entrai dans
la même maison ; et j'y vis un homme grave, d'un visage pâle
et allongé, qui, au milieu de cinq ou six discoureurs, parais-
sait morne et pensif, jusques à ce que, prenant brusque-
ment la parole : « Oui, messieurs, dit-il en haussant la voix,
je suis ruiné ; je n'ai plus de quoi vivre : car j'ai actuellement
chez moi deux cent mille livres de billets de banque, et cent
mille écus d'argent : je me trouve dans une situation affreuse ;
je me suis cru riche, et me voilà à l'hôpital. Au moins, si
j'avais seulement une petite terre où je pusse me retirer,
je serais sûr d'avoir de quoi vivre ; mais je n'ai pas grand
comme ce chapeau de fonds de terre. »

Je tournai, par hasard, la tête d'un autre côté ; et je vis un
autre homme qui faisait des grimaces de possédé. « À qui se
fier désormais ? s'écriait-il. Il y a un traître, que je croyais si
fort de mes amis, que je lui avais prêté mon argent : et il me
l'a rendu ! quelle perfidie horrible ! Il a beau faire ; dans mon
esprit, il sera toujours déshonoré. »

Tout près de là, était un homme très mal vêtu, qui, éle-
vant les yeux au ciel, disait : « Dieu bénisse les projets de
nos ministres ! puissé-je voir les actions à deux mille, et
tous les laquais de Paris plus riches que leurs maîtres ! »
J'eus la curiosité de demander son nom. « C'est un homme
extrêmement pauvre, me dit-on ; aussi a-t-il un pauvre
métier : il est généalogiste ; et il espère que son art rendra[2],
si les fortunes continuent ; et que tous ces nouveaux riches
auront besoin de lui, pour réformer leur nom, décrasser
leurs ancêtres, et orner leurs carrosses : il s'imagine qu'il va

1. Hospice.
2. Rapportera (de l'argent).

faire autant de gens de qualité qu'il voudra; et il tressaillit de joie, de voir multiplier ses pratiques. »

Enfin, je vis entrer un vieillard pâle et sec, que je reconnus pour nouvelliste, avant qu'il se fût assis: il n'était pas du nombre de ceux qui ont une assurance victorieuse contre tous les revers, et présagent toujours les victoires et les trophées; c'était, au contraire, un de ces trembleurs, qui n'ont que des nouvelles tristes. « Les affaires vont bien mal du côté d'Espagne, dit-il: nous n'avons point de cavalerie sur la frontière; et il est à craindre que le prince Pio, qui en a un gros corps, ne fasse contribuer tout le Languedoc. » Il y avait, vis-à-vis de moi, un philosophe assez mal en ordre, qui prenait le nouvelliste en pitié, et haussait les épaules, à mesure que l'autre haussait la voix. Je m'approchai de lui, et il me dit à l'oreille: « Vous voyez que ce fat nous entretient, il y a une heure, de sa frayeur pour le Languedoc: et moi, j'aperçus hier au soir une tache dans le soleil, qui, si elle augmentait, pourrait faire tomber toute la nature en engourdissement; et je n'ai pas dit un seul mot. »

<div align="right">

De Paris,
le 17 de la lune de Rhamazan 1719.

</div>

LETTRE 133

RICA À ***

J'allai, l'autre jour, voir une grande bibliothèque dans un couvent de dervis[1], qui en sont comme les dépositaires, mais qui sont obligés d'y laisser entrer tout le monde à certaines heures.

1. Il s'agit sans doute de la bibliothèque de l'abbaye de Saint-Victor, publique depuis 1707.

En entrant, je vis un homme grave, qui se promenait au milieu d'un nombre innombrable de volumes qui l'entouraient. J'allai à lui, et le priai de me dire quels étaient quelques-uns de ces livres, que je voyais mieux reliés que les autres. «Monsieur, me dit-il, j'habite ici une terre étrangère; je n'y connais personne. Bien des gens me font de pareilles questions; mais vous voyez bien que je n'irai pas lire tous ces livres pour les satisfaire: j'ai mon bibliothécaire qui vous donnera satisfaction; car il s'occupe nuit et jour à déchiffrer tout ce que vous voyez là: c'est un homme qui n'est bon à rien, et qui nous est très à charge, parce qu'il ne travaille point pour le couvent. Mais j'entends l'heure du réfectoire qui sonne. Ceux qui, comme moi, sont à la tête d'une communauté, doivent être les premiers à tous les exercices.» En disant cela, le moine me poussa dehors, ferma la porte; et, comme s'il eût volé, disparut à mes yeux.

De Paris,
le 21 de la lune de Rhamazan 1719.

LETTRE 134

RICA AU MÊME

Je retournai le lendemain à cette bibliothèque, où je trouvai tout un autre homme que celui que j'avais vu la première fois. Son air était simple, sa physionomie spirituelle, et son abord très affable. Dès que je lui eus fait connaître ma curiosité, il se mit en devoir de la satisfaire, et même, en qualité d'étranger, de m'instruire.

«Mon père, lui dis-je, quels sont ces gros volumes qui tiennent tout ce côté de bibliothèque? — Ce sont, me dit-il, les interprètes de l'Écriture. — Il y en a un grand

nombre! lui repartis-je : il faut que l'Écriture fût bien obscure autrefois, et bien claire à présent. Reste-t-il encore quelques doutes ? Peut-il y avoir des points contestés ? — S'il y en a, bon Dieu ! s'il y en a ! me répondit-il. Il y en a presque autant que de lignes. — Oui, lui dis-je ? Et qu'ont donc fait tous ces auteurs ? — Ces auteurs, me repartit-il, n'ont point cherché dans l'Écriture ce qu'il faut croire, mais ce qu'ils croient eux-mêmes ; ils ne l'ont point regardée comme un livre où étaient contenus les dogmes qu'ils devaient recevoir, mais comme un ouvrage qui pourrait donner de l'autorité à leurs propres idées : c'est pour cela qu'ils en ont corrompu tous les sens, et ont donné la torture à tous les passages. C'est un pays où les hommes de toutes les sectes font des descentes, et vont comme au pillage ; c'est un champ de bataille où les nations ennemies qui se rencontrent livrent bien des combats, où l'on s'attaque, où l'on s'escarmouche de bien des manières.

« Tout près de là, vous voyez les livres ascétiques ou de dévotion ; ensuite, les livres de morale, bien plus utiles ; ceux de théologie, doublement inintelligibles, et par la matière qui y est traitée, et par la manière de la traiter ; les ouvrages des mystiques, c'est-à-dire, des dévots qui ont le cœur tendre. — Ah, mon père ! lui dis-je : un moment ; n'allez pas si vite ; parlez-moi de ces mystiques. — Monsieur, dit-il, la dévotion échauffe un cœur disposé à la tendresse, et lui fait envoyer des esprits au cerveau qui l'échauffent de même, d'où naissent les extases et les ravissements. Cet état est le délire de la dévotion ; souvent il se perfectionne, ou plutôt dégénère en quiétisme[1] : vous savez qu'un quiétiste n'est autre chose qu'un homme fou, dévot et libertin.

1. Doctrine d'inspiration mystique, illustrée par Mme Guyon et défendue par Fénelon : il s'agit de s'abandonner totalement à la présence divine.

« Voyez les casuistes[1], qui mettent au jour les secrets de la nuit ; qui forment, dans leur imagination, tous les monstres que le démon d'amour peut produire, les rassemblent, les comparent, et en font l'objet éternel de leurs pensées ; heureux si leur cœur ne se met pas de la partie, et ne devient pas lui-même complice de tant d'égarements si naïvement décrits et si nûment peints !

« Vous voyez, monsieur, que je pense librement, et que je vous dis tout ce que je pense. Je suis naturellement naïf, et plus encore avec vous qui êtes un étranger, qui voulez savoir les choses, et les savoir telles qu'elles sont. Si je voulais, je ne vous parlerais de tout ceci qu'avec admiration ; je vous dirais sans cesse : "Cela est divin, cela est respectable ; il y a du merveilleux." Et il en arriverait, de deux choses l'une, ou que je vous tromperais, ou que je me déshonorerais dans votre esprit. »

Nous en restâmes là ; une affaire, qui survint au dervis, rompit notre conversation jusqu'au lendemain.

De Paris,
le 23 de la lune de Rhamazan 1719.

LETTRE 135

RICA AU MÊME

Je revins à l'heure marquée ; et mon homme me mena précisément dans l'endroit où nous nous étions quittés. « Voici, me dit-il, les grammairiens, les glossateurs, et les commentateurs. — Mon père, lui dis-je, tous ces gens-là ne peuvent-ils pas se dispenser d'avoir du bon sens ? — Oui,

1. Théologiens spécialistes des cas de conscience.

dit-il, ils le peuvent; et même il n'y paraît pas : leurs ouvrages n'en sont pas plus mauvais; ce qui est très commode pour eux. — Cela est vrai, lui dis-je; et je connais bien des philosophes qui feraient bien de s'appliquer à ces sortes de sciences. »

« Voilà, poursuivit-il, les orateurs, qui ont le talent de persuader indépendamment des raisons; et, les géomètres, qui obligent un homme, malgré lui, d'être persuadé, et le convainquent avec tyrannie.

« Voici les livres de métaphysique, qui traitent de si grands intérêts, et dans lesquels l'infini se rencontre partout; les livres de physique, qui ne trouvent pas plus de merveilleux dans l'économie du vaste univers, que dans la machine la plus simple de nos artisans :

« Les livres de médecine; ces monuments de la fragilité de la nature et de la puissance de l'art; qui font trembler quand ils traitent des maladies même les plus légères, tant ils nous rendent la mort présente; mais qui nous mettent dans une sécurité entière, quand ils parlent de la vertu des remèdes, comme si nous étions devenus immortels.

« Tout près de là, sont les livres d'anatomie, qui contiennent bien moins la description des parties du corps humain, que les noms barbares qu'on leur a donnés; chose qui ne guérit, ni le malade de son mal, ni le médecin de son ignorance.

« Voici la chimie, qui habite, tantôt l'hôpital, et tantôt les petites-maisons [1], comme des demeures qui lui sont également propres.

« Voici les livres de science, ou plutôt d'ignorance occulte; tels sont ceux qui contiennent quelque espèce de diablerie : exécrables, selon la plupart des gens, pitoyables, selon moi. Tels sont encore les livres d'astrologie judiciaire. — Que

1. Asile d'aliénés.

dites-vous, mon père? Les livres d'astrologie judiciaire? repartis-je avec feu. Et ce sont ceux dont nous faisons le plus de cas en Perse : ils règlent toutes les actions de notre vie, et nous déterminent dans toutes nos entreprises : les astrologues sont proprement nos directeurs ; ils font plus, ils entrent dans le gouvernement de l'État. — Si cela est, me dit-il, vous vivez sous un joug bien plus dur que celui de la raison : voilà le plus étrange de tous les empires : je plains bien une famille, et encore plus une nation, qui se laisse si fort dominer par les planètes. — Nous nous servons, lui repartis-je, de l'astrologie, comme vous vous servez de l'algèbre. Chaque nation a sa science, selon laquelle elle règle sa politique. Tous les astrologues ensemble n'ont jamais fait tant de sottises en notre Perse, qu'un seul de vos algébristes en a fait ici[1]. Croyez-vous que le concours fortuit des astres ne soit pas une règle aussi sûre que les beaux raisonnements de votre faiseur de système ? Si l'on comptait les voix là-dessus en France et en Perse, ce serait un beau sujet de triomphe pour l'astrologie ; vous verriez les calculateurs bien humiliés : quel accablant corollaire n'en pourrait-on pas tirer contre eux ? »

Notre dispute[2] fut interrompue, et il fallut nous quitter.

De Paris,
le 26 de la lune de Rhamazan 1719.

LETTRE 136

RICA AU MÊME

Dans l'entrevue suivante, mon savant me mena dans un cabinet particulier. « Voici les livres d'histoire moderne, me

1. Allusion à John Law.
2. Échange d'arguments.

dit-il. Voyez, premièrement, les historiens de l'Église et des papes ; livres que je lis pour m'édifier, et qui font souvent en moi un effet tout contraire.

« Là, ce sont ceux qui ont écrit de la décadence du formidable empire romain, qui s'était formé du débris de tant de monarchies, et sur la chute duquel il s'en forma aussi tant de nouvelles. Un nombre infini de peuples barbares, aussi inconnus que les pays qu'ils habitaient, parurent tout à coup, l'inondèrent, le ravagèrent, le dépecèrent, et fondèrent tous les royaumes que vous voyez à présent en Europe. Ces peuples n'étaient point proprement barbares, puisqu'ils étaient libres : mais ils le sont devenus, depuis que, soumis pour la plupart à une puissance absolue, ils ont perdu cette douce liberté, si conforme à la raison, à l'humanité et à la nature.

« Vous voyez ici les historiens de l'empire d'Allemagne, qui n'est qu'une ombre du premier empire ; mais qui est, je crois, la seule puissance qui soit sur la terre que la division n'a point affaiblie ; la seule, je crois encore, qui se fortifie à mesure de ses pertes ; et qui, lente à profiter des succès, devient indomptable par ses défaites.

« Voici les historiens de France, où l'on voit d'abord la puissance des rois se former, mourir deux fois, renaître de même, languir ensuite pendant plusieurs siècles ; mais, prenant insensiblement des forces, accrue de toutes parts, monter à son dernier période[1] : semblable à ces fleuves qui, dans leur course, perdent leurs eaux, ou se cachent sous terre ; puis, reparaissant de nouveau, grossis par les rivières qui s'y jettent, entraînent avec rapidité tout ce qui s'oppose à leur passage.

« Là, vous voyez la nation espagnole sortir de quelques montagnes : les princes mahométans subjugués aussi insensiblement qu'ils avaient rapidement conquis : tant de

1. Apogée, le plus haut point.

royaumes réunis dans une vaste monarchie, qui devint presque la seule ; jusqu'à ce qu'accablée de sa propre grandeur et de sa fausse opulence, elle perdit sa force et sa réputation même, et ne conserva que l'orgueil de sa première puissance.

« Ce sont ici les historiens d'Angleterre, où l'on voit la liberté sortir sans cesse des feux de la discorde et de la sédition ; le prince toujours chancelant sur un trône inébranlable ; une nation impatiente, sage dans sa fureur même ; et qui, maîtresse de la mer (chose inouïe jusqu'alors), mêle le commerce avec l'empire.

« Tout près de là, sont les historiens de cette autre reine de la mer, la république de Hollande, si respectée en Europe, et si formidable en Asie, où ses négociants voient tant de rois prosternés devant eux.

« Les historiens d'Italie vous représentent une nation autrefois maîtresse du monde, aujourd'hui esclave de toutes les autres ; ses princes divisés et faibles, et sans autre attribut de souveraineté, qu'une vaine politique.

« Voilà les historiens des républiques ; de la Suisse, qui est l'image de la liberté ; de Venise, qui n'a de ressources qu'en son économie ; et de Gênes, qui n'est superbe que par ses bâtiments.

« Voici ceux du nord, et entre autres de la Pologne, qui use si mal de sa liberté et du droit qu'elle a d'élire ses rois, qu'il semble qu'elle veuille consoler par là les peuples ses voisins, qui ont perdu l'un et l'autre. »

Là-dessus, nous nous séparâmes jusqu'au lendemain.

De Paris,
le 2 de la lune de Chalval 1719.

LETTRE 137

RICA AU MÊME

Le lendemain, il me mena dans un autre cabinet. « Ce sont ici les poètes, me dit-il ; c'est-à-dire, ces auteurs dont le métier est de mettre des entraves au bon sens, et d'accabler la raison sous les agréments, comme on ensevelissait autrefois les femmes sous leurs ornements et leurs parures. Vous les connaissez ; ils ne sont pas rares chez les orientaux, où le soleil plus ardent semble échauffer les imaginations mêmes.

« Voilà les poèmes épiques. — Hé, qu'est-ce que les poèmes épiques ? — En vérité, me dit-il, je n'en sais rien : les connaisseurs disent qu'on n'en a jamais fait que deux[1] ; et que les autres, qu'on donne sous ce nom, ne le sont point : c'est aussi ce que je ne sais pas. Ils disent, de plus, qu'il est impossible d'en faire de nouveaux ; et cela est encore plus surprenant.

« Voici les poètes dramatiques, qui, selon moi, sont les poètes par excellence, et les maîtres des passions. Il y en a de deux sortes ; les comiques, qui nous remuent si doucement, et les tragiques, qui nous troublent et nous agitent avec tant de violence.

« Voici les lyriques, que je méprise autant que j'estime les autres, et qui font de leur art une harmonieuse extravagance.

« On voit ensuite les auteurs des idylles et des églogues, qui plaisent, même aux gens de cour, par l'idée qu'ils leur donnent d'une certaine tranquillité qu'ils n'ont pas, et qu'ils leur montrent dans la condition des bergers.

1. L'*Iliade* et l'*Odyssée* d'Homère.

«De tous les auteurs que nous avons vus, voici les plus dangereux : ce sont ceux qui aiguisent les épigrammes, qui sont de petites flèches déliées, qui font une plaie profonde et inaccessible aux remèdes.

«Vous voyez ici les romans, dont les auteurs sont des espèces de poètes, et qui outrent également le langage de l'esprit et celui du cœur ; ils passent leur vie à chercher la nature, et la manquent toujours ; leurs héros y sont aussi étrangers que les dragons ailés et les hippocentaures. »

«J'ai vu, lui dis-je, quelques-uns de vos romans : et, si vous voyiez les nôtres, vous en seriez encore plus choqué. Ils sont aussi peu naturels, et d'ailleurs extrêmement gênés par nos mœurs : il faut dix années de passion, avant qu'un amant ait pu voir seulement le visage de sa maîtresse. Cependant les auteurs sont forcés de faire passer les lecteurs dans ces ennuyeux préliminaires. Or, il est impossible que les incidents soient variés : on a recours à un artifice pire que le mal même qu'on veut guérir ; c'est aux prodiges. Je suis sûr que vous ne trouverez pas bon qu'une magicienne fasse sortir une armée de dessous terre ; qu'un héros, lui seul, en détruise une de cent mille hommes. Cependant voilà nos romans : ces aventures froides, et souvent répétées, nous font languir ; et ces prodiges extravagants nous révoltent. »

De Paris,
le 6 de la lune de Chalval 1719.

LETTRE 138

RICA À IBBEN

À *Smyrne*

Les ministres se succèdent et se détruisent ici, comme les saisons : depuis trois ans, j'ai vu changer quatre fois de système sur les finances. On lève aujourd'hui les tributs en Turquie et en Perse, comme les levaient les fondateurs de ces empires : il s'en faut bien qu'il en soit ici de même. Il est vrai que nous n'y mettons pas tant d'esprit que les Occidentaux. Nous croyons qu'il n'y a pas plus de différence entre l'administration des revenus du prince et celle des biens d'un particulier, qu'il y en a entre compter cent mille tomans ou en compter cent : mais il y a ici bien plus de finesse et de mystère. Il faut que de grands génies travaillent nuit et jour ; qu'ils enfantent sans cesse, et avec douleur, de nouveaux projets ; qu'ils écoutent les avis d'une infinité de gens, qui travaillent pour eux sans en être priés ; qu'ils se retirent et vivent dans le fond d'un cabinet impénétrable aux grands, et sacré aux petits ; qu'ils aient toujours la tête remplie de secrets importants, de desseins miraculeux, de systèmes nouveaux ; et qu'absorbés dans les méditations, ils soient privés de l'usage de la parole, et quelquefois même de celui de la politesse.

Dès que le feu roi eut fermé les yeux, on pensa à établir une nouvelle administration. On sentait qu'on était mal ; mais on ne savait comment faire pour être mieux. On ne s'était pas bien trouvé de l'autorité sans bornes des ministres précédents ; on la voulut partager. On créa, pour cet effet, six ou sept conseils ; et ce ministère est peut-être celui de tous qui a gouverné la France avec plus de sens : la

durée en fut courte, aussi bien que celle du bien qu'elle produisit[1].

La France, à la mort du feu roi, était un corps accablé de mille maux : N***[2] prit le fer à la main, retrancha les chairs inutiles, et appliqua quelques remèdes topiques[3]. Mais il restait toujours un vice intérieur à guérir. Un étranger est venu, qui a entrepris cette cure[4] : après bien des remèdes violents, il a cru lui avoir rendu son embonpoint ; et, il l'a seulement rendue bouffie.

Tous ceux qui étaient riches il y a six mois sont à présent dans la pauvreté, et ceux qui n'avaient pas de pain regorgent de richesses. Jamais ces deux extrémités ne se sont touchées de si près. L'étranger a tourné l'État comme un fripier tourne un habit : il fait paraître dessus ce qui était dessous ; et ce qui était dessus, il le met à l'envers. Quelles fortunes inespérées, incroyables même à ceux qui les ont faites ! Dieu ne tire pas plus rapidement les hommes du néant. Que de valets servis par leurs camarades, et peut-être demain par leurs maîtres !

Tout ceci produit souvent des choses bizarres. Les laquais qui avaient fait fortune sous le règne passé, vantent aujourd'hui leur naissance : ils rendent, à ceux qui viennent de quitter leur livrée dans une certaine rue[5], tout le mépris qu'on avait pour eux il y a six mois : ils crient de toute leur force : « La noblesse est ruinée ; quel désordre dans l'État ! quelle confusion dans les rangs ! on ne voit que des inconnus faire fortune ! » Je te promets que ceux-ci prendront

1. Les sept conseils furent abolis en 1718.
2. Le duc de Noailles, à la tête du Conseil des finances jusqu'en 1718.
3. Cataplasmes ou emplâtres appliqués sur la plaie.
4. John Law était originaire d'Édimbourg en Écosse.
5. La rue Quincampoix où Law avait installé ses affaires et qui était devenue un haut lieu de spéculation. Par dérision, le peuple appelait Law « monsieur de Quincampoix ».

bien leur revanche sur ceux qui viendront après eux ; et que, dans trente ans, ces gens de qualité feront bien du bruit.

De Paris,
le 1 de la lune de Zilcadé 1720.

LETTRE 139
RICA AU MÊME

Voici un grand exemple de la tendresse conjugale, non seulement dans une femme, mais dans une reine. La reine de Suède voulant, à toute force, associer le prince son époux à la couronne, pour aplanir toutes les difficultés, a envoyé aux états une déclaration, par laquelle elle se désiste de la régence, en cas qu'il soit élu.

Il y a soixante et quelques années, qu'une autre reine, nommée Christine, abdiqua la couronne[1], pour se donner tout entière à la philosophie. Je ne sais lequel de ces deux exemples nous devons admirer davantage.

Quoique j'approuve assez que chacun se tienne ferme dans le poste où la nature l'a mis ; et que je ne puisse louer la faiblesse de ceux qui, se trouvant au-dessous de leur état, le quittent comme par une espèce de désertion ; je suis cependant frappé de la grandeur d'âme de ces deux princesses, et de voir l'esprit de l'une et le cœur de l'autre supérieurs à leur fortune. Christine a songé à connaître, dans le temps que les autres ne songent qu'à jouir : et l'autre ne veut jouir, que pour mettre tout son bonheur entre les mains de son auguste époux.

De Paris,
le 27 de la lune de Maharram 1720.

1. En 1654.

LETTRE 140

RICA À USBEK

À ***

Le Parlement de Paris vient d'être relégué dans une petite ville qu'on appelle Pontoise [1]. Le conseil [2] lui a envoyé enregistrer ou approuver une déclaration qui le déshonore ; et il l'a enregistrée d'une manière qui déshonore le conseil.

On menace d'un pareil traitement quelques parlements du royaume.

Ces compagnies sont toujours odieuses : elles n'approchent des rois que pour leur dire de tristes vérités : et, pendant qu'une foule de courtisans leur représentent sans cesse un peuple heureux sous leur gouvernement, elles viennent démentir la flatterie, et apporter aux pieds du trône les gémissements et les larmes dont elles sont dépositaires.

C'est un pesant fardeau, mon cher Usbek, que celui de la vérité, lorsqu'il faut la porter jusqu'aux princes ! Ils doivent bien penser que ceux qui s'y déterminent y sont contraints ; et qu'ils ne se résoudraient jamais à faire des démarches si tristes et si affligeantes pour ceux qui les font, s'ils n'y étaient forcés par leur devoir, leur respect, et même leur amour.

De Paris,
le 21 de la lune de Gemmadi, 1, 1720.

1. De juillet à décembre 1720.
2. Le Conseil de régence.

LETTRE 141

RICA AU MÊME

J'irai te voir sur la fin de la semaine. Que les jours couleront agréablement avec toi !

Je fus présenté, il y a quelques jours, à une dame de la cour, qui avait quelque envie de voir ma figure étrangère. Je la trouvai belle, digne des regards de notre monarque, et d'un rang auguste dans le lieu sacré où son cœur repose.

Elle me fit mille questions sur les mœurs des Persans, et sur la manière de vivre des Persanes. Il me parut que la vie du sérail n'était pas de son goût, et qu'elle trouvait de la répugnance à voir un homme partagé entre dix ou douze femmes. Elle ne put voir, sans envie, le bonheur de l'un ; et sans pitié, la condition des autres. Comme elle aime la lecture, surtout celle des poètes et des romans, elle souhaita que je lui parlasse des nôtres. Ce que je lui en dis redoubla sa curiosité : elle me pria de lui faire traduire un fragment de quelques-uns de ceux que j'ai apportés. Je le fis ; et je lui envoyai, quelques jours après, un conte persan. Peut-être seras-tu bien aise de le voir travesti.

Du temps de Cheik-ali-Can, il y avait, en Perse, une femme nommée Zuléma : elle savait par cœur tout le saint Alcoran ; il n'y avait point de dervis qui entendît mieux qu'elle les traditions des saints prophètes ; les docteurs arabes n'avaient rien dit de si mystérieux, qu'elle n'en comprît tous les sens ; et elle joignait, à tant de connaissances, un certain caractère d'esprit enjoué, qui laissait à peine deviner si elle voulait amuser ceux à qui elle parlait, ou les instruire.

Un jour qu'elle était avec ses compagnes dans une des salles du sérail, une d'elles lui demanda ce qu'elle pensait de

l'autre vie; et si elle ajoutait foi à cette ancienne tradition de nos docteurs, que le paradis n'est fait que pour les hommes.

C'est le sentiment commun, leur dit-elle : il n'y a rien que l'on n'ait fait pour dégrader notre sexe. Il y a même une nation répandue par toute la Perse, qu'on appelle la nation juive, qui soutient, par l'autorité de ses livres sacrés, que nous n'avons point d'âme.

Ces opinions si injurieuses n'ont d'autre origine que l'orgueil des hommes, qui veulent porter leur supériorité au-delà même de leur vie : et ne pensent pas que, dans le grand jour, toutes les créatures paraîtront devant Dieu comme le néant, sans qu'il y ait entre elles de prérogatives que celles que la vertu y aura mises.

Dieu ne se bornera point dans ses récompenses : et comme les hommes qui auront bien vécu, et bien usé de l'empire qu'ils ont ici-bas sur nous, seront dans un paradis plein de beautés célestes et ravissantes, et telles que, si un mortel les avait vues, il se donnerait aussitôt la mort, dans l'impatience d'en jouir; aussi les femmes vertueuses iront dans un lieu de délices, où elles seront enivrées d'un torrent de voluptés, avec des hommes divins qui leur seront soumis : chacune d'elles aura un sérail, dans lequel ils seront enfermés; et des eunuques, encore plus fidèles que les nôtres, pour les garder.

J'ai lu, ajouta-t-elle, dans un livre arabe, qu'un homme, nommé Ibrahim, était d'une jalousie insupportable. Il avait douze femmes extrêmement belles, qu'il traitait d'une manière très dure : il ne se fiait plus à ses eunuques, ni aux murs de son sérail; il les tenait presque toujours sous la clef, enfermées dans leur chambre, sans qu'elles pussent se voir, ni se parler; car il était même jaloux d'une amitié innocente : toutes ses actions prenaient la teinture de sa brutalité naturelle : jamais une douce parole ne sortit de

sa bouche; et jamais il ne fit le moindre signe, qui n'ajoutât quelque chose à la rigueur de leur esclavage.

Un jour qu'il les avait toutes assemblées dans une salle de son sérail, une d'entre elles, plus hardie que les autres, lui reprocha son mauvais naturel. «Quand on cherche si fort les moyens de se faire craindre, lui dit-elle, on trouve toujours auparavant ceux de se faire haïr. Nous sommes si malheureuses, que nous ne pouvons nous empêcher de désirer un changement: d'autres, à ma place, souhaiteraient votre mort; je ne souhaite que la mienne; et, ne pouvant espérer d'être séparée de vous que par là, il me sera encore bien doux d'en être séparée.» Ce discours, qui aurait dû le toucher, le fit entrer dans une furieuse colère; il tira son poignard, et le lui plongea dans le sein. «Mes chères compagnes, dit-elle d'une voix mourante, si le ciel a pitié de ma vertu, vous serez vengées.» À ces mots, elle quitta cette vie infortunée, pour aller dans le séjour des délices, où les femmes qui ont bien vécu jouissent d'un bonheur qui se renouvelle toujours.

D'abord elle vit une prairie riante, dont la verdure était relevée par les peintures des fleurs les plus vives: un ruisseau, dont les eaux étaient plus pures que le cristal, y faisait un nombre infini de détours. Elle entra ensuite dans des bocages charmants, dont le silence n'était interrompu que par le doux chant des oiseaux. De magnifiques jardins se présentèrent ensuite; la nature les avait ornés avec sa simplicité, et toute sa magnificence. Elle trouva enfin un palais superbe, préparé pour elle, et rempli d'hommes célestes, destinés à ses plaisirs.

Deux d'entre eux se présentèrent aussitôt pour la déshabiller: d'autres la mirent dans le bain, et la parfumèrent des plus délicieuses essences: on lui donna ensuite des habits infiniment plus riches que les siens: après quoi, on la mena dans une grande salle, où elle trouva un feu fait avec des

bois odoriférants, et une table couverte des mets les plus
exquis. Tout semblait concourir au ravissement de ses
sens : elle entendait, d'un côté, une musique d'autant plus
divine qu'elle était plus tendre ; de l'autre, elle ne voyait que
des danses de ces hommes divins, uniquement occupés à lui
plaire. Cependant tant de plaisirs ne devaient servir qu'à la
conduire insensiblement à des plaisirs plus grands. On
la mena dans sa chambre : et, après l'avoir encore une fois
déshabillée, on la porta dans un lit superbe, où deux
hommes d'une beauté charmante la reçurent dans leurs
bras. C'est pour lors qu'elle fut enivrée, et que ses ravisse-
ments passèrent même ses désirs. « Je suis toute hors de
moi, leur disait-elle : je croirais mourir, si je n'étais sûre de
mon immortalité. C'en est trop, laissez-moi ; je succombe
sous la violence des plaisirs. Oui, vous rendez un peu le
calme à mes sens ; je commence à respirer, et à revenir à
moi-même. D'où vient que l'on a ôté les flambeaux ? Que
ne puis-je à présent considérer votre beauté divine ? que ne
puis-je voir… Mais, pourquoi voir ? Vous me faites rentrer
dans mes premiers transports. Ô dieux ! que ces ténèbres
sont aimables ! Quoi ! je serai immortelle, et immortelle
avec vous ! je serai… Non, je vous demande grâce ; car je
vois bien que vous êtes gens à n'en demander jamais. »
 Après plusieurs commandements réitérés, elle fut obéie :
mais elle ne le fut que lorsqu'elle voulut l'être bien sérieu-
sement. Elle se reposa languissamment, et s'endormit dans
leurs bras. Deux moments de sommeil réparèrent sa lassi-
tude : elle reçut deux baisers, qui l'enflammèrent soudain,
et lui firent ouvrir les yeux. « Je suis inquiète, dit-elle ; je
crains que vous ne m'aimiez plus. » C'était un doute dans
lequel elle ne voulait pas rester longtemps : aussi eut-elle
avec eux tous les éclaircissements qu'elle pouvait désirer.
« Je suis désabusée, s'écria-t-elle ; pardon, pardon ; je suis
sûre de vous. Vous ne me dites rien ; mais vous prouvez

mieux que tout ce que vous me pourriez dire : oui, oui, je vous le confesse, on n'a jamais tant aimé. Mais, quoi ! vous vous disputez tous deux l'honneur de me persuader ! Ah ! si vous vous disputez, si vous joignez l'ambition au plaisir de ma défaite, je suis perdue ; vous serez tous deux vainqueurs, il n'y aura que moi de vaincue : mais je vous vendrai bien cher la victoire. »

Tout ceci ne fut interrompu que par le jour. Ses fidèles et aimables domestiques entrèrent dans sa chambre, et firent lever ces deux jeunes hommes, que deux vieillards ramenèrent dans les lieux où ils étaient gardés pour ses plaisirs. Elle se leva ensuite, et parut d'abord à cette cour idolâtre dans les charmes d'un déshabillé simple, et ensuite couverte des plus somptueux ornements. Cette nuit l'avait embellie ; elle avait donné de la vie à son teint, et de l'expression à ses grâces. Ce ne fut, pendant tout le jour, que danses, que concerts, que festins, que jeux, que promenades ; et l'on remarquait qu'Anaïs se dérobait de temps en temps, et volait vers ses deux jeunes héros : après quelques précieux instants d'entrevue, elle revenait vers la troupe qu'elle avait quittée, toujours avec un visage plus serein. Enfin, sur le soir, on la perdit tout à fait : elle alla s'enfermer dans le sérail, où elle voulait, disait-elle, faire connaissance avec ces captifs immortels qui devaient à jamais vivre avec elle. Elle visita donc les appartements de ces lieux les plus reculés et les plus charmants, où elle compta cinquante esclaves d'une beauté miraculeuse : elle erra toute la nuit de chambre en chambre, recevant partout des hommages toujours différents, et toujours les mêmes.

Voilà comment l'immortelle Anaïs passait sa vie, tantôt dans des plaisirs éclatants, tantôt dans des plaisirs solitaires ; admirée d'une troupe brillante, ou bien aimée d'un amant éperdu : souvent elle quittait un palais enchanté, pour aller dans une grotte champêtre : les fleurs semblaient naître

sous ses pas, et les jeux se présentaient en foule au-devant d'elle.

Il y avait plus de huit jours qu'elle était dans cette demeure heureuse, que, toujours hors d'elle-même, elle n'avait pas fait une seule réflexion : elle avait joui de son bonheur sans le connaître, et sans avoir eu un seul de ces moments tranquilles, où l'âme se rend, pour ainsi dire, compte à elle-même, et s'écoute dans le silence des passions.

Les bienheureux ont des plaisirs si vifs, qu'ils peuvent rarement jouir de cette liberté d'esprit : c'est pour cela qu'attachés invinciblement aux objets présents, ils perdent entièrement la mémoire des choses passées, et n'ont plus aucun souci de ce qu'ils ont connu ou aimé dans l'autre vie.

Mais Anaïs, dont l'esprit était vraiment philosophe, avait passé presque toute sa vie à méditer : elle avait poussé ses réflexions beaucoup plus loin qu'on n'aurait dû l'attendre d'une femme laissée à elle-même. La retraite austère que son mari lui avait fait garder ne lui avait laissé que cet avantage.

C'est cette force d'esprit qui lui avait fait mépriser la crainte dont ses compagnes étaient frappées, et la mort qui devait être la fin de ses peines, et le commencement de sa félicité.

Ainsi elle sortit peu à peu de l'ivresse des plaisirs, et s'enferma seule dans un appartement de son palais. Elle se laissa aller à des réflexions bien douces sur sa condition passée, et sur sa félicité présente ; elle ne put s'empêcher de s'attendrir sur le malheur de ses compagnes : on est sensible à des tourments que l'on a partagés. Anaïs ne se tint pas dans les simples bornes de la compassion : plus tendre envers ces infortunées, elle se sentit portée à les secourir.

Elle donna ordre à un de ces jeunes hommes, qui étaient auprès d'elle, de prendre la figure de son mari ; d'aller dans

son sérail, de s'en rendre maître, de l'en chasser ; et d'y res-
ter à sa place, jusqu'à ce qu'elle le rappelât.

L'exécution fut prompte : il fendit les airs, arriva à la
porte du sérail d'Ibrahim, qui n'y était pas. Il frappe ; tout lui
est ouvert ; les eunuques tombent à ses pieds. Il vole vers
les appartements où les femmes d'Ibrahim étaient enfer-
mées. Il avait, en passant, pris les clefs dans la poche de ce
jaloux, à qui il s'était rendu invisible. Il entre, et les surprend
d'abord par son air doux et affable ; et, bientôt après, il les
surprend davantage par ses empressements, et par la rapi-
dité de ses entreprises. Toutes eurent leur part de l'éton-
nement ; et elles l'auraient pris pour un songe, s'il y eût eu
moins de réalité.

Pendant que ces nouvelles scènes se jouent dans le sérail,
Ibrahim heurte, se nomme, tempête et crie. Après avoir
essuyé bien des difficultés, il entre, et jette les eunuques
dans un désordre extrême. Il marche à grands pas ; mais il
recule en arrière, et tombe comme des nues, quand il voit
le faux Ibrahim, sa véritable image, dans toutes les libertés
d'un maître. Il crie au secours ; il veut que les eunuques lui
aident à tuer cet imposteur : mais il n'est pas obéi. Il n'a plus
qu'une bien faible ressource ; c'est de s'en rapporter au
jugement de ses femmes. Dans une heure, le faux Ibrahim
avait séduit tous ses juges. L'autre est chassé, et traîné indi-
gnement hors du sérail ; et il aurait reçu la mort mille fois,
si son rival n'avait ordonné qu'on lui sauvât la vie. Enfin, le
nouvel Ibrahim, resté maître du champ de bataille, se mon-
tra de plus en plus digne d'un tel choix, et se signala par des
miracles jusqu'alors inconnus. « Vous ne ressemblez pas à
Ibrahim, disaient ces femmes. — Dites, dites plutôt que cet
imposteur ne me ressemble pas, disait le triomphant Ibra-
him : comment faut-il faire pour être votre époux, si ce que
je fais ne suffit pas ? »

« Ah ! nous n'avons garde de douter, dirent les femmes :

si vous n'êtes pas Ibrahim, il nous suffit que vous ayez si
bien mérité de l'être : vous êtes plus Ibrahim en un jour,
qu'il ne l'a été dans le cours de dix années. — Vous me
promettez donc, reprit-il, que vous vous déclarerez en ma
faveur contre cet imposteur. — N'en doutez pas, dirent-
elles d'une commune voix ; nous vous jurons une fidélité
éternelle : nous n'avons été que trop longtemps abusées : le
traître ne soupçonnait point notre vertu, il ne soupçonnait
que sa faiblesse. Nous voyons bien que les hommes ne sont
point faits comme lui ; c'est à vous, sans doute, qu'ils res-
semblent. Si vous saviez combien vous nous le faites haïr !
— Ah ! je vous donnerai souvent de nouveaux sujets de
haine, reprit le faux Ibrahim ; vous ne connaissez point
encore tout le tort qu'il vous a fait. — Nous jugeons de son
injustice par la grandeur de votre vengeance, reprirent-elles.
— Oui, vous avez raison, dit l'homme divin ; j'ai mesuré
l'expiation au crime : je suis bien aise que vous soyez
contentes de ma manière de punir. — Mais, dirent ces
femmes, si cet imposteur revient, que ferons-nous ? — Il lui
serait, je crois, difficile de vous tromper, répondit-il : dans la
place que j'occupe auprès de vous, on ne se soutient guère
par la ruse : et d'ailleurs je l'enverrai si loin, que vous n'en-
tendrez plus parler de lui. Pour lors, je prendrai sur moi le
soin de votre bonheur. Je ne serai point jaloux ; je saurai
m'assurer de vous, sans vous gêner ; j'ai assez bonne opi-
nion de mon mérite, pour croire que vous me serez fidèles :
si vous n'étiez pas vertueuses avec moi, avec qui le seriez-
vous ? » Cette conversation dura longtemps entre lui et ces
femmes, qui, plus frappées de la différence des deux Ibra-
hims, que de leur ressemblance, ne songeaient pas même à
se faire éclaircir de tant de merveilles. Enfin, le mari déses-
péré revint encore les troubler : il trouva toute sa maison
dans la joie, et ses femmes plus incrédules que jamais. La
place n'était pas tenable pour un jaloux ; il sortit furieux. Et

un instant après le faux Ibrahim le suivit, le prit, le transporta dans les airs, et le laissa à deux mille lieues de là.

Ô dieux! dans quelle désolation se trouvèrent ces femmes, dans l'absence de leur cher Ibrahim! Déjà leurs eunuques avaient repris leur sévérité naturelle; toute la maison était en larmes; elles s'imaginaient quelquefois que tout ce qui leur était arrivé n'était qu'un songe; elles se regardaient toutes les unes les autres, et se rappelaient les moindres circonstances de ces étranges aventures. Enfin, le céleste Ibrahim revint, toujours plus aimable; il leur parut que son voyage n'avait pas été pénible. Le nouveau maître prit une conduite si opposée à celle de l'autre, qu'elle surprit tous les voisins. Il congédia tous les eunuques, rendit sa maison accessible à tout le monde: il ne voulut pas même souffrir que ses femmes se voilassent. C'était une chose singulière de les voir, dans les festins, parmi des hommes, aussi libres qu'eux. Ibrahim crut, avec raison, que les coutumes du pays n'étaient pas faites pour des citoyens comme lui. Cependant il ne se refusait aucune dépense: il dissipa avec une immense profusion les biens du jaloux, qui, de retour trois ans après des pays lointains où il avait été transporté, ne trouva plus que les femmes, et trente-six enfants.

De Paris,
le 26 de la lune de Gemmadi 1720.

LETTRE 142

RICA À USBEK

À ***

Voici une lettre que je reçus hier d'un savant: elle te paraîtra singulière.

Monsieur,

Il y a six mois que j'ai recueilli la succession d'un oncle très riche, qui m'a laissé cinq ou six cent mille livres, et une maison superbement meublée. Il y a plaisir d'avoir du bien, lorsqu'on en sait faire un bon usage. Je n'ai point d'ambition, ni de goût pour les plaisirs : je suis presque toujours enfermé dans un cabinet, où je mène la vie d'un savant. C'est dans ce lieu que l'on trouve un curieux amateur de la vénérable antiquité.

Lorsque mon oncle eut fermé les yeux, j'aurais fort souhaité de le faire enterrer avec les cérémonies observées par les anciens Grecs et Romains : mais je n'avais pour lors ni lacrimatoires[1], ni urnes, ni lampes antiques.

Mais depuis, je me suis bien pourvu de ces précieuses raretés. Il y a quelques jours que je vendis ma vaisselle d'argent, pour acheter une lampe de terre qui avait servi à un philosophe stoï-cien. Je me suis défait de toutes les glaces dont mon oncle avait couvert presque tous les murs de ses appartements, pour avoir un petit miroir un peu fêlé, qui fut autrefois à l'usage de Virgile : je suis charmé d'y voir ma figure représentée, au lieu de celle du cygne de Mantoue[2]. Ce n'est pas tout : j'ai acheté cent louis d'or cinq ou six pièces d'une monnaie de cuivre qui avait cours il y a deux mille ans. Je ne sache pas avoir à présent dans ma maison un seul meuble qui n'ait été fait avant la décadence de l'empire. J'ai un petit cabinet de manuscrits fort précieux et fort chers : quoique je me tue la vue à les lire, j'aime beaucoup mieux m'en servir, que des exemplaires imprimés, qui ne sont pas si corrects, et que tout le monde a entre les mains. Quoique je ne sorte presque jamais, je ne laisse pas d'avoir une passion démesurée de connaître tous les anciens chemins qui étaient du temps des

1. Petits vases où l'on recueillait les larmes.
2. Périphrase pour désigner Virgile.

Romains. Il y en a un qui est près de chez moi, qu'un proconsul des Gaules fit faire, il y a environ douze cents ans : lorsque je vais à ma maison de campagne, je ne manque jamais d'y passer, quoiqu'il soit très incommode, et qu'il m'allonge de plus d'une lieue. Mais, ce qui me fait enrager, c'est qu'on y a mis des poteaux de bois de distance en distance, pour marquer l'éloignement des villes voisines. Je suis désespéré de voir ces misérables indices, au lieu des colonnes milliaires[1] *qui y étaient autrefois : je ne doute pas que je ne les fasse rétablir par mes héritiers, et que je ne les engage à cette dépense par mon testament. Si vous avez, monsieur, quelque manuscrit persan, vous me ferez plaisir de m'en accommoder : je vous le paierai tout ce que vous voudrez ; et je vous donnerai, par-dessus le marché, quelques ouvrages de ma façon, par lesquels vous verrez que je ne suis point un membre inutile de la république des lettres. Vous y remarquerez, entre autres, une dissertation, où je fais voir que la couronne, dont on se servait autrefois dans les triomphes, était de chêne, et non pas de laurier : vous en admirerez une autre, où je prouve, par de doctes conjectures tirées des plus graves auteurs grecs, que Cambyse fut blessé à la jambe gauche, et non pas à la droite ; une autre, où je démontre qu'un petit front était une beauté très recherchée chez les Romains. Je vous enverrai encore un volume in-quarto, en forme d'explication d'un vers du sixième livre de l'Énéide de Virgile. Vous ne recevrez tout ceci que dans quelques jours : et, quant à présent, je me contente de vous envoyer ce fragment d'un ancien mythologiste grec, qui n'avait point paru jusque ici, et que j'ai découvert dans la poussière d'une bibliothèque. Je vous quitte pour une affaire importante que j'ai sur les bras : il s'agit de restituer un beau passage de Pline le naturaliste, que*

1. Ce sont des colonnes disposées le long des routes tous les mille pas (soit environ 1,4 kilomètre).

les copistes du cinquième siècle ont étrangement défiguré. Je suis, etc.

FRAGMENT D'UN ANCIEN MYTHOLOGISTE[1]

Dans une île près des Orcades, il naquit un enfant, qui avait pour père Éole, dieu des vents, et pour mère une nymphe de Calédonie. On dit de lui qu'il apprit tout seul à compter avec ses doigts ; et que, dès l'âge de quatre ans, il distinguait si parfaitement les métaux, que sa mère ayant voulu lui donner une bague de laiton au lieu d'une d'or, il reconnut la tromperie, et la jeta par terre.

Dès qu'il fut grand, son père lui apprit le secret d'enfermer les vents dans des outres, qu'il vendait ensuite à tous les voyageurs : mais, comme la marchandise n'était pas fort prisée dans son pays, il le quitta, et se mit à courir le monde, en compagnie de l'aveugle dieu du hasard.

Il apprit, dans ses voyages, que, dans la Bétique, l'or reluisait de toutes parts ; cela fit qu'il y précipita ses pas. Il y fut fort mal reçu de Saturne, qui régnait pour lors : mais ce dieu ayant quitté la terre, il s'avisa d'aller dans tous les carrefours, où il criait sans cesse d'une voix rauque : « Peuples de Bétique, vous croyez être

1. Tout ce développement est un travestissement antiquisant des péripéties du « système » de finances mis en place par John Law, qui s'acheva par une immense banqueroute. Il visait à substituer le « papier monnaie » aux valeurs immédiatement convertibles en métaux précieux, mais cette tentative a manqué du crédit nécessaire pour se pérenniser. Le texte fourmille d'allusions très précises aux diverses mesures que Law imagina pour soutenir son « système ». Dans le récit qui suit, il faut donc traduire *Calédonie* par Écosse, le *fils d'Éole* (dieu des vents) par John Law, *Saturne* par Louis XIV, etc. La *Bétique* est donc la France : cette région avait été le lieu choisi par Fénelon pour placer son utopie dans les *Aventures de Télémaque* (1699), que Montesquieu admirait. La critique et la satire des affaires contemporaines ont pris, chez lui, le pas sur la contemplation d'un monde idéal et compensatoire.

riches, parce que vous avez de l'or et de l'argent. Votre erreur
me fait pitié. Croyez-moi : quittez le pays des vils métaux ; venez
dans l'empire de l'imagination, et je vous promets des richesses
qui vous étonneront vous-mêmes. » Aussitôt il ouvrit une grande
partie des outres qu'il avait apportées, et il distribua de sa mar-
chandise à qui en voulut.

Le lendemain, il revint dans les mêmes carrefours, et il s'écria :
« Peuples de Bétique, voulez-vous être riches ? Imaginez-vous
que je le suis beaucoup, et que vous l'êtes beaucoup aussi : met-
tez-vous tous les matins dans l'esprit que votre fortune a doublé
pendant la nuit : levez-vous ensuite ; et, si vous avez des créan-
ciers, allez les payer de ce que vous aurez imaginé ; et dites-leur
d'imaginer à leur tour. »

Il reparut quelques jours après, et il parla ainsi : « Peuples de
Bétique, je vois bien que votre imagination n'est pas si vive que
les premiers jours : laissez-vous conduire à la mienne : je mettrai
tous les matins devant vos yeux un écriteau, qui sera pour vous
la source des richesses : vous n'y verrez que quatre paroles ;
mais elles seront bien significatives ; car elles régleront la dot
de vos femmes, la légitime[1] de vos enfants, le nombre de vos
domestiques. Et quant à vous, dit-il à ceux de la troupe qui
étaient le plus près de lui ; quant à vous, mes chers enfants (je
puis vous appeler de ce nom, car vous avez reçu de moi une
seconde naissance), mon écriteau décidera de la magnificence
de vos équipages, de la somptuosité de vos festins, du nombre et
de la pension de vos maîtresses. »

À quelques jours de là, il arriva dans le carrefour tout essouf-
flé ; et, transporté de colère, il s'écria : « Peuples de Bétique, je
vous avais conseillé d'imaginer, et je vois que vous ne le faites
pas. Eh bien, à présent je vous l'ordonne. » Là-dessus, il les quitta
brusquement : mais la réflexion le rappela sur ses pas. « J'ap-

1. Terme de droit : droit que la loi donne aux enfant sur les biens
de leur père et mère.

prends que quelques-uns de vous sont assez détestables pour conserver leur or et leur argent. Encore passe pour l'argent; mais, pour de l'or… pour de l'or… Ah! cela me met dans une indignation… Je jure, par mes outres sacrées, que, s'ils ne viennent me l'apporter, je les punirai sévèrement. » Puis il ajouta, d'un air tout à fait persuasif: « Croyez-vous que ce soit pour garder ces misérables métaux que je vous les demande? Une marque de ma candeur, c'est que, lorsque vous me les apportâtes il y a quelques jours, je vous en rendis sur-le-champ la moitié. »

Le lendemain, on l'aperçut de loin, et on le vit s'insinuer avec une voix douce et flatteuse: « Peuples de Bétique, j'apprends que vous avez une partie de vos trésors dans les pays étrangers. Je vous prie, faites-les-moi venir; vous me ferez plaisir, et je vous en aurai une reconnaissance éternelle. »

Le fils d'Éole parlait à des gens qui n'avaient pas grande envie de rire; ils ne purent pourtant s'en empêcher: ce qui fit qu'il s'en retourna bien confus. Mais, reprenant courage, il hasarda encore une petite prière. « Je sais que vous avez des pierres précieuses; au nom de Jupiter, défaites-vous-en; rien ne vous appauvrit comme ces sortes de choses; défaites-vous-en, vous dis-je. Si vous ne le pouvez pas par vous-mêmes, je vous donnerai des hommes d'affaire excellents. Que de richesses vont couler chez vous, si vous faites ce que je vous conseille! Oui, je vous promets tout ce qu'il y a de plus pur dans mes outres. »

Enfin, il monta sur un tréteau; et, prenant une voix plus assurée, il dit: « Peuples de Bétique, j'ai comparé l'heureux état dans lequel vous êtes, avec celui où je vous trouvai lorsque j'arrivai ici; je vous vois le plus riche peuple de la terre. Mais, pour achever votre fortune, souffrez que je vous ôte la moitié de vos biens. » À ces mots, d'une aile légère, le fils d'Éole disparut, et laissa ses auditeurs dans une consternation inexprimable; ce qui fit qu'il revint le lendemain, et parla ainsi: « Je m'aperçus hier que mon discours vous déplut extrêmement. Eh bien, prenez que je ne

vous aie rien dit. Il est vrai ; la moitié, c'est trop. Il n'y a qu'à prendre d'autres expédients, pour arriver au but que je me suis proposé. Assemblons nos richesses dans un même endroit ; nous le pouvons facilement ; car elles ne tiennent pas un gros volume. » Aussitôt il en disparut les trois quarts.

De Paris,
le 9 de la lune de Chahban 1720.

LETTRE 143

RICA À NATHANAËL LÉVI,
MÉDECIN JUIF À LIVOURNE

Tu me demandes ce que je pense de la vertu des amulettes, et de la puissance des talismans. Pourquoi t'adresses-tu à moi ? Tu es juif, et je suis mahométan ; c'est-à-dire, que nous sommes tous deux bien crédules.

Je porte toujours sur moi plus de deux mille passages du saint Alcoran : j'attache à mes bras un petit paquet, où sont écrits les noms de plus de deux cents dervis : ceux d'Hali, de Fatmé, et de tous les purs, sont cachés en plus de vingt endroits de mes habits.

Cependant, je ne désapprouve point ceux qui rejettent cette vertu que l'on attribue à de certaines paroles. Il nous est bien plus difficile de répondre à leurs raisonnements, qu'à eux de répondre à nos expériences.

Je porte tous ces chiffons sacrés par une longue habitude, pour me conformer à une pratique universelle : je crois que, s'ils n'ont pas plus de vertu que les bagues et les autres ornements dont on se pare, ils n'en ont pas moins. Mais toi, tu mets toute ta confiance sur quelques lettres mystérieuses ; et, sans cette sauvegarde, tu serais dans un effroi continuel.

Les hommes sont bien malheureux! Ils flottent sans cesse entre de fausses espérances et des craintes ridicules: et, au lieu de s'appuyer sur la raison, ils se font des monstres qui les intimident, ou des fantômes qui les séduisent.

Quel effet veux-tu que produise l'arrangement de certaines lettres? quel effet veux-tu que leur dérangement puisse troubler? Quelle relation ont-elles avec les vents, pour apaiser les tempêtes; avec la poudre à canon, pour en vaincre l'effort; avec ce que les médecins appellent l'humeur peccante et la cause morbifique des maladies, pour les guérir?

Ce qu'il y a d'extraordinaire, c'est que ceux qui fatiguent leur raison pour lui faire rapporter de certains événements à des vertus occultes, n'ont pas un moindre effort à faire pour s'empêcher d'en voir la véritable cause.

Tu me diras que de certains prestiges[1] ont fait gagner une bataille: et moi, je te dirai qu'il faut que tu t'aveugles, pour ne pas trouver, dans la situation du terrain, dans le nombre ou dans le courage des soldats, dans l'expérience des capitaines, des causes suffisantes pour produire cet effet dont tu veux ignorer la cause.

Je te passe, pour un moment, qu'il y ait des prestiges: passe-moi, à mon tour, pour un moment, qu'il n'y en ait point; car cela n'est pas impossible. Ce que tu m'accordes n'empêche pas que deux armées ne puissent se battre: veux-tu que, dans ce cas-là, aucune des deux ne puisse remporter la victoire?

Crois-tu que leur sort restera incertain, jusqu'à ce qu'une puissance invisible vienne le déterminer? que tous les coups seront perdus, toute la prudence vaine, et tout le courage inutile?

Penses-tu que la mort, dans ces occasions, rendue pré-

1. Illusions par sortilège.

sente de mille manières, ne puisse pas produire dans les esprits ces terreurs paniques, que tu as tant de peine à expliquer? Veux-tu que, dans une armée de cent mille hommes, il ne puisse pas y avoir un seul homme timide? Crois-tu que le découragement de celui-ci ne puisse pas produire le découragement d'un autre? que le second, qui quitte un troisième, ne lui fasse pas bientôt abandonner un quatrième? Il n'en faut pas davantage pour que le désespoir de vaincre saisisse soudain toute une armée, et la saisisse d'autant plus facilement qu'elle se trouve plus nombreuse.

Tout le monde sait, et tout le monde sent que les hommes, comme toutes les créatures qui tendent à conserver leur être, aiment passionnément la vie; on sait cela en général: et on cherche pourquoi, dans une certaine occasion particulière, ils ont craint de la perdre?

Quoique les livres sacrés de toutes les nations soient remplis de ces terreurs paniques ou surnaturelles, je n'imagine rien de si frivole; parce que, pour s'assurer qu'un effet, qui peut être produit par cent mille causes naturelles, est surnaturel, il faut avoir auparavant examiné si aucune de ces causes n'a agi; ce qui est impossible.

Je ne t'en dirai pas davantage, Nathanaël: il me semble que la matière ne mérite pas d'être si sérieusement traitée.

De Paris,
le 20 de la lune de Chahban 1720.

P.-S. Comme je finissais, j'ai entendu crier dans la rue une lettre d'un médecin de province à un médecin de Paris (car ici toutes les bagatelles s'impriment, se publient, et s'achètent). J'ai cru que je ferais bien de te l'envoyer, parce qu'elle a du rapport à notre sujet.

LETTRE
D'UN MÉDECIN DE PROVINCE
À UN MÉDECIN DE PARIS.

Il y avait, dans notre ville, un malade qui ne dormait point depuis trente-cinq jours. Son médecin lui ordonna l'opium : mais il ne pouvait se résoudre à le prendre ; et il avait la coupe à la main, qu'il était plus indéterminé que jamais. Enfin, il dit à son médecin : «Monsieur, je vous demande quartier seulement jusqu'à demain : je connais un homme qui n'exerce pas la médecine, mais qui a chez lui un nombre innombrable de remèdes contre l'insomnie ; souffrez que je l'envoie quérir : et, si je ne dors pas cette nuit, je vous promets que je reviendrai à vous.» Le médecin congédié, le malade fit fermer les rideaux, et dit à un petit laquais : «Tiens, va-t'en chez monsieur Anis[1], et dis-lui qu'il vienne me parler.» Monsieur Anis arrive. «Mon cher monsieur Anis, je me meurs ; je ne puis dormir. N'auriez-vous point, dans votre boutique, la C. du G.[2], ou bien quelque livre de dévotion composé par un R. P. J.[3] que vous n'ayez pas pu vendre ? car souvent les remèdes les plus gardés sont les meilleurs. — Monsieur, dit le libraire, j'ai chez moi la Cour sainte du père Caussin[4], en six volumes, à votre service : je vais vous l'envoyer : je souhaite que vous vous en trouviez bien. Si vous voulez les œuvres du R. P. Rodriguès[5], jésuite espagnol, ne vous en faites faute. Mais, croyez-moi, tenons-nous-en au père Caussin : j'espère, avec l'aide de Dieu, qu'une période du père Caussin

1. Référence au libraire imprimeur Anisson, qui s'était fait une spécialité des ouvrages de piété.
2. Lire peut-être «Connaissance du Globe».
3. Initiales de «révérend père jésuite».
4. Auteur (1583-1651), entre autres ouvrages, d'une *Apologie des Jésuites*.
5. Auteur (1526-1616) d'ouvrages de piété.

*vous fera autant d'effet qu'un feuillet tout entier de la C. du G. »
Là-dessus, monsieur Anis sortit, et courut chercher le remède
à sa boutique. La Cour sainte arrive: on en secoue la poudre :
le fils du malade, jeune écolier, commence à la lire : il en sen-
tit le premier l'effet; à la seconde page, il ne prononçait plus
que d'une voix mal articulée, et déjà toute la compagnie se
sentait affaiblie; un instant après, tout ronfla, excepté le
malade, qui, après avoir été longtemps éprouvé, s'assoupit à
la fin.*

 *Le médecin arrive de grand matin. « Hé bien ! a-t-on pris mon
opium ? » On ne lui répond rien : la femme, la fille, le petit gar-
çon, tous transportés de joie, lui montrent le père Caussin. Il
demande ce que c'est: on lui dit : « Vive le père Caussin; il faut
l'envoyer relier. Qui l'eût dit ? qui l'eût cru ? c'est un miracle.
Tenez, monsieur; voyez donc le père Caussin; c'est ce volume-
là qui a fait dormir mon père. » Et, là-dessus, on lui expliqua la
chose, comme elle s'était passée*[1].*

 ** Le médecin était un homme subtil, rempli des mystères de la cabale, et de
la puissance des paroles et des esprits : cela le frappa; et, après plusieurs
réflexions, il résolut de changer absolument sa pratique. Voilà un fait bien sin-
gulier, disait-il. Je tiens une expérience ; il faut la pousser plus loin. Hé pour-
quoi un esprit ne pourrait-il pas transmettre à son ouvrage les mêmes qualités
qu'il a lui-même ? ne le voyons-nous pas tous les jours ? Au moins, cela vaut-
il bien la peine de l'essayer. Je suis las des apothicaires; leurs sirops, leurs
juleps[2] et toutes les drogues galéniques ruinent les malades et leur santé. Chan-
geons de méthode; éprouvons la vertu des esprits. Sur cette idée, il dressa une
nouvelle pharmacie, comme vous allez voir par la description que je vous vais
faire des principaux remèdes qu'il mit en pratique.*

 1. La très longue note qui suit figurait dans le texte même des pre-
mières éditions, mais Montesquieu avait complètement supprimé
cette suite de recettes burlesques en 1754. Les éditeurs de 1758 ont
rétabli ce texte en le mettant en note, avec la justification suivante :
« L'auteur, dans le manuscrit qu'il avait confié de son vivant aux
libraires, a jugé à propos de faire des retranchements. On n'a pas cru
devoir en priver le lecteur, qui les trouvera ici en notes. »
 2. Potion médicinale à base de sirops.

Ptisane purgative.

Prenez trois feuilles de la logique d'Aristote en Grec; deux feuilles d'un traité de théologie scolastique le plus aigu, comme, par exemple, du subtil Scot; quatre de Paracelse; une d'Avicenne; six d'Averroës; trois de Porphyre; autant de Plotin; autant de Jamblique. Faites infuser le tout pendant vingt-quatre heures, et prenez-en quatre prises par jour.

Purgatif plus violent.

*Prenez dix A** du C*** concernant la B** et la C** des I**[1], faites-les distiller au bain-marie; mortifiez une goutte de l'humeur âcre et piquante qui en viendra, dans un verre d'eau commune: avalez le tout avec confiance.*

Vomitif.

Prenez six harangues: une douzaine d'oraisons funèbres indifféremment, prenant garde pourtant de ne point se servir de celles de M. de N.: un recueil de nouveaux opéras: cinquante romans: trente mémoires nouveaux. Mettez le tout dans un matra[2]; laissez-le en digestion pendant deux jours; puis faites-le distiller au feu de sable. Et, si tout cela ne suffit pas,

Autre plus puissant.

Prenez une feuille de papier marbré, qui ait servi à couvrir un recueil des pièces des J. F.[3]; faites-la infuser l'espace de trois minutes; faites chauffer une cuillerée de cette infusion; et avalez.

Remède très simple pour guérir de l'asthme.

Lisez tous les ouvrages du révérend père Maimbourg[4], ci-devant jésuite, prenant garde de ne vous arrêter qu'à la fin de chaque période: et vous sentirez la faculté de respirer vous revenir peu à peu, sans qu'il soit besoin de réitérer le remède.

Pour préserver de la gale, gratelle, teigne, farcin des chevaux.

Prenez trois catégories d'Aristote, deux degrés métaphysiques, une distinction, six vers de Chapelain, une phrase tirée des lettres de M. l'abbé de S. Cyran: Écrivez le tout sur un morceau de papier, que vous plierez, attacherez à un ruban, et porterez au col[5].

Miraculum chymicum, de violentâ fermentatione, cùm fumo, igne et flammâ.

Misce Quesnellianam infusionem, cùm infusione Lallemanianâ; fiat fermentatio cùm magnâ vi, impetu, et tonitru, acidis pugnantibus, et invicem

1. Lire sans doute «Arrêt du Conseil concernant la Banque et la Compagnie des Indes»: c'était le nom de l'établissement géré par Law.

2. Ustensile utilisé en chimie pour les opérations de distillation.

3. *Jeux Floraux.*

4. Historien et controversiste (1610-1686) combattu par Bayle.

5. Les recettes qui suivent, composées en latin, font allusion aux débats du temps. Sont cités Quesnel, janséniste et cible de la bulle *Unigenitus* de 1713; le jésuite Lallemant, un de ses adversaires; Molina, Escobar, Vasquez, Bauny et Tamburini, théologiens casuistes; l'Arétin, référence traditionnelle de la littérature érotique.

penetrantibus alcalinos sales : fiet evaporatio ardentium spirituum. Pone liquorem fermentatum in alambico : nihil indè extrahes et nihil invenies, nisi caput mortuum[1].

Lenitivum.

Recipe Molinæ anodini chartas duas : Escobaris relaxativi paginas sex; Vasquii emollientis folium unum : infunde in acquæ communis lib. iiij. *Ad consumptionem dimidiæ partis colentur et exprimantur; et, in expressione, dissolve Bauni detersivi et Tamburini abluentis folia iij*[2].

Fiat clister.

In chlorosim, quam vulgus pallidos-colores,
aut febrim-amatoriam, appellat.
Recipe Aretini figuras iiij; *R. Thomae Sanchii De matrimonio folia* ij.
Infundantur in aquae communis libras quinque.

Fiat ptisana aperiens[3].

Voilà les drogues que notre médecin mit en pratique, avec un succès imaginable. Il ne voulait pas, disait-il, pour ne pas ruiner ses malades, employer des remèdes rares, et qui ne se trouvent presque point : comme, par exemple, une épître dédicatoire qui n'ait fait bâiller personne ; une préface trop courte ; un mandement fait par un évêque ; et l'ouvrage d'un janséniste méprisé par un janséniste, ou bien admiré par un jésuite. Il disait que ces sortes de remèdes ne sont propres qu'à entretenir la charlatanerie, contre laquelle il avait une antipathie insurmontable.

1. « Miracle chimique issu de la fermentation violente avec fumée, feu et flamme. Mêlez une infusion de Quesnel et une infusion de Lallemant. Que s'opère une fermentation de grande violence, avec choc et bruit fracassant, les acides et les sels alcalins se combattant et se pénétrant mutuellement ; il se produira une évaporation des esprits ardents : placez le liquide fermenté dans un alambic, on n'en tirera rien, et on n'y trouvera rien sinon une tête de mort » (trad. : Montesquieu, *Œuvres complètes*, t. 1, Oxford, 2004, p. 525).

2. « Remède lénitif. Prenez deux feuillets de Molina, calmant ; six pages d'Escobar, laxatif ; un feuillet de Vasquez, émollient ; versez dans quatre livres d'eau ordinaire. Filtrez-les et faites-leur rendre leur jus jusqu'à réduction de moitié. Dans ce jus dissolvez trois feuilles de Bauny, détersif, et de Tamburini, purifiant. Prenez-le en clystère » (trad. : Montesquieu, *ibid.*).

3. « Contre la chlorose, vulgairement appelée "pâles couleurs" ou "maladie d'amour". Prenez quatre illustrations de l'Arétin, deux feuilles du révérend Thomas Sanchez, *Du mariage* ; versez-les dans cinq livres d'eau ordinaire. Prenez cela en tisane apéritive » (trad. : Montesquieu, *ibid.*, p. 526).

LETTRE 144

USBEK À RICA

Je trouvai, il y a quelques jours, dans une maison de campagne où j'étais allé, deux savants qui ont ici une grande célébrité. Leur caractère me parut admirable. La conversation du premier, bien appréciée, se réduisait à ceci: «Ce que j'ai dit est vrai, parce que je l'ai dit.» La conversation du second portait sur autre chose: «Ce que je n'ai pas dit n'est pas vrai, parce que je ne l'ai pas dit.»

J'aimais assez le premier: car qu'un homme soit opiniâtre, cela ne me fait absolument rien; mais qu'il soit impertinent, cela me fait beaucoup. Le premier défend ses opinions; c'est son bien: le second attaque les opinions des autres; et c'est le bien de tout le monde.

Oh, mon cher Usbek! que la vanité sert mal ceux qui en ont une dose plus forte que celle qui est nécessaire pour la conservation de la nature! Ces gens-là veulent être admirés, à force de déplaire. Ils cherchent à être supérieurs; et ils ne sont pas seulement égaux.

Hommes modestes, venez, que je vous embrasse. Vous faites la douceur et le charme de la vie. Vous croyez que vous n'avez rien; et moi, je vous dis que vous avez tout. Vous pensez que vous n'humiliez personne; et vous humiliez tout le monde. Et, quand je vous compare dans mon idée avec ces hommes absolus que je vois partout, je les précipite de leur tribunal, et je les mets à vos pieds.

De Paris,
le 22 de la lune de Chahban 1720.

LETTRE 145

USBEK À ***

Un homme d'esprit est ordinairement difficile dans les sociétés. Il choisit peu de personnes ; il s'ennuie avec tout ce grand nombre de gens qu'il lui plaît appeler mauvaise compagnie ; il est impossible qu'il ne fasse un peu sentir son dégoût : autant d'ennemis.

Sûr de plaire quand il voudra, il néglige très souvent de le faire.

Il est porté à la critique, parce qu'il voit plus de choses qu'un autre, et les sent mieux.

Il ruine presque toujours sa fortune, parce que son esprit lui fournit pour cela un plus grand nombre de moyens.

Il échoue dans ses entreprises, parce qu'il hasarde beaucoup. Sa vue, qui se porte toujours loin, lui fait voir des objets qui sont à de trop grandes distances. Sans compter que, dans la naissance d'un projet, il est moins frappé des difficultés qui viennent de la chose, que des remèdes qui sont de lui, et qu'il tire de son propre fonds.

Il néglige les menus détails, dont dépend cependant la réussite de presque toutes les grandes affaires.

L'homme médiocre, au contraire, cherche à tirer parti de tout : il sent bien qu'il n'a rien à perdre en négligences.

L'approbation universelle est, plus ordinairement, pour l'homme médiocre. On est charmé de donner à celui-ci, on est enchanté d'ôter à celui-là. Pendant que l'envie fond sur l'un, et qu'on ne lui pardonne rien, on supplée tout en faveur de l'autre : la vanité se déclare pour lui.

Mais, si un homme d'esprit a tant de désavantages, que dirons-nous de la dure condition des savants ?

Je n'y pense jamais, que je ne me rappelle une lettre d'un d'eux à un de ses amis. La voici :

 Monsieur,

Je suis un homme qui m'occupe, toutes les nuits, à regarder avec des lunettes de trente pieds, ces grands corps qui roulent sur nos têtes : et, quand je veux me délasser, je prends mes petits microscopes, et j'observe un ciron [1] *ou une mite.*

Je ne suis point riche, et je n'ai qu'une seule chambre : je n'ose même y faire du feu, parce que j'y tiens mon thermomètre, et que la chaleur étrangère le ferait hausser. L'hiver dernier, je pensai mourir de froid : et, quoique mon thermomètre, qui était au plus bas degré, m'avertît que mes mains allaient se geler, je ne me dérangeai point. Et j'ai la consolation d'être instruit exactement des changements de temps les plus insensibles de toute l'année passée.

Je me communique fort peu : et, de tous les gens que je vois, je n'en connais aucun. Mais il y a un homme à Stockholm, un autre à Leipzig, un autre à Londres, que je n'ai jamais vus, et que je ne verrai sans doute jamais, avec lesquels j'entretiens une correspondance si exacte, que je ne laisse pas passer un courrier sans leur écrire.

*Mais, quoique je ne connaisse personne dans mon quartier, j'y suis dans une si mauvaise réputation, que je serai, à la fin, obligé de le quitter. Il y a cinq ans que je fus rudement insulté par une de mes voisines, pour avoir fait la dissection d'un chien qu'elle prétendait lui appartenir. La femme d'un boucher, qui se trouva là, se mit de la partie. Et, pendant que celle-là m'accablait d'injures, celle-ci m'assommait à coups de pierre, conjointement avec le docteur ***, qui était avec moi, et qui reçut un coup ter-*

1. Insecte minuscule mis en vedette par Pascal dans ses *Pensées* : il en fait l'exemple de l'organisation vitale s'exprimant jusque dans l'infiniment petit.

rible sur l'os frontal et occipital, dont le siège de sa raison fut très ébranlé.

Depuis ce temps-là, dès qu'il s'écarte quelque chien au bout de la rue, il est aussitôt décidé qu'il a passé par mes mains. Une bonne bourgeoise, qui en avait perdu un petit, qu'elle aimait, disait-elle, plus que ses enfants, vint l'autre jour s'évanouir dans ma chambre ; et, ne le trouvant pas, elle me cita devant le magistrat. Je crois que je ne serai jamais délivré de la malice importune de ces femmes, qui, avec leurs voix glapissantes, m'étourdissent sans cesse de l'oraison funèbre de tous les automates[1] qui sont morts depuis dix ans.

Je suis, etc.

Tous les savants étaient autrefois accusés de magie. Je n'en suis point étonné. Chacun disait en lui-même : « J'ai porté les talents naturels aussi loin qu'ils peuvent aller ; cependant un certain savant a des avantages sur moi : il faut bien qu'il y ait là quelque diablerie. »

À présent que ces sortes d'accusations sont tombées dans le décri[2], on a pris un autre tour ; et un savant ne saurait guère éviter le reproche d'irréligion ou d'hérésie. Il a beau être absous par le peuple : la plaie est faite ; elle ne se fermera jamais bien. C'est toujours, pour lui, un endroit malade. Un adversaire viendra, trente ans après, lui dire modestement : « À Dieu ne plaise que je dise que ce dont on vous accuse soit vrai ; mais, vous avez été obligé de vous défendre. » C'est ainsi qu'on tourne contre lui la justification même.

S'il écrit quelque histoire, et qu'il ait de la noblesse dans

1. Selon Descartes, les animaux, n'ayant pas d'âme, sont de simples machines obéissant aux impulsions de la matière. Cette opinion suscita une très grande résistance, car elle s'oppose aux conceptions les plus communément répandues sur la vie animale.

2. Sont méprisées.

l'esprit, et quelque droiture dans le cœur, on lui suscite mille persécutions. On ira contre lui soulever le magistrat, sur un fait qui s'est passé il y a mille ans. Et on voudra que sa plume soit captive, si elle n'est pas vénale.

Plus heureux cependant que ces hommes lâches, qui abandonnent leur foi pour une médiocre pension ; qui, à prendre toutes leurs impostures en détail, ne les vendent pas seulement une obole ; qui renversent la constitution de l'empire, diminuent les droits d'une puissance, augmentent ceux d'une autre, donnent aux princes, ôtent aux peuples, font revivre des droits surannés, flattent les passions qui sont en crédit de leur temps, et les vices qui sont sur le trône ; imposant à la postérité, d'autant plus indignement qu'elle a moins de moyens de détruire leur témoignage.

Mais ce n'est point assez, pour un auteur, d'avoir essuyé toutes ces insultes ; ce n'est point assez, pour lui, d'avoir été dans une inquiétude continuelle sur le succès de son ouvrage. Il voit le jour, enfin, cet ouvrage qui lui a tant coûté. Il lui attire des querelles de toutes parts. Et comment les éviter ? Il avait un sentiment ; il l'a soutenu par ses écrits : il ne savait pas qu'un homme, à deux cents lieues de lui, avait dit tout le contraire. Voilà cependant la guerre qui se déclare.

Encore, s'il pouvait espérer d'obtenir quelque considération ! Non. Il n'est, tout au plus, estimé que de ceux qui se sont appliqués au même genre de science que lui. Un philosophe a un mépris souverain pour un homme qui a la tête chargée de faits : et il est, à son tour, regardé comme un visionnaire par celui qui a une bonne mémoire.

Quant à ceux qui font profession d'une orgueilleuse ignorance, ils voudraient que tout le genre humain fût enseveli dans l'oubli où ils seront eux-mêmes.

Un homme, à qui il manque un talent, se dédommage en le méprisant : il ôte cet obstacle qu'il rencontrait entre le

mérite et lui ; et, par là, se trouve au niveau de celui dont il redoute les travaux.

Enfin, il faut joindre, à une réputation équivoque, la privation des plaisirs, et la perte de la santé.

De Paris,
le 26 de la lune de Chahban 1720.

LETTRE 146

USBEK À RHÉDI

À Venise

Il y a longtemps que l'on a dit que la bonne foi était l'âme d'un grand ministère.

Un particulier peut jouir de l'obscurité où il se trouve ; il ne se décrédite[1] que devant quelques gens, il se tient couvert devant les autres : mais un ministre qui manque à la probité a autant de témoins, autant de juges, qu'il y a de gens qu'il gouverne.

Oserai-je le dire ? le plus grand mal que fait un ministre sans probité n'est pas de desservir son prince, et de ruiner son peuple ; il y en a un autre, à mon avis, mille fois plus dangereux : c'est le mauvais exemple qu'il donne.

Tu sais que j'ai longtemps voyagé dans les Indes[2]. J'y ai vu une nation, naturellement généreuse, pervertie en un instant, depuis le dernier des sujets jusqu'aux plus grands, par le mauvais exemple d'un ministre : j'y ai vu tout un peuple, chez qui la générosité, la probité, la candeur et la bonne foi,

1. Discrédite.
2. Alibi pour la France au lendemain de l'expérience du « système de Law ».

ont passé de tout temps pour les qualités naturelles, deve-
nir tout à coup le dernier des peuples; le mal se communi-
quer, et n'épargner pas même les membres les plus sains;
les hommes les plus vertueux faire des choses indignes; et
violer les premiers principes de la justice, sur ce vain pré-
texte qu'on la leur avait violée.

Ils appelaient des lois odieuses en garantie des actions les
plus lâches; et nommaient nécessité, l'injustice et la perfi-
die.

J'ai vu la foi des contrats bannie, les plus saintes conven-
tions anéanties, toutes les lois des familles renversées. J'ai
vu des débiteurs avares, fiers d'une insolente pauvreté, ins-
truments indignes de la fureur des lois et de la rigueur des
temps, feindre un paiement au lieu de le faire, et porter le
couteau dans le sein de leurs bienfaiteurs.

J'en ai vu d'autres, plus indignes encore, acheter presque
pour rien, ou plutôt ramasser de terre des feuilles de
chêne, pour les mettre à la place de la substance des veuves
et des orphelins.

J'ai vu naître soudain, dans tous les cœurs, une soif insa-
tiable des richesses. J'ai vu se former, en un moment, une
détestable conjuration de s'enrichir, non par un honnête
travail et une généreuse industrie, mais par la ruine du
prince, de l'État et des concitoyens.

J'ai vu un honnête citoyen, dans ces temps malheureux,
ne se coucher qu'en disant: «J'ai ruiné une famille aujour-
d'hui; j'en ruinerai une autre demain.»

«Je vais, disait un autre, avec un homme noir qui porte
une écritoire à la main et un fer pointu à l'oreille, assassiner
tous ceux à qui j'ai de l'obligation.»

Un autre disait: «Je vois que j'accommode mes affaires:
il est vrai que, lorsque j'allai il y a trois jours faire un certain
paiement, je laissai toute une famille en larmes, que je dissi-
pai la dot de deux honnêtes filles, que j'ôtai l'éducation à un

petit garçon; le père en mourra de douleur, la mère périt de tristesse: mais je n'ai fait que ce qui est permis par la loi.»

Quel plus grand crime que celui que commet un ministre, lorsqu'il corrompt les mœurs de toute une nation, dégrade les âmes les plus généreuses, ternit l'éclat des dignités, obscurcit la vertu même, et confond la plus haute naissance dans le mépris universel?

Que dira la postérité, lorsqu'il lui faudra rougir de la honte de ses pères? Que dira le peuple naissant, lorsqu'il comparera le fer de ses aïeux, avec l'or de ceux à qui il doit immédiatement le jour? Je ne doute pas que les nobles ne retranchent de leurs quartiers un indigne degré de noblesse qui les déshonore, et ne laissent la génération présente dans l'affreux néant où elle s'est mise.

De Paris,
le 11 de la lune de Rhamazan 1720.

LETTRE 147

LE GRAND EUNUQUE
À USBEK

À Paris

Les choses sont venues à un état qui ne se peut plus soutenir: tes femmes se sont imaginé que ton départ leur laissait une impunité entière: il se passe ici des choses horribles: je tremble moi-même au cruel récit que je vais te faire.

Zélis, allant il y a quelques jours à la mosquée, laissa tomber son voile, et parut presque à visage découvert devant tout le peuple.

J'ai trouvé Zachi couchée avec une de ses esclaves, chose si défendue par les lois du sérail.

J'ai surpris, par le plus grand hasard du monde, une lettre que je t'envoie : je n'ai jamais pu découvrir à qui elle était adressée.

Hier au soir, un jeune garçon fut trouvé dans le jardin du sérail, et il se sauva par-dessus les murailles.

Ajoute à cela ce qui n'est pas parvenu à ma connaissance ; car sûrement tu es trahi. J'attends tes ordres : et, jusqu'à l'heureux moment que je les recevrai, je vais être dans une situation mortelle. Mais, si tu ne mets toutes ces femmes à ma discrétion, je ne te réponds d'aucune d'elles, et j'aurai tous les jours des nouvelles aussi tristes à te mander.

Du sérail d'Ispahan,
le 1 de la lune de Rhegeb 1717.

LETTRE 148

USBEK AU PREMIER
EUNUQUE

Au sérail d'Ispahan

Recevez, par cette lettre, un pouvoir sans bornes sur tout le sérail : commandez avec autant d'autorité que moi-même : que la crainte et la terreur marchent avec vous : courez d'appartements en appartements porter les punitions et les châtiments : que tout vive dans la consternation ; que tout fonde en larmes devant vous : interrogez tout le sérail : commencez par les esclaves ; n'épargnez pas mon amour : que tout subisse votre tribunal redoutable : mettez au jour les secrets les plus cachés : purifiez ce lieu infâme ; et faites-y rentrer la vertu bannie. Car, dès ce moment, je mets sur

votre tête les moindres fautes qui se commettront. Je soup-
çonne Zélis d'être celle à qui la lettre que vous avez sur-
prise s'adressait : examinez cela avec des yeux de lynx.

De ***,
le 11 de la lune de Zilhagé 1718.

LETTRE 149

NARSIT À USBEK

À Paris

Le grand eunuque vient de mourir, magnifique seigneur :
comme je suis le plus vieux de tes esclaves, j'ai pris sa place,
jusqu'à ce que tu aies fait connaître sur qui tu veux jeter les
yeux.

Deux jours après sa mort, on m'apporta une de tes
lettres qui lui était adressée : je me suis bien gardé de l'ou-
vrir ; je l'ai enveloppée avec respect, et l'ai serrée, jusqu'à
ce que tu m'aies fait connaître tes sacrées volontés.

Hier, un esclave vint, au milieu de la nuit, me dire qu'il
avait trouvé un jeune homme dans le sérail : je me levai,
j'examinai la chose, et je trouvai que c'était une vision.

Je te baise les pieds, sublime seigneur ; et je te prie de
compter sur mon zèle, mon expérience et ma vieillesse.

Du sérail d'Ispahan,
le 5 de la lune de Gemmadi, 1, 1718.

LETTRE 150

USBEK À NARSIT

Au sérail d'Ispahan

Malheureux que vous êtes ! vous avez dans vos mains des lettres qui contiennent des ordres prompts et violents : le moindre retardement peut me désespérer ; et vous demeurez tranquille, sous un vain prétexte !

Il se passe des choses horribles : j'ai peut-être la moitié de mes esclaves qui méritent la mort. Je vous envoie la lettre que le premier eunuque m'écrivit là-dessus, avant de mourir. Si vous aviez ouvert le paquet qui lui est adressé, vous y auriez trouvé des ordres sanglants. Lisez-les donc, ces ordres : et vous périrez, si vous ne les exécutez pas.

De ***,
le 25 de la lune de Chalval 1718.

LETTRE 151

SOLIM À USBEK

À Paris

Si je gardais plus longtemps le silence, je serais aussi coupable que tous ces criminels que tu as dans le sérail.

J'étais le confident du grand eunuque, le plus fidèle de tes esclaves. Lorsqu'il se vit près de sa fin, il me fit appeler, et me dit ces paroles : « Je me meurs : mais le seul chagrin que j'aie en quittant la vie, c'est que mes derniers regards ont trouvé les femmes de mon maître criminelles. Le ciel puisse le garantir de tous les malheurs que je prévois ! Puisse,

après ma mort, mon ombre menaçante venir avertir ces perfides de leur devoir, et les intimider encore! Voilà les clefs de ces redoutables lieux; va les porter au plus vieux des noirs. Mais si, après ma mort, il manque de vigilance, songe à en avertir ton maître.» En achevant ces mots, il expira dans mes bras.

Je sais ce qu'il t'écrivit, quelque temps avant sa mort, sur la conduite de tes femmes: il y a, dans le sérail, une lettre qui aurait porté la terreur avec elle, si elle avait été ouverte. Celle que tu as écrite depuis a été surprise à trois lieues d'ici. Je ne sais ce que c'est; tout se tourne malheureusement.

Cependant tes femmes ne gardent plus aucune retenue: depuis la mort du grand eunuque, il semble que tout leur soit permis: la seule Roxane est restée dans le devoir, et conserve de la modestie. On voit les mœurs se corrompre tous les jours. On ne trouve plus sur le visage de tes femmes cette vertu mâle et sévère qui y régnait autrefois: une joie nouvelle, répandue dans ces lieux, est un témoignage infaillible, selon moi, de quelque satisfaction nouvelle. Dans les plus petites choses, je remarque des libertés jusqu'alors inconnues. Il règne, même parmi tes esclaves, une certaine indolence pour leur devoir, et pour l'observation des règles, qui me surprend; ils n'ont plus ce zèle ardent pour ton service, qui semblait animer tout le sérail.

Tes femmes ont été huit jours à la campagne, à une de tes maisons les plus abandonnées. On dit que l'esclave qui en a soin a été gagné; et qu'un jour avant qu'elles arrivassent, il avait fait cacher deux hommes dans un réduit de pierre qui est dans la muraille de la principale chambre, d'où ils sortaient le soir, lorsque nous étions retirés. Le vieux eunuque, qui est à présent à notre tête, est un imbécile à qui l'on fait croire tout ce qu'on veut.

Je suis agité d'une colère vengeresse contre tant de per-

fidies : et, si le ciel voulait, pour le bien de ton service, que tu me jugeasses capable de gouverner, je te promets que, si tes femmes n'étaient pas vertueuses, au moins elles seraient fidèles.

Du sérail d'Ispahan,
le 6 de la lune de Rebiab, 1, 1719.

LETTRE 152

NARSIT À USBEK

À Paris

Roxane et Zélis ont souhaité d'aller à la campagne : je n'ai pas cru devoir le leur refuser. Heureux Usbek ! tu as des femmes fidèles, et des esclaves vigilants : je commande en des lieux où la vertu semble s'être choisi un asile. Compte qu'il ne s'y passera rien que tes yeux ne puissent soutenir.

Il est arrivé un malheur qui me met en grande peine. Quelques marchands arméniens, nouvellement arrivés à Ispahan, avaient apporté une de tes lettres pour moi ; j'ai envoyé un esclave pour la chercher ; il a été volé à son retour, et la lettre est perdue. Écris-moi donc promptement ; car je m'imagine que, dans ce changement, tu dois avoir des choses de conséquence à me mander.

Du sérail de Fatmé,
le 6 de la lune de Rebiab, 1, 1719.

LETTRE 153

USBEK À SOLIM

Au sérail d'Ispahan

Je te mets le fer à la main. Je te confie ce que j'ai à présent dans le monde de plus cher, qui est ma vengeance. Entre dans ce nouvel emploi : mais n'y porte ni cœur, ni pitié. J'écris à mes femmes de t'obéir aveuglément : dans la confusion de tant de crimes, elles tomberont devant tes regards. Il faut que je te doive mon bonheur et mon repos. Rends-moi mon sérail comme je l'ai laissé. Mais commence par l'expier ; extermine les coupables, et fais trembler ceux qui se proposaient de le devenir. Que ne peux-tu pas espérer de ton maître pour des services si signalés ? Il ne tiendra qu'à toi de te mettre au-dessus de ta condition même, et de toutes les récompenses que tu as jamais désirées.

De Paris,
le 4 de la lune de Chahban 1719.

LETTRE 154

USBEK À SES FEMMES

Au sérail d'Ispahan

Puisse cette lettre être comme la foudre qui tombe au milieu des éclairs et des tempêtes ! Solim est votre premier eunuque, non pas pour vous garder, mais pour vous punir. Que tout le sérail s'abaisse devant lui. Il doit juger vos actions passées : et, pour l'avenir, il vous fera vivre sous un

joug si rigoureux, que vous regretterez votre liberté, si vous ne regrettez pas votre vertu.

De Paris,
le 4 de la lune de Chahban 1719.

LETTRE 155

USBEK À NESSIR

À Ispahan

Heureux celui qui, connaissant tout le prix d'une vie douce et tranquille, repose son cœur au milieu de sa famille, et ne connaît d'autre terre que celle qui lui a donné le jour!

Je vis dans un climat barbare, présent à tout ce qui m'importune, absent de tout ce qui m'intéresse. Une tristesse sombre me saisit; je tombe dans un accablement affreux: il me semble que je m'anéantis; et je ne me retrouve moi-même, que lorsqu'une sombre jalousie vient s'allumer, et enfanter dans mon âme la crainte, les soupçons, la haine et les regrets.

Tu me connais, Nessir; tu as toujours vu dans mon cœur comme dans le tien. Je te ferais pitié, si tu savais mon état déplorable. J'attends quelquefois six mois entiers des nouvelles du sérail; je compte tous les instants qui s'écoulent; mon impatience me les allonge toujours: et, lorsque celui qui a été tant attendu est prêt[1] d'arriver, il se fait dans mon cœur une révolution soudaine; ma main tremble d'ouvrir une lettre fatale; cette inquiétude qui me désespérait, je la trouve l'état le plus heureux où je puisse être, et je crains d'en sortir par un coup plus cruel pour moi que mille morts.

1. Archaïsme, aujourd'hui on orthographierait «près».

Mais, quelque raison que j'aie eue de sortir de ma patrie, quoique je doive ma vie à ma retraite, je ne puis plus, Nessir, rester dans cet affreux exil. Et ne mourrais-je pas tout de même, en proie à mes chagrins ? J'ai pressé mille fois Rica de quitter cette terre étrangère : mais il s'oppose à toutes mes résolutions ; il m'attache ici par mille prétextes : il semble qu'il ait oublié sa patrie ; ou plutôt, il semble qu'il m'ait oublié moi-même, tant il est insensible à mes déplaisirs.

Malheureux que je suis ! Je souhaite de revoir ma patrie, peut-être pour devenir plus malheureux encore ! Eh ! qu'y ferai-je ? Je vais rapporter ma tête à mes ennemis. Ce n'est pas tout : j'entrerai dans le sérail ; il faut que j'y demande compte du temps funeste de mon absence ; et, si j'y trouve des coupables, que deviendrai-je ? Et si la seule idée m'accable de si loin, que sera-ce, lorsque ma présence la rendra plus vive ? que sera-ce, s'il faut que je voie, s'il faut que j'entende ce que je n'ose imaginer sans frémir ? que sera-ce enfin, s'il faut que des châtiments, que je prononcerai moi-même, soient des marques éternelles de ma confusion et de mon désespoir ?

J'irai m'enfermer dans des murs plus terribles pour moi que pour les femmes qui y sont gardées ; j'y porterai tous mes soupçons ; leurs empressements ne m'en déroberont rien ; dans mon lit, dans leurs bras, je ne jouirai que de mes inquiétudes ; dans un temps si peu propre aux réflexions, ma jalousie trouvera à en faire. Rebut indigne de la nature humaine, esclaves vils dont le cœur a été fermé pour jamais à tous les sentiments de l'amour, vous ne gémiriez plus sur votre condition, si vous connaissiez le malheur de la mienne.

De Paris,
le 4 de la lune de Chahban 1719.

LETTRE 156

ROXANE À USBEK

À *Paris*

L'horreur, la nuit et l'épouvante règnent dans le sérail : un deuil affreux l'environne : un tigre y exerce à chaque instant toute sa rage. Il a mis dans les supplices deux eunuques blancs, qui n'ont avoué que leur innocence : il a vendu une partie de nos esclaves, et nous a obligées de changer entre nous celles qui nous restaient. Zachi et Zélis ont reçu dans leur chambre, dans l'obscurité de la nuit, un traitement indigne ; le sacrilège n'a pas craint de porter sur elles ses viles mains. Il nous tient enfermées chacune dans notre appartement ; et, quoique nous y soyons seules, il nous y fait vivre sous le voile. Il ne nous est plus permis de nous parler ; ce serait un crime de nous écrire : nous n'avons plus rien de libre que les pleurs.

Une troupe de nouveaux eunuques est entrée dans le sérail, où ils nous assiègent nuit et jour : notre sommeil est sans cesse interrompu par leurs méfiances feintes ou véritables. Ce qui me console, c'est que tout ceci ne durera pas longtemps, et que ces peines finiront avec ma vie : elle ne sera pas longue, cruel Usbek : je ne te donnerai pas le temps de faire cesser tous ces outrages.

Du sérail d'Ispahan,
le 2 de la lune de Maharram 1720.

LETTRE 157

ZACHI À USBEK

À Paris

Ô ciel! un barbare m'a outragée jusque dans la manière de me punir! Il m'a infligé ce châtiment qui commence par alarmer la pudeur; ce châtiment qui met dans l'humiliation extrême; ce châtiment qui ramène, pour ainsi dire, à l'enfance.

Mon âme, d'abord anéantie sous la honte, reprenait le sentiment d'elle-même, et commençait à s'indigner, lorsque mes cris firent retentir les voûtes de mes appartements. On m'entendit demander grâce au plus vil de tous les humains, et tenter sa pitié, à mesure qu'il était plus inexorable.

Depuis ce temps, son âme insolente et servile s'est élevée sur la mienne. Sa présence, ses regards, ses paroles, tous les malheurs viennent m'accabler. Quand je suis seule, j'ai du moins la consolation de verser des larmes: mais, lorsqu'il s'offre à ma vue, la fureur me saisit; je la trouve impuissante; et je tombe dans le désespoir.

Le tigre ose me dire que tu es l'auteur de toutes ces barbaries. Il voudrait m'ôter mon amour, et profaner jusques aux sentiments de mon cœur. Quand il me prononce le nom de celui que j'aime, je ne sais plus me plaindre; je ne puis plus que mourir.

J'ai soutenu ton absence, et j'ai conservé mon amour, par la force de mon amour. Les nuits, les jours, les moments, tout a été pour toi. J'étais superbe de mon amour même; et le tien me faisait respecter ici. Mais à présent... Non, je ne puis plus soutenir l'humiliation où je suis descendue. Si

je suis innocente, reviens pour m'aimer : reviens, si je suis coupable, pour que j'expire à tes pieds.

Du sérail d'Ispahan,
le 2 de la lune de Maharram 1720.

LETTRE 158

ZÉLIS À USBEK

À Paris

À mille lieues de moi, vous me jugez coupable : à mille lieues de moi, vous me punissez.

Qu'un eunuque barbare porte sur moi ses viles mains, il agit par votre ordre : c'est le tyran qui m'outrage, et non pas celui qui exerce la tyrannie.

Vous pouvez, à votre fantaisie, redoubler vos mauvais traitements. Mon cœur est tranquille, depuis qu'il ne peut plus vous aimer. Votre âme se dégrade, et vous devenez cruel. Soyez sûr que vous n'êtes point heureux. Adieu.

Du sérail d'Ispahan,
le 2 de la lune de Maharram, 1720.

LETTRE 159

SOLIM À USBEK

À Paris

Je me plains, magnifique seigneur, et je te plains : jamais serviteur fidèle n'est descendu dans l'affreux désespoir où

je suis. Voici tes malheurs et les miens ; je ne t'en écris qu'en tremblant.

Je jure, par tous les prophètes du ciel, que, depuis que tu m'as confié tes femmes, j'ai veillé nuit et jour sur elles ; que je n'ai jamais suspendu un moment le cours de mes inquiétudes. J'ai commencé mon ministère par les châtiments ; et je les ai suspendus, sans sortir de mon austérité naturelle.

Mais que dis-je ? Pourquoi te vanter ici une fidélité qui t'a été inutile ? Oublie tous mes services passés ; regarde-moi comme un traître ; et punis-moi de tous les crimes que je n'ai pu empêcher.

Roxane, la superbe Roxane, ô ciel ! à qui se fier désormais ? Tu soupçonnais Zélis, et tu avais pour Roxane une sécurité entière : mais sa vertu farouche était une cruelle imposture ; c'était le voile de sa perfidie. Je l'ai surprise dans les bras d'un jeune homme, qui, dès qu'il s'est vu découvert, est venu sur moi ; il m'a donné deux coups de poignard : les eunuques, accourus au bruit, l'ont entouré : il s'est défendu longtemps, en a blessé plusieurs ; il voulait même rentrer dans la chambre, pour mourir, disait-il, aux yeux de Roxane. Mais enfin, il a cédé au nombre, et il est tombé à nos pieds.

Je ne sais si j'attendrai, sublime seigneur, tes ordres sévères. Tu as mis ta vengeance en mes mains ; je ne dois pas la faire languir.

Du sérail d'Ispahan,
le 8 de la lune de Rebiab, 1, 1720.

LETTRE 160

SOLIM À USBEK

À Paris

J'ai pris mon parti : tes malheurs vont disparaître : je vais punir.

Je sens déjà une joie secrète : mon âme et la tienne vont s'apaiser : nous allons exterminer le crime, et l'innocence va pâlir.

Ô vous, qui semblez n'être faites que pour ignorer tous vos sens, et être indignées de vos désirs mêmes ; éternelles victimes de la honte et de la pudeur, que ne puis-je vous faire entrer à grands flots dans ce sérail malheureux, pour vous voir étonnées de tout le sang que j'y vais répandre !

> *Du sérail d'Ispahan,*
> *le 8 de la lune de Rebiab, I, 1720.*

LETTRE 161

ROXANE À USBEK

À Paris

Oui, je t'ai trompé ; j'ai séduit tes eunuques ; je me suis jouée de ta jalousie ; et j'ai su, de ton affreux sérail, faire un lieu de délices et de plaisirs.

Je vais mourir ; le poison va couler dans mes veines : car que ferais-je ici, puisque le seul homme qui me retenait à la vie n'est plus ? Je meurs ; mais mon ombre s'envole bien accompagnée : je viens d'envoyer devant moi ces gardiens sacrilèges, qui ont répandu le plus beau sang du monde.

Comment as-tu pensé que je fusse assez crédule pour m'imaginer que je ne fusse dans le monde que pour adorer tes caprices ? que, pendant que tu te permets tout, tu eusses le droit d'affliger tous mes désirs ? Non : j'ai pu vivre dans la servitude ; mais j'ai toujours été libre : j'ai réformé tes lois sur celles de la nature ; et mon esprit s'est toujours tenu dans l'indépendance.

Tu devrais me rendre grâces encore du sacrifice que je t'ai fait ; de ce que je me suis abaissée jusqu'à te paraître fidèle ; de ce que j'ai lâchement gardé dans mon cœur ce que j'aurais dû faire paraître à toute la terre ; enfin, de ce que j'ai profané la vertu, en souffrant qu'on appelât de ce nom ma soumission à tes fantaisies.

Tu étais étonné de ne point trouver en moi les transports de l'amour : si tu m'avais bien connue, tu y aurais trouvé toute la violence de la haine.

Mais tu as eu longtemps l'avantage de croire qu'un cœur comme le mien t'était soumis : nous étions tous deux heureux ; tu me croyais trompée, et je te trompais.

Ce langage, sans doute, te paraît nouveau. Serait-il possible qu'après t'avoir accablé de douleurs, je te forçasse encore d'admirer mon courage ? Mais, c'en est fait, le poison me consume, ma force m'abandonne ; la plume me tombe des mains ; je sens affaiblir jusqu'à ma haine : je me meurs.

> *Du sérail d'Ispahan,*
> *le 8 de la lune de Rebiab, 1, 1720.*

FIN DES LETTRES PERSANES.

Glossaire

On trouvera ici les termes récurrents des *Lettres persanes* qui font référence au monde «oriental». Ceux qui n'apparaissent qu'une fois sont expliqués en note.

Alcoran: c'est la graphie la plus communément utilisée au XVIIIᵉ siècle pour le Coran, bien qu'elle mélange l'article et le nom (c'est le cas de nombreux mots arabes francisés: «algèbre», «alchimie», «Algérie», etc.).

Bacha: de nos jours, «pacha», titre honorifique donné à un fonctionnaire turc chargé de l'administration d'une province. Plus généralement, dignitaire turc.

Dervi: de nos jours, «derviche», soit religieux musulman, utilisé le plus souvent par nos Persans pour désigner le «religieux» ou le «prêtre» catholique.

Grand Mogol: empereur des Indes.

Hali: orthographe en usage au XVIIIᵉ siècle pour Ali, gendre du prophète.

Immaum: Montesquieu distingue l'*immaum* de l'*iman* (voir note, p. 43), faisant du premier l'équivalent, dans la religion musulmane, du «curé» catholique. Il entend ainsi désigner celui qui dirige la mosquée, le ministre du culte de l'islam.

Mollak: on écrit de nos jours «mollah», qui désigne un docteur de la loi.

Moufti : dignitaire du corps ecclésiastique musulman.

Osmanlins : ou *Ottomans*, c'est-à-dire les Turcs. Ceux-ci sont sunnites, partisans d'Abu Bakr, beau-père de Mahomet, tandis que les Perses sont chiites, partisans d'Ali, gendre du prophète.

Tomans : monnaie d'or utilisée par les persans.

Lettres persanes

Table 331

Table 333

Table 335

Table 337

Table 339

Table 341

Table 341

Du tableau

au texte

Valérie Lagier

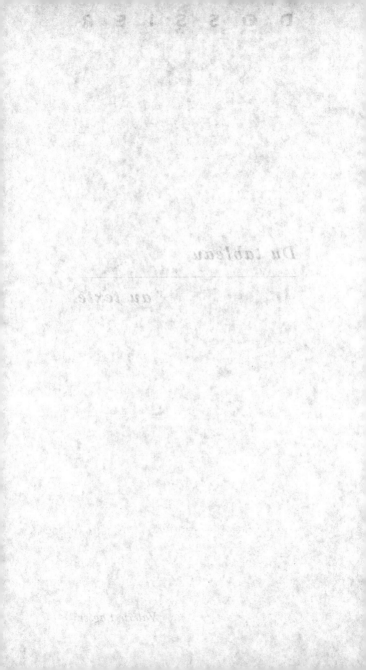

Du tableau au texte

Louis XIV recevant l'ambassadeur
de Perse Mehemet Riza Beg
(anonyme)

... sur fond de visite officielle et de réception à la cour de
l'ambassadeur de Perse à Paris en 1715...

C'est en 1721 que Montesquieu livre au public ses *Lettres persanes*, publiées anonymement à Amsterdam comme un recueil de missives. Cette correspondance prétendument échangée par deux Perses, Usbek et Rica, avec les membres de leur entourage couvre les huit années de leur séjour en France, de 1711 à 1720. Durant cette période charnière pour l'histoire du royaume, le vieux roi Louis XIV meurt en 1715 et son arrière-petit-fils Louis XV monte sur le trône à l'âge de cinq ans. Jusqu'à la majorité du jeune souverain, Philippe d'Orléans exerce une régence qui lui confie l'exercice réel du pouvoir. Ces lettres entrecroisées qui tissent une toile dense de points de vue, mêlant aux réflexions générales des considérations plus intimes, permettent à Montesquieu, protégé sous le masque de l'anonymat, de se livrer à un exercice implacable d'analyse politique, sociale et morale du monde et du temps dans lequel il vit. Et en disséquant les mœurs de ses contemporains à travers le regard d'un étranger, il s'oc-

troie un espace de liberté et une distance qui lui per-
mettent d'embrasser de haut la situation générale du
royaume dans les dernières années du règne de
Louis XIV et les premières années de la Régence, et
d'en pousser très loin la critique. Mais le recours à ce
subterfuge littéraire donne en plus à Montesquieu la
possibilité de satisfaire un fantasme, celui de pénétrer
dans le secret d'un sérail, d'en goûter l'atmosphère
voluptueuse et d'en percer les intrigues de pouvoir,
sans ternir son image sociale d'homme de loi respec-
table et de philosophe réfléchi. Cette enveloppe légère
de roman oriental atténue ainsi la charge explosive de
la satire politique et morale, qui prend pour cible prin-
cipale le monarque et sa cour. Le portrait au vitriol
qu'il dresse d'un roi vieillissant, de ses courtisans, en
empruntant l'identité et les mots d'Usbek, recèle une
telle charge critique qu'il était sans doute difficile à
Montesquieu de l'exprimer en son nom propre sans
être en butte à la censure. La trame événementielle sur
laquelle se tisse cette correspondance persane, par la
véracité de certains faits, ajoute à la vraisemblance du
récit et donc à la force du témoignage. Car c'est bien
sur fond de visite officielle et de réception à la cour de
l'ambassadeur de Perse à Paris en 1715 qu'est censé
se dérouler le voyage des deux Perses. Malgré la discré-
tion avec laquelle Montesquieu évoque cet événement
dans les *Lettres*, puisqu'une seule des missives d'Usbek
(lettre 91) relate cette visite en mettant en doute l'iden-
tité de l'ambassadeur, on peut dire que cette rencontre
entre les deux nations est bien à l'origine du roman.
Car si la mode perse a déjà fait son apparition avec la
traduction en français des *Mille et Une Nuits* en 1704 par
Antoine Galland, si elle s'affermit avec la publication
des voyages de Chardin et de Tavernier, c'est véritable-

ment la venue à Paris de la délégation perse qui permet aux Français de toucher du doigt le luxe et l'exubérance, l'exotisme et le raffinement de la culture perse, faisant naître une véritable frénésie pour tout ce qui est oriental. Montesquieu, fasciné par cette étrangeté de l'autre, par sa différence, tire de cet instant de rencontre entre deux univers le sujet de son roman, profitant de cet engouement tout en y apportant sa contribution notable. Antoine Watteau (1684-1721), Jean-Marc Nattier (1685-1766), François Boucher (1703-1770) et Jean-Baptiste Van Loo (1684-1745) recueilleront eux aussi dans leurs peintures ce voluptueux parfum d'exotisme. Plus historique, cette peinture longtemps attribuée à Antoine Coypel, et conservée au musée national du château de Versailles, dans le lieu même où eut lieu l'événement, relate précisément la réception par Louis XIV de Mehemet Riza Beg, le 19 févier 1715 dans la Galerie des Glaces.

... célébrer la magnificence royale...

Pour embrasser d'un seul regard l'assemblée réunie dans la Galerie, l'audience de l'ambassadeur est décrite en un format horizontal, dit «format paysage». Mais pour élargir encore son champ de vision, l'artiste adopte un point de vue élevé qui lui offre un véritable panorama sur l'événement. Car si les deux protagonistes principaux occupent des positions stratégiques et symboliques dans l'espace — Louis XIV en hauteur, dominant la scène avec majesté et autorité et Mehemet Riza Beg, au bas de l'escalier, penché en signe de soumission et les bras chargés d'offrandes —, on peut se demander quelle pompe aurait leur rencontre si elle

n'était pas offerte en spectacle à une foule nombreuse et courtisane. Cette vue plongeante donne à tous les spectateurs une place, mais n'accorde à aucun le privilège du gros plan. Tous ces grands, familiers et courtisans, conviés à célébrer la magnificence royale plus encore que la gloire de l'illustre étranger, ne sont invités dans l'œuvre que comme un décor, un regard extérieur sans lequel la représentation ne peut avoir lieu. Le flou qui les relègue dans les lointains, le reflet qui les multiplie dans les grandes glaces de la Galerie, tout concourt à ne les percevoir que comme une masse humaine sans autre consistance que le nombre. Isolés, investis d'un honneur insigne sont les occupants de l'estrade qui entourent le vieux souverain dans ses fonctions officielles. Parmi eux, on reconnaît le très jeune prince, futur roi Louis XV, alors âgé de cinq ans et qui participe là à une de ses premières représentations publiques. Dans la chatoyante harmonie des étoffes, mêlant le rouge à l'or et au bleu, une grande tache de lumière blanche vient mourir aux pieds du monarque et de son arrière-petit-fils, manifestant la présence du soleil, astre symbolique de Louis XIV, tout en marquant un grand vide au centre de la composition. Cet espace introduit une distance protocolaire entre le monarque et l'étranger venu lui rendre hommage. Les ombres des deux Perses, comme deux langues sombres, convergent vers le point focal de toute cette mise en scène, le roi vieilli et affaibli qui n'a pourtant rien perdu de sa prestance. La délégation étrangère, reconnaissable à ses atours qui tranchent avec la mode locale — turbans de soie, manteaux et tuniques longs et richement ornés, moustaches systématiques —, forme un groupe compact au pied des marches, recouvertes d'un somptueux tapis. Deux personnages de la cour, en habit de velours, ferment

l'espace dans l'angle inférieur gauche du tableau, comme pour contenir le groupe des Perses et le canaliser dans notre champ de vision. Il est tentant de reconnaître dans ces deux personnages Claude Gros de Boze et Antoine Coypel, chargés par Louis XIV d'immortaliser cet instant historique pour la postérité. Le témoignage du mémorialiste Saint-Simon nous révèle en effet que «Coypel, peintre, et Boze, secrétaire de l'Académie des Inscriptions, étaient en bas du trône, l'un pour en faire le tableau, l'autre la relation».

... un des rares témoignages iconographiques de l'événement...

En vertu de cette mention, confortée par les propos d'un autre mémorialiste, le marquis de Dangeau qui énonce peu ou prou les mêmes faits, cette œuvre a longtemps été attribuée à Antoine Coypel, peintre et décorateur prolifique dont la carrière brillante coïncide avec l'apogée du règne de Louis XIV. Peintre très en faveur à la cour, puisqu'il reçoit de nombreuses commandes pour Marly, Trianon, Meudon et Versailles, Coypel est nommé premier peintre des ducs d'Orléans. Son œuvre, très influencée par Rubens (1577-1640), est à la fois savante et séduisante, marquant un goût très net pour l'exubérance des coloris. Malgré l'hostilité du surintendant Hardouin-Mansart dans les toutes dernières années du XVIIe siècle, il termine sa carrière avec les plus grands honneurs dévolus aux artistes de son temps : directeur de l'Académie de peinture et de sculpture, premier peintre du roi en 1716. Il est même anobli en 1717, sous la Régence. Aussi, il est tout à fait normal que le monarque lui confie la res-

ponsabilité de relater cette audience de l'ambassadeur de Perse à Versailles. Cependant, le peintre, sérieusement malade pendant une grande partie de l'année 1715, n'a sans doute pas pu exécuter cette commande royale. Pour Nicole Régnier, spécialiste d'Antoine Coypel, il paraît impossible de reconnaître la main de l'artiste dans cette œuvre. Aucun règlement n'a pu être découvert pour elle dans les archives. Rendue à l'anonymat, cette peinture n'en reste pas moins un des rares témoignages iconographiques de l'événement. Adoptant un schéma déjà employé par Antoine Coypel pour la réception de l'ambassadeur du Maroc et par Antoine Coysevox dans son bas-relief immortalisant la venue de l'ambassadeur de Siam en 1686, on peut dire que cette peinture appartient à un genre particulier, celui de la réception royale qui place toujours le roi à droite de la composition, en position élevée. Ce positionnement systématique du prince dans la partie droite est compréhensible si l'on admet que, dans l'art occidental, la lecture de l'image se fait toujours de gauche à droite, dans le sens de l'écriture. Notre œil, pour s'élever vers l'astre louis-quatorzien, doit nécessairement, comme le font les ambassadeurs, balayer l'espace dans cette direction et achever sa course au pied du trône royal. Étant donné le caractère systématique de cette mise en scène, quelle historicité accorder à cette source pour connaître la réalité de l'événement historique qui, plus qu'une simple rencontre amicale entre représentants de deux nations différentes, est le premier acte d'une longue négociation diplomatique en vue de la signature d'un traité commercial entre le Shah de Perse Hussein et Louis XIV? Cet aspect fondamental de leur entretien n'est en effet pas le sujet de l'œuvre ni d'ailleurs de la

lettre envoyée par Usbek à Rustan, «le dernier [jour] de la lune de Gemmadi, 2, 1715».

... un personnage imbu de lui-même, coléreux et peu diplomate...

Il est sans doute nécessaire, pour se faire une juste idée de la teneur politique et économique, comme du déroulement historique de cette ambassade, d'avoir recours aux témoignages des contemporains et, en particulier, à l'ouvrage de Lefebvre de Fontenay, *Journal historique du voyage de l'ambassadeur de Perse* publié à Paris en 1725. À travers son récit, on voit se dessiner les contours d'un périple semé d'embûches, qui a déjà toutes les caractéristiques d'un roman d'aventures. Plein de péripéties, le voyage de Mehemet Riza Beg est, comme celui d'Usbek et de Rica, une longue traversée de terres plus ou moins hospitalières. La principale difficulté résidait dans la traversée de la Turquie ennemie. Déguisé en marchand, l'ambassadeur est inquiété par les autorités turques, méfiantes en raison de l'importance de son escorte, et il n'a d'autre choix pour rejoindre Marseille que de s'embarquer clandestinement sur un navire. Les présents destinés au roi de France avaient été acheminés auparavant par voie de mer, dissimulés dans des balles de soie. On ne peut que s'étonner du luxe de précautions pris pour des cadeaux dont la faible importance décevra le roi de France : des perles, des turquoises, deux petites boîtes d'or et du baume de momie. Quant à l'ambassadeur, somptueusement reçu par le monarque, il n'était pas non plus à la hauteur de sa noble tâche. Cet intendant du gouvernement d'Erevan, envoyé en France par le chah Hussein,

était un personnage imbu de lui-même, coléreux et peu diplomate. À la lumière de ces informations, on comprend mieux les réflexions d'Usbek (et celles de Montesquieu à travers lui) sur l'identité usurpée de l'ambassadeur de son pays et sur la mesquinerie des présents offerts par la Perse. « Il paraît ici un personnage travesti en ambassadeur de Perse, qui se joue insolemment des deux plus grands rois du monde », dit-il. Et il ajoute : « Il apporte au monarque des Français, des présents que le nôtre ne saurait donner à un roi d'Irimette ou de Georgie : et, par sa lâche avarice, il a flétri la majesté des deux empires. » Il faut bien avouer que, déguisé en marchand lors de son arrivée à Marseille, chargé d'offrandes peu propres à magnifier son pays d'origine, ce personnage ne pouvait qu'éveiller la suspicion. Pourtant, Mehemet Riza Beg n'avait rien d'un imposteur, même si des rumeurs défavorables circulaient à son sujet. Il s'acquitta mal de sa tâche, mais réussit finalement à signer le traité pour lequel il avait été envoyé auprès du roi de France. La maladie de Louis XIV, qui devait mourir en septembre, ajoutait à la difficulté de sa tâche. De toute cette réalité plus ou moins reluisante, de tout ce relief des personnages, un ambassadeur caractériel et un monarque absolu abîmé par l'approche de la mort, rien ne transpire dans l'œuvre. Commande royale, cette peinture est une image lisse, celle que Louis XIV veut encore donner de lui-même et de son pouvoir. Chant du cygne, cette cérémonie n'est qu'une des dernières scènes de la pièce qu'il n'a cessé de jouer durant tout son règne. Pour Montesquieu, qui dans les lettres d'Usbek, place juste après l'annonce de sa mort — « le monarque qui a si longtemps régné n'est plus » — cette réception de l'ambassadeur de Perse est un de ses derniers actes

politiques. Ainsi, cette œuvre vient témoigner que les affaires du royaume, son devenir, ses alliances internationales, auront été la préoccupation de Louis XIV jusqu'au seuil de sa mort.

politesses. Après être à sa place venu à moi, après mes
saluces du roi, a m'a demandé de ses affaires internes
bontés, autant de la préoccupation de Louis XIV des
suites de sa mort.

Le texte

en perspective

Alain Sandrier

Mouvement littéraire

Un peu d'Orient dans nos Lumières

POURQUOI L'ORIENT ? Parce qu'il est au cœur des *Lettres persanes*, avec le charme qu'on lui accorde et les incompréhensions qu'il suscite. L'impression est de tous les temps, mais chaque période a sa manière. Aussi, ce regard que l'Occident tourne au XVIIIᵉ siècle vers l'Orient nous éclaire pour aujourd'hui, dans notre présence à l'Orient, qui n'est plus la même. C'est l'occasion de souligner cette curieuse instrumentalisation dont l'islam a fait l'objet au siècle des « philosophes », et que les *Lettres persanes* mettent exemplairement en œuvre. Utilisation à la fois négative et positive : par le masque oriental, les Lumières ont pu dire ce qu'elles ne pouvaient dire publiquement, en même temps qu'elles caricaturaient l'Orient pour s'en faire un repoussoir. C'est ce mouvement de rejet et d'attrait, de répulsion et de séduction qui nous occupe : mouvement qui ne vaut que par cette tension. À ne retenir qu'un des deux pôles, on a une vision tronquée, voire malintentionnée, qui marque un refus de l'esprit critique : c'est pourtant le legs le plus important des Lumières à notre modernité.

1.

Extension

1. *L'Orient des découvreurs*

« Orient » : le mot, suivant l'étymologie, désigne un horizon plus qu'un territoire, un point de fuite. Course au « soleil levant » depuis l'Europe, avec un flou entretenu sur les démarcations, les aires culturelles et les différences. Au XVIIIᵉ siècle, on est loin de tout mélanger, mais certaines frontières sont poreuses. Si la Chine et le Japon s'isolent à l'« Extrême-Orient », facilement identifiables culturellement et géographiquement, une bande continue, englobant l'essentiel du pourtour méditerranéen, s'étire de la Turquie à l'Inde, dont le partage est plus approximatif : l'« Orient » coïncide globalement avec l'extension maximale de l'islam, en incluant l'hindouisme, moins bien connu.

Les Lumières vont éclairer l'Orient par vagues successives, au gré des curiosités et des modes, selon des cycles repérables. La fin de la période classique, à partir de 1665, jusqu'en 1710 environ, voit se multiplier les voyages et les connaissances. C'est le temps des explorateurs et des premiers « orientalistes », ces spécialistes des langues et de la civilisation orientales : ce sont souvent les mêmes, car ils ont puisé leurs connaissances à la source, par le voyage. Jean Chardin, François Bernier et Jean-Baptiste Tavernier sont les grands noms. Ce sont les sources d'informations majeures pour les Lumières naissantes et Montesquieu, comme tant d'autres, a fréquenté leurs écrits et y puisera (voir le Groupement de textes, p. 420). L'Inde, la Turquie et la Perse sont

les objets privilégiés de cet engouement. La masse des informations acquises se déploie dans les imposants volumes de la *Bibliothèque orientale* (1697) initiée par d'Herbelot et achevée par Galland. Puis vient le temps de la Chine et du Japon. L'« Extrême-Orient » supplante le Moyen-Orient dans les cœurs, et dans les préoccupations religieuses aussi : la question des « rites chinois » posée par les expéditions jésuites, les problèmes de conversion qu'elles rencontrent auprès des populations et des autorités, excitent les commentaires et les interrogations. Tout un monde sans contact avec le christianisme et étranger à son héritage semble répugner à son enseignement : l'islam, quant à lui, l'avait sciemment refusé en prétendant le dépasser. 1746 marque une phase de bilan et de synthèse avec le début de la monumentale *Histoire générale des voyages* en 20 volumes (1746-1759) lancée par l'abbé Prévost, l'auteur de l'*Histoire du chevalier Des Grieux et de Manon Lescaut* (1731). Le voyage n'apporte plus guère de neuf du côté de l'Orient : on synthétise et résume. Il faut attendre 1760 pour qu'une curiosité nouvelle apparaisse avec l'Inde.

2. *Le modèle ottoman*

Les *Lettres persanes* sont le témoin de cette évanescence des contours de l'Orient : la Perse de nos deux héros, Usbek et Rica, y a parfois des airs d'Empire ottoman. C'est que les deux régions sont confondues culturellement, au moins dans la représentation collective. La coupure confessionnelle entre sunnites et chiites n'est pas inconnue de Montesquieu (voir p. 22), mais il l'estompe plus qu'il ne la marque. Sans doute parce qu'il veut renvoyer à ses lecteurs l'image simplifiée qui

a cours, où l'Orient est parsemé de harems, de lascivité et de despotisme.

Et puis l'histoire a sa part dans ces simplifications. L'islam qui a retenu l'attention est celui qui a été un temps, au Moyen Âge, à la fois une menace et un scandale pour la chrétienté : les croisades ont tenté en vain de mettre à portée d'Occident les lieux fondateurs du christianisme, et les succès de conquête des armées arabes ont inquiété et fasciné. La maîtrise occidentale de la Méditerranée n'est pas si ancienne. Malte avec ses chevaliers, aux avant-postes, verrouille l'Occident depuis le XVIᵉ siècle seulement (voir la lettre 19, p. 49). La Russie, chrétienne orthodoxe et considérée comme à moitié barbare, sent encore, au XVIIIᵉ siècle, le risque d'une intrusion musulmane par le continent. Bref, c'est l'Empire ottoman qui a constitué le référent exemplaire de l'islam et par lui de l'Orient. Mais c'est un empire affaibli, avec lequel des liens diplomatiques sont noués par les puissances occidentales, et en particulier la France, depuis la Renaissance : ces relations constituent souvent un moyen de chantage dans les alliances qui se créent lors des grands conflits européens. François Iᵉʳ, pas plus que Louis XIV, n'aura peur de se concilier les bonnes grâces de la « Grande Porte », au grand scandale des autres nations chrétiennes.

2.

Les charmes de l'Orient

1. *Le succès des* Mille et Une Nuits

C'est par la sensibilité, si ce n'est la sensualité, que l'Orient séduira. Dans un siècle qui marque la réhabilitation des passions, l'Orient devient une source d'inspiration pour la peinture des sentiments amoureux, un modèle que l'on suit et égratigne tour à tour, mais irremplaçable pour dire le tumulte des corps et les vicissitudes des cœurs. Les traits se définissent très vite, et sont relativement stables : ils constituent l'identité littéraire de l'Orient. Comme il y a, au Moyen Âge, une « matière de Bretagne », faite de preux chevaliers et de nobles dames, il y a une « matière d'Orient » qui fait son entrée avec éclat. Antoine Galland, voyageur et membre du corps des « jeunes de langues » fondé par Colbert pour développer l'enseignement des langues orientales, publie les traductions qu'il a faites des nombreux manuscrits persans entrés dans la Bibliothèque du roi. Ce trésor de la culture persane porte un nom qui s'ancrera dans les mémoires et sera sujet à de nombreuses déclinaisons : les *Mille et Une Nuits* (1704-1717). Son disciple et successeur, Pétis de La Croix, secrétaire-interprète du Roi-Soleil pour les langues orientales, prend le relais. Paraissent successivement, sous couvert de traductions, l'*Histoire de la sultane de Perse et des vizirs* (1707) et les *Mille et un jours, contes persans* (1710-1712).

Succès phénoménal : la recette se répand immédiatement. Mettez une histoire originale, qui ne craint pas l'invraisemblance ; des femmes, délicieusement char-

nelles mais inaccessibles ; un art de conter qui manie aussi bien la simplicité des «fables» que la virtuosité des récits enchâssés, le tout dans un décor reconnaissable entre tous, où alternent déserts et oasis, palais et antres, où les vêtements et les parfums jouent de nuances imperceptibles et de gradations érotiques subtiles, et vous aurez ce qu'on appelle une «histoire orientale». Avec des caractéristiques si accusées, le pastiche et la parodie font d'emblée partie intégrante du genre : l'original et la copie sont contemporains. Les œuvres publiées par Pétis de La Croix en particulier, bien que se présentant comme des originaux persans, sont retouchées et aménagées à discrétion par Lesage, le dramaturge et romancier (*Histoire de Gil Blas de Santillane*, 1720), qui fréquente ce monde des orientalistes. Les apprentis Schéhérazade se multiplient en France, improvisant une couleur locale qui tient plus de la galanterie que des usages d'Orient. Qu'importe, la veine est inépuisable.

Elle conduit à quelques récupérations qui vont assurer l'épanouissement de deux sous-genres. Le premier est le conte proprement dit. Le décor oriental a servi à libérer l'imagination du temps. La fiction n'est plus astreinte à la vraisemblance, contrainte classique, elle se laisse aller à tous les débordements imaginaires. Du même coup, le conte s'ouvre aux expérimentations : le «conte philosophique», en particulier, gagne à ce recours à l'Orient. Voltaire, en ce domaine comme en tant d'autres, donne l'exemple. Avec *Zadig ou la destinée* (1748), sous-titré «histoire orientale», il a trouvé le moule qui lui permet d'unir plaisir de raconter et de réfléchir. Sagesse et fantaisie se rejoignent : la leçon prépare le chef-d'œuvre que sera *Candide* (1759). Tout au long de sa carrière de conteur, Voltaire ne cesse d'al-

ler chercher l'inspiration dans cet Orient de fantaisie. Les titres sont nombreux, du *Monde comme il va* (1748), à la *Lettre d'un Turc* (1750) et *Les Lettres d'Amabed* (1769), ou encore à l'*Histoire d'un bon Bramin* (1761), *La Princesse de Babylone* (1768) et *Le Taureau blanc* (1774), pour ne citer que les plus connus.

2. *L'épanouissement de la littérature érotique*

La « littérature libertine » profite à son tour de l'Orient. Les écrits érotiques ne sont pas une nouveauté, mais l'Orient leur donne un modèle de raffinement, qui joue de la suggestion et de l'excitation apportée par les écrans et les obstacles. Le décor du harem suscite tous les fantasmes : il abrite toutes les formes de désir qui doivent impérativement se cacher à une société avide de plaisirs mais guindée dans le carcan chrétien de la répression des passions de la chair. La Régence (1715-1723) a constitué incontestablement une période de prise de conscience et de revendication de la plénitude du bonheur terrestre et des plaisirs physiques. Comme souvent, l'Orient sert d'alibi pour exprimer cet « autre » de la morale occidentale, « autre » rêvé et fantasmatique, qui se permet ce que la rigueur du temps interdit. La lascivité est constitutive de la construction imaginaire de l'Orient. Les rêveries du sérail d'Usbek en témoignent. Mais l'écriture va parfois au-delà de la simple suggestion, et court après une recherche de l'excitation sexuelle pure et simple. Les titres apparaissent vite, écrits d'auteurs de second ordre, tel ce Godard de Beauchamps qui fait paraître en 1728 son *Histoire du prince Apprius*, décrit fallacieusement comme un « Manuscrit trouvé dans la bibliothèque de Shah-Hussain, roi de Perse, détrôné par Mamouth en 1722 ».

Mais des noms connus s'illustrent, comme Crébillon, l'auteur des *Égarements du cœur et de l'esprit* (1738), modèle d'écriture libertine pour les Lumières : il écrit en 1741 *Le Sopha* qui se veut un « conte moral, à Gaznah, de l'imprimerie du très-pieux très-clément et très-auguste sultan des Indes. L'an de l'Hégire MCXX, avec privilège du susdit ». Il n'est jusqu'à Diderot qui ne s'essaie, à l'aube de sa carrière, à ce genre badin en rédigeant *Les Bijoux indiscrets* en 1745. Ils lui valent, avec sa *Lettre sur les aveugles*, la prison : philosophie et érotisme ont fait trop bon ménage. Ce n'est pas la seule fois.

Finalement, c'est un vent de liberté que les auteurs érotiques viennent chercher dans l'Orient, une facilité à dire les plaisirs, à les décrire, en allant un peu plus loin que ne le permet la convenance. Voisenon, l'auteur du *Sultan Misapouf et la princesse Grisemine* (1746), le dit ingénument dans son « Discours préliminaire ». Tous les écrivains que nous avons nommés pourraient le soutenir également :

> Le conte que je vous envoie est si libre et si plein de choses qui toutes ont rapport aux idées les moins honnêtes que je crois qu'il sera difficile de rien dire de nouveau dans ce genre. Du moins je l'espère ; j'ai cependant évité tous les mots qui pourraient blesser les oreilles modestes ; tout est voilé ; mais la gaze est si légère que les plus faibles vues ne perdront rien du tableau.
>
> (*Romanciers libertins du XVIIIe siècle*,
> édition de P. Wald Lasowski,
> Gallimard, Bibliothèque de la Pléiade)

3.

Le « style oriental »

Cet imaginaire de la sensibilité est relayé par un imaginaire des langues. La réflexion sur le langage a souvent mélangé et identifié ce qui relève de la langue, c'est-à-dire des règles propres à un système particulier du langage, et ce qui est de l'ordre du discours, soit les différentes manières de mettre en œuvre ces règles suivant les locuteurs. Ainsi pense-t-on, à l'époque, que le français est par excellence la langue de la clarté (contrairement à l'italien ou l'anglais, langues de la sensibilité), alors que ce souci de clarté provient en fait de l'esthétique classique, et ressortit donc au discours littéraire. Cette conception des langues est à l'origine d'un lieu commun appelé à un bel avenir, où les traits de l'Orient, là encore, s'opposent idéalement à ceux de l'Occident. Soit d'un côté les langues orientales, entièrement dévolues aux sinuosités de l'imagination, et de l'autre les langues européennes, qui sont le véhicule privilégié de la raison : l'Occident a toujours rejeté comme son autre ce qui relève des puissances de la passion. Ce lieu commun a donc fait des langues perse et arabe l'exact opposé de ce que l'Occident voulait voir dans sa culture : ces langues seront donc celles qui contrarient la raison, traduisant immédiatement et de manière privilégiée les impulsions du cœur plutôt que de l'esprit. Finalement, la langue est conçue comme si elle impliquait et portait avec elle certaines formes d'expression particulières : ce n'est plus seulement un outil de communication, c'est déjà un style.

Et ce « style oriental » épouse les caractéristiques que

l'on se plaît à voir dans les grandes œuvres de référence. Les *Mille et Une Nuits* ne sont traduites qu'au début du XVIIIᵉ siècle, mais le Coran est connu un demi-siècle plus tôt par la traduction de Du Ryer (1647) : c'est celle qu'utilise encore Montesquieu dans ses *Lettres persanes* (voir lettres 16 et 38) car il faut attendre 1783 pour qu'une nouvelle traduction du Coran, celle de Savary, voie le jour. On n'a jamais vraiment distingué les choix expressifs de ces œuvres des langues qui en sont le support. Les figures de style semblent ainsi leur être consubstantielles : en elles, la rhétorique est partie prenante de l'expression, avec une figure privilégiée, l'hyperbole. On ne peut s'exprimer simplement en Orient, soutient-on : tout y revêt une ampleur affectée, tout y est exagéré. La prose y est déjà infectée des marques de la poésie : on ne peut parler que de manière *ornée*. C'est devenu une évidence que personne ne conteste, et qui se décline en clichés plus ou moins caustiques. Voltaire, dans *Zadig* (1748), soulignera l'originalité de son héros en en faisant une exception au milieu de ses congénères. Quand celui-ci veut se défendre des accusations malveillantes, son plaidoyer, sec et sans figure, n'a pas convaincu car il heurte les préférences de ses concitoyens en matière de discours :

> L'envieux et sa femme prétendirent que dans son discours il n'y avait pas assez de figures, qu'il n'avait pas fait assez danser les montagnes et les collines. « Il est sec et sans génie, disaient-ils : on ne voit chez lui ni la mer s'enfuir, ni les étoiles tomber, ni le soleil se fondre comme la cire ; il n'a point le bon style oriental. » Zadig se contentait d'avoir le style de la raison.
>
> (Voltaire, *Romans et contes*, Gallimard, Bibliothèque de la Pléiade)

C'est donc non sans raison que Montesquieu prévient l'étonnement qui pourrait prendre le lecteur des *Lettres persanes*. Alerté par le titre, ce dernier est supposé s'attendre à un « style oriental », les lettres étant censées être écrites par des Persans. Le traducteur fictif de l'« Introduction » ne peut moins faire qu'avouer avoir acclimaté son expression aux canons esthétiques de la langue française. Montesquieu joue ainsi d'un cliché pour souligner que l'écriture de ses *Lettres* doit plus au « génie français », à la langue classique telle qu'elle s'est développée depuis un siècle dans la littérature, qu'au décor asiatique : « J'ai soulagé le lecteur du langage asiatique, autant que je l'ai pu, et l'ai sauvé d'une infinité d'expressions sublimes, qui l'auraient ennuyé jusque dans les nues » (p. 12). Il ne peut s'empêcher néanmoins de parodier ce style sublime et hyperbolique, notamment dans la lettre 16 (voir p. 43-44) : la religion, une fois de plus, fait les frais de cette rhétorique ampoulée.

En ce siècle de la raison triomphante, le « style oriental » est à la fois apprécié pour sa grâce toute poétique et surveillé pour ses dérives. Il est le vecteur d'une perte des règles du bien dire et du bien écrire. C'est pourquoi il semble inéluctablement entaché d'une « originalité » qui lui interdit une vision fidèle de la réalité des choses. Jusqu'à la fin des Lumières, les Orientaux seront stigmatisés pour leur impossibilité à suivre le dogme classique de l'« imitation de la nature ». Grimm, un ami de Diderot, note ainsi, dans la *Correspondance littéraire* du 15 mai 1765 : « Ils se piquent dans leurs usages, dans leurs productions, dans leurs actes et dans leurs ouvrages, d'une certaine originalité bizarre qui non seulement les empêche de copier aucun autre peuple, mais leur défend d'imiter la nature. »

On est bien là en présence d'une construction de

l'identité orientale influencée par les débats internes à l'Occident. De ce point de vue, une figure exemplaire rassemble en elle tous les aspects de cette démarche qui fait de l'Orient pour l'Occident tout à la fois un texte à déchiffrer et un prétexte à régler ses comptes.

4.

Mahomet, « imposteur » ou prophète du déisme ?

1. *L'influence culturelle du religieux*

Cette figure, c'est celle du prophète de l'islam. C'est aussi celle qui est la plus difficile à lire, par le poids des incompréhensions et la violence des enjeux, aujourd'hui comme jadis. Dans la société occidentale des Lumières, malgré la laïcisation qui touche les esprits les plus en pointe, la religion n'est pas seulement affaire de conviction intime, c'est avant tout l'immense socle culturel sur lequel reposent un nombre infini de pratiques, d'usages, de valeurs et d'institutions, tout un ensemble de catégories de penser, de voir et de sentir qui conditionnent l'écrasante majorité de la population et s'insinuent à tous les niveaux du pouvoir politique. On ne peut les toucher impunément. Or la religion chrétienne se dit déjà au pluriel depuis le xvie siècle, et irrémédiablement : l'Europe s'organise autour de la coupure entre confessions catholiques et protestantes, elles-mêmes en proie à des dissensions (dissidence janséniste, calvinismes sectaires, etc.). Dans ces querelles intestines, l'islam ne peut qu'être récupéré, le plus souvent à ses dépens, pour faire dire à l'adversaire ce

qu'on voudrait qu'il soit : un hérétique qui a rompu avec la vraie religion chrétienne.

C'est pourquoi Mahomet est l'enjeu de disputes interprétatives très violentes entre catholiques et protestants. Les catholiques font de Mahomet l'incarnation même de l'hérétique, de l'imposteur : c'est le premier exemple d'une perversion du message de l'Évangile conduisant inéluctablement à la création d'une religion qui rompt les amarres avec le Christ. Car l'islam lui dénie sa divinité en le ravalant au rang de simple prophète. Cette désacralisation de Jésus-Christ, les catholiques en accusent allégrement aussi les protestants. Ces derniers sont vus comme des hérétiques qui, malgré leur dénégation, par leur attachement au «libre examen», poursuivent ce travail de sape de la trinité chrétienne (le Christ est une des trois personnes du Dieu unique). Aussi, pour contrer cette vision polémique, les protestants s'attellent à quelques grandes biographies de Mahomet : Bayle, en particulier, dans l'article «Mahomet» de son *Dictionnaire historique et critique* (1697), s'emploie longuement à en dresser un portrait qu'il veut plus fidèle et moins orienté. S'il le range malgré tout parmi les fondateurs d'une religion «fausse», il tient à faire le tri entre les événements dignes de foi et les allégations infondées. Il réplique aux critiques des catholiques qui voient dans l'islam une religion qui flatte les sens, en soulignant que religion et morale sont foncièrement indépendants. Et, astucieusement, il renvoie l'accusation aux catholiques, en montrant qu'ils emploient les mêmes armes que l'islam pour se répandre : la force et la contrainte. Même ambition et même posture défensive dans *La Religion des Mahométans* (Utrecht, 1705) d'Adrian Reland, traduit par Durand (La Haye, 1721). Le souci de compréhension

progresse, le rapport à l'islam, selon Reland, reposant essentiellement sur des préjugés. Il n'a pas peur de soutenir :

> Le bon sens est de tous les pays et de tous les climats, et je ne saurais me persuader qu'une religion, qui a fait tant de progrès au long et au large, dans l'Asie, dans l'Afrique et dans notre Europe, même depuis l'établissement de l'Évangile, soit aussi destituée d'apparence de vérité, que nous le prétendons nous autres Chrétiens, parce que nous avons quelque droit de les regarder comme des apostats et des déserteurs du christianisme.

La Vie de Mahomet (Amsterdam, 1723) de Jean Gagnier complète l'arsenal protestant.

2. *Mahomet, comme prétexte*

Mais, dépassant les querelles confessionnelles, ce que ce recours à l'islam traduit, c'est, finalement, une hantise générale sur l'« impiété » galopante de la civilisation occidentale. On peut noter d'ailleurs qu'une des références majeures sur Mahomet est, à l'origine, une réponse inquiète des religions chrétiennes établies devant la montée des croyances remettant en cause la notion même de révélation. Humphrey Prideaux écrit en anglais une biographie bientôt traduite en français en 1699 sous le titre de *La Vie de l'imposteur Mahomet*. Il s'agit de couper l'herbe sous le pied des « déistes », qui ne reconnaissent que l'existence d'un créateur, sans vouloir l'identifier aux dieux des trois grands monothéismes révélés : les révélations se valent toutes et prétendent toutes également à l'authenticité, disent les déistes, et l'appartenance à une religion n'est qu'affaire d'éducation et de coutume. Pour préserver la primauté

à la religion chrétienne, Prideaux s'efforce de montrer ce qui sépare une religion vraie, la sienne, d'une croyance uniquement humaine et sans caution divine, telle qu'est, à ses yeux, la religion musulmane.

Par contrecoup, la défense de l'islam et de son prophète devient le masque de ceux qui n'osent attaquer ouvertement la religion chrétienne et son emprise, mais mettent en doute les preuves de sa légitimité. Le mouvement est paradoxal, mais il est familier aux esprits déliés de ce temps, qui savent jouer de la dissimulation dans ces sujets délicats et étroitement surveillés. Valoriser l'islam est un moyen de dévaloriser la religion chrétienne, selon deux voies au moins. En louant l'islam, on met en évidence une morale intègre qui a su écouter, autant si ce n'est plus que la chrétienne, les voix de la nature. C'est un argument en faveur de l'existence d'une morale universelle qui résume et dépasse le message de chaque religion, ravalé à un cas d'espèce. C'est bien ainsi en tout cas que les esprits les plus affranchis lisent la *Vie de Mahomed*. Cet ouvrage paraît en 1730 à Londres, d'après le manuscrit inachevé de Boulainviller, un libre-penseur, intitulé *Histoire de Mahomet et de ses premiers successeurs*.

Mais en étudiant l'histoire des premiers temps de l'islam, autour de la vie de son prophète, de ses succès et de ses conquêtes, on met aussi en évidence l'extraordinaire levier politique qu'est la crédulité religieuse. On retrouve la figure traditionnelle du Mahomet imposteur, mais cette fois-ci, la critique bénéficie au déisme, voire à l'incrédulité, en ruinant les prétentions des trois religions de la Bible. Les trois fondateurs, Moïse, Jésus et Mahomet, sont confondus dans une même réprobation. Ils sont trois facettes différentes d'un phénomène identique, celui de la perversion du pouvoir politique

par la religion. C'est ce phénomène qu'analyse l'œuvre la plus fameuse de la littérature clandestine irréligieuse, le *Traité des trois imposteurs* (1720).

L'islam est donc rarement considéré pour lui-même, mais toujours en relation avec des enjeux propres à l'Occident, si bien qu'il devient un masque commode pour critiquer la religion chrétienne. Il est vrai que la censure du temps interdit de contester le bien-fondé du christianisme. Aussi déjoue-t-on la censure en stigmatisant dans la religion musulmane ce qu'on pourrait aussi bien reprocher au christianisme. Le procédé offre l'avantage de se mettre à couvert des autorités, et permet même quelquefois, avec une certaine mauvaise foi, de prétendre défendre la vérité de la religion chrétienne. Les autorités se laissent rarement prendre au piège cependant. Et, quelque mesurée que soit la position de Montesquieu en matière religieuse, il est difficile d'imaginer que les *Lettres persanes* puissent jamais donner une vision favorable du poids de la religion dans la société, qu'il s'agisse de la religion musulmane ou chrétienne : les défauts de la première ne sont souvent que l'image de ceux de la seconde.

3. *L'entrée en fiction de Mahomet*

Qu'on ne s'imagine pas trop vite que ces considérations concernent seulement la vie de l'esprit, les débats d'idées et les querelles théologiques. Dans une époque où les idées irriguent la fiction, ces conceptions ont vite fait d'inspirer la littérature. Pour le meilleur et pour le pire, et dans tous les registres : la lettre 39 sur l'enfance du prophète en est un exemple (voir p. 85-87). Mais c'est le théâtre qui, en particulier, met en vedette Mahomet. Au début du siècle, dans la lignée de l'orien-

talisme initié par les *Mille et Une Nuits,* Lesage s'essaie à plusieurs comédies, écrites dans l'esprit du théâtre de la foire sur des sujets «orientaux». Ainsi, au milieu de nombreux titres de pièces légères, trouve-t-on ces facéties où le monde musulman est caricaturé sans vergogne, tels l'*Arlequin Mahomet* (1714) ou *Les Pèlerins de La Mecque* (1726). Voltaire réussit à faire entrer le monde musulman dans le grand genre par excellence, la tragédie. Il impose une première fois le décor oriental dans un de ses grands succès, *Zaïre* (1732). Il récidive, avec une ambition plus grande encore, dans *Le Fanatisme ou Mahomet le prophète* (1741). Pièce intrigante, qui montre un Mahomet éminemment humain, avide de désir et de pouvoir : Voltaire, qui n'était pas tenu avec la religion musulmane à une vision sacrée des choses, s'en donne à cœur joie pour montrer l'habileté exceptionnelle de ces hommes qui ont su manipuler la crédulité du peuple tout en anticipant le cours nouveau de l'histoire. Voici l'autoportrait que confie Mahomet à Zopire :

> Vois quel est Mahomet ; nous sommes seuls, écoute :
> Je suis ambitieux ; tout homme l'est sans doute ;
> Mais jamais roi, pontife, ou chef, ou citoyen,
> Ne conçut un projet aussi grand que le mien.
> Chaque peuple à son tour a brillé sur la terre,
> Par les lois, par les arts, et surtout par la guerre.
> Le temps de l'Arabie est à la fin venu.
> Ce peuple généreux, trop longtemps inconnu,
> Laissait dans ses déserts ensevelir sa gloire ;
> Voici les jours nouveaux marqués pour la victoire.
> Vois du nord au midi l'univers désolé,
> [...]
> Sur ces débris du monde élevons l'Arabie.
> Il faut un nouveau culte, il faut de nouveaux fers ;
> Il faut un nouveau Dieu pour l'aveugle univers.

En Égypte Osiris, Zoroastre en Asie,
Chez les Crétois Minos, Numa dans l'Italie,
À des peuples sans mœurs, et sans culte et sans rois,
Donnèrent aisément d'insuffisantes lois.
Je viens après mille ans changer ces lois grossières.
J'apporte un joug plus noble aux nations entières.
J'abolis les faux dieux, et mon culte épuré
De ma grandeur naissante est le premier degré.

Voltaire, *Le Fanatisme
ou Mahomet le prophète* (II, 5)

Bien que Voltaire reprenne ici une critique issue du christianisme, il la fait servir à sa propre cause, le déisme. Il en joue de même avec la religion juive, qui lui sert de promontoire pour détruire le christianisme. C'est sa manière indirecte de saper l'autorité de la religion la pire qui soit, à ses yeux, le christianisme. Mais s'il a voulu mettre Mahomet en scène, c'est avant tout parce qu'il a souhaité peindre des passions humaines intenses, et que ce sujet s'y prêtait, selon lui, idéalement. On ne sait d'ailleurs, ce qui le fascine le plus chez Mahomet, en tant que personnage historique : le guerrier courageux ou le politique rusé, à la manière du *Prince* de Machiavel.

5.

Le despotisme asiatique

Cette réserve envers l'homme, Voltaire la gardera toujours, mais, au fur et à mesure que sa connaissance du monde musulman progresse, son admiration ne cesse de grandir. Il a à cœur de donner à cette civilisation toute la place qu'elle mérite dans l'histoire mon-

diale. Place qui a été occultée par la tradition religieuse : Bossuet ne mentionnait même pas l'islam dans son *Discours sur l'histoire universelle* (1681). Il est vrai qu'il ne regardait les événements qu'avec des lunettes de théologien. Voltaire le lui reproche vertement dans son *Essai sur les mœurs* (1760). Cette œuvre est son travail d'historien le plus ambitieux. Elle ne vise à rien moins que brosser le tableau de l'évolution de l'humanité depuis les origines. Voltaire accorde une place importante à l'islam, avec un regard qui est souvent empreint d'admiration et de compréhension. Cependant, sa préférence va à la Chine et à Confucius : il apprécie cet immense empire, dirigé par des lettrés, qui sont déistes, pratiquent une morale humaine et laissent le peuple à ses superstitions. Quoi qu'il en soit, c'est sans doute, dans toutes les Lumières, la reconnaissance la plus visible de l'importance du monde musulman.

Car les Lumières ont aussi une lecture politique de l'Orient qui va à l'encontre de la position de Voltaire. C'est aussi la plus répandue, car elle est théorisée par le penseur politique le plus admiré du siècle : Montesquieu lui-même. On peut voir cette opinion en germe dans les *Lettres persanes*, à travers le verre grossissant que constitue le sérail : Usbek, comme tous les Persans, s'il relève avec pertinence les défauts de notre monde, ne peut s'empêcher pour lui-même d'être le despote de ses épouses. Constat élargi à l'ensemble du monde politique dans l'œuvre maîtresse de Montesquieu, *De l'Esprit des lois* (1748). Par les effets conjugués du climat et de l'histoire, l'Orient est condamné au despotisme, c'est-à-dire un régime tyrannique où la personne seule du souverain fait loi, ouvrant la porte au pouvoir arbitraire (voir plus loin, p. 415). La philosophie politique de Montesquieu s'articule autour de la dis-

tinction entre trois formes de gouvernement : le gouvernement monarchique fondé sur l'honneur, le gouvernement démocratique fondé sur la vertu et le gouvernement despotique fondé sur la crainte. Parce qu'il a besoin d'un contre-modèle, Montesquieu a forcé les traits des pays orientaux tels qu'on se les imagine à l'époque, pour qu'ils mettent en évidence l'absence de lois et de sécurité qui est la caractéristique majeure du despotisme comme type générique de gouvernement. Ce paradigme fonctionnera jusqu'aux Lumières triomphantes, qui souligneront toujours plus la connivence entre le despotisme et la religion. On en vient ainsi à la lecture du libre-penseur Nicolas-Antoine Boulanger, proche de Diderot, qui dans ses *Recherches sur l'origine du despotisme oriental* (1761), publiées clandestinement après sa mort, tente de remonter aux principes de cette crainte. Il rend un hommage vibrant à «cet homme unique entre tous les hommes», au «sublime auteur de l'*Esprit des lois*».

Montesquieu a ainsi légué une grille de lecture politique de l'Orient qui s'imposera malgré les conceptions concurrentes de Voltaire et les mises au point efficaces du grand orientaliste Anquetil Duperron dans sa *Législation orientale* (1776). Finalement, au tournant des Lumières, la vision de l'islam et de l'Orient en général reste profondément ambivalente. Qu'elle se libère de la religion n'empêche pas qu'elle récupère l'idée d'un Mahomet imposteur. Mais on est prêt à accorder ce que le christianisme n'avait pas voulu reconnaître : un véritable processus de «civilisation des mœurs» entraîné par l'islam, affectant les usages comme les catégories de pensée. De ce point de vue, Condorcet apparaît comme le philosophe le plus soucieux d'une vision pondérée du monde oriental. Dans son *Esquisse d'un tableau histo-*

rique des progrès de l'esprit humain (1794), écrite sous la Révolution, juste avant sa mort, il brosse en quelques paragraphes un tableau enlevé, où les fantômes du fanatisme religieux le disputent à une admiration sincère pour l'apport de l'islam à la science. Ce long morceau, qu'il faut citer intégralement, résume sans doute le mieux la vision toujours très orientée que l'Occident des Lumières s'est fait de l'Orient :

> Aux extrémités de l'Asie, et sur les confins de l'Afrique, existait un peuple qui, par sa position et son courage, avait échappé aux conquêtes des Perses, d'Alexandre et des Romains. De ses nombreuses tribus, les unes devaient leur subsistance à l'agriculture, les autres avaient conservé la vie pastorale : toutes se livraient au commerce, et quelques-unes au brigandage. Réunies par une même origine, par un même langage, par quelques habitudes religieuses, elles formaient une grande nation, dont cependant aucun lien politique n'unissait les portions diverses. Tout à coup s'éleva au milieu d'elles un homme doué d'un ardent enthousiasme et d'une politique profonde, né avec les talents d'un poète et ceux d'un guerrier. Il conçoit le hardi projet de réunir en un seul corps les tribus arabes, et il a le courage de l'exécuter. Pour donner un chef à une nation jusqu'alors indomptée, il commence par élever sur les débris de l'ancien culte une religion plus épurée. Législateur, prophète, pontife, juge, général d'armée, tous les moyens de subjuguer les hommes sont entre ses mains, et il sait les employer avec habileté, mais avec grandeur.
>
> Il débite un ramas de fables qu'il dit avoir reçues du ciel ; mais il gagne des batailles. La prière et les plaisirs de l'amour partagent ses moments. Après avoir joui vingt ans d'un pouvoir sans bornes, dont il n'existe point d'autre exemple, il déclare que, s'il a commis une injustice, il est prêt à la réparer. Tout se tait : une seule femme ose réclamer une petite somme de mon-

naie. Il meurt ; et l'enthousiasme qu'il a communiqué à son peuple va changer la face des trois parties du monde.

Les mœurs des Arabes avaient de l'élévation et de la douceur ; ils aimaient et cultivaient la poésie ; et lorsqu'ils régnèrent sur les plus belles contrées de l'Asie, lorsque le temps eut calmé la fièvre du fanatisme religieux, le goût des lettres et des sciences vint se mêler à leur zèle pour la propagation de la foi, et tempérer leur ardeur pour les conquêtes.

Ils étudièrent Aristote, dont ils traduisirent les ouvrages. Ils cultivèrent l'astronomie, l'optique, toutes les parties de la médecine, et enrichirent ces sciences de quelques vérités nouvelles. On leur doit d'avoir généralisé l'usage de l'algèbre, borné chez les Grecs à une seule classe de questions. Si la recherche chimérique d'un secret de transformer les métaux, et d'un breuvage d'immortalité, souilla leurs travaux chimiques, ils furent les restaurateurs, ou plutôt les inventeurs de cette science, jusqu'alors confondue avec la pharmacie ou l'étude des procédés des arts. C'est chez eux qu'elle paraît, pour la première fois, comme analyse des corps dont elle fait connaître les éléments, comme théorie de leurs combinaisons, et des lois auxquelles ces combinaisons sont assujetties.

Les sciences y étaient libres, et ils durent à cette liberté d'avoir pu ressusciter quelques étincelles du génie des Grecs ; mais ils étaient soumis à un despotisme consacré par la religion. Aussi cette lumière ne brilla-t-elle quelques moments que pour faire place aux plus épaisses ténèbres ; et ces travaux des Arabes auraient été perdus pour le genre humain s'ils n'avaient pas servi à préparer cette restauration plus durable, dont l'Occident va nous offrir le tableau.

L'on vit donc, pour la seconde fois, le génie abandonner les peuples qu'il avait éclairés ; mais c'est encore devant la tyrannie et la superstition qu'il est forcé de disparaître. Né dans la Grèce, à côté de la liberté, il n'a pu ni en arrêter la chute, ni défendre la raison contre

les préjugés des peuples, déjà dégradés par l'esclavage. Né chez les Arabes dans le sein du despotisme, et près du berceau d'une religion fanatique, il n'a été, comme le caractère généreux et brillant de ce peuple, qu'une exception passagère aux lois générales de la nature, qui condamnent à la bassesse et à l'ignorance les nations asservies et superstitieuses.

(« Sixième époque : de la décadence des lumières, jusqu'à leur restauration vers le temps des croisades »)

Pour prolonger la réflexion

Magdy Gabriel BADIR, *Voltaire et l'islam*, *SVEC*, 125, Oxford, 1974.

Clinton BENNET, *In Search of Muhammad*, Londres, 1998.

Charles DÉDEYAN, *Montesquieu ou l'alibi persan*, Paris, SEDES, 1988.

Marie-Louise DUFRÉNOY, *L'Orient romanesque en France*, Montréal, 1946.

Jean-Marie GOULEMOT, « Questions sur la signification politique des *Lettres persanes* », *Approches des Lumières*, Klincksieck, 1974, p. 213-244.

Ahmad GUNNY, *Images of Islam in Eighteenth-Century Writings*, Londres, 1996.

Ahmad GUNNY, « Le *Traité des trois imposteurs* et ses origines arabes », *Dix-huitième siècle*, n° 28, Paris, 1996, p. 169-174.

Ahmad GUNNY, « Montesquieu's view of Islam in the *Lettres persanes* », *SVEC*, 174, Oxford, 1978, p. 152-155.

Djavad HADIDI, *Voltaire et l'islam*, Paris, 1974.

Lumières orientales, numéro spécial de *Dix-huitième siècle*, n° 28, Paris, 1996.

Pierre MARTINO, *L'Orient dans la littérature française au XVIIᵉ et au XVIIIᵉ siècle*, Paris, Hachette, 1906.

Ann THOMSON, article «Islam» *in* Michel Delon éd., *Dictionnaire européen des Lumières*, Paris, PUF, 1997, p. 600-603.

Ann THOMSON, «L'utilisation de l'islam dans la littérature clandestine», *in* Antony McKenna et Alain Mothu éd., *La Philosophie clandestine à l'âge classique*, Paris-Oxford, 1997, p. 248-256.

Diego VENTURINO, «Imposteur ou législateur? Le Mahomet des Lumières (vers 1750-1789)», *in* L. Chatellier éd., *Religions en transition dans la seconde moitié du XVIII^e siècle, SVEC*, 2000, Oxford, 2000, p. 243-262.

Diego VENTURINO, «Un prophète philosophe? Une *Vie de Mahomed* à l'aube des Lumières», *Dix-huitième siècle*, n° 24, Paris, 1992, p. 321-331.

Pierre VERNIÈRE, «Montesquieu et le monde musulman d'après l'*Esprit des lois*», *Actes du congrès Montesquieu*, Bordeaux, 1955, p. 172-181.

Genre et registre

« Une espèce de roman »

QUAND, DANS LES « QUELQUES réflexions… » pour le *Supplément* à la réédition de son ouvrage, Montesquieu jette sur celui-ci un regard rétrospectif, il ne peut mieux que de soutenir, d'entrée de jeu : « Rien n'a plu davantage dans les lettres persanes, que d'y trouver, sans y penser, une espèce de roman » (p. 7). Par là, il inclut ses *Lettres* dans un genre et, tout à la fois, souligne la singularité de son œuvre, qui résiste aux catégories préconçues.

1.

Définition critique

1. *Un genre mineur au XVIIIᵉ siècle*

Le « roman », à l'époque où Montesquieu écrit, n'est pas un genre défini, avec ses usages, ses ambitions, son éthique et ses règles : c'est le XIXᵉ siècle qui, de Balzac à Zola, se chargera de lui trouver son assise théorique. Le « roman » n'est encore, au début des Lumières, qu'un genre mineur, pour tout dire, le laissé-pour-compte de

l'esthétique classique. C'est ce qui en fait aussi le genre le plus malléable qui soit : aucun des préceptes qui régissent le théâtre, ou les grands genres comme l'épopée et la poésie. Chacun peut y trouver une forme souple qui s'adapte à ses choix. Et c'est sans doute là le secret de son succès auprès des hommes de lettres et du public. Le roman est un genre trop impur pour mériter l'attention des doctes ; et c'est parce qu'on le considère avec dédain qu'il finit par devenir un des moyens d'expression privilégiés de la littérature, et le plus novateur.

Ce qui le définit par-dessus tout, c'est une certaine manière de conter, une façon de conduire une intrigue, qu'elle relève ou non de la vraisemblance : le roman, à cette époque, a des affinités très fortes avec le conte, qu'il soit en vers ou en prose. Disons, pour faire court, que le roman est, d'une certaine manière, un conte un peu long. Une « histoire » en somme, dont la valeur se jauge à l'intérêt qu'elle excite chez le lecteur, au plaisir que crée sa narration : maîtrise de la conduite de l'action du début à la fin, qualité des personnages et de leur interaction. Et c'est bien ainsi que Montesquieu, dans ses « Quelques réflexions… », poursuit sa définition de l'« espèce de roman » que constituent les *Lettres* :

> On en voit le commencement, le progrès, la fin : les divers personnages sont placés dans une chaîne qui les lie. À mesure qu'ils font un plus long séjour en Europe, les mœurs de cette partie du monde prennent, dans leur tête, un air moins merveilleux et moins bizarre : et ils sont plus ou moins frappés de ce bizarre et de ce merveilleux, suivant la différence de leurs caractères. D'un autre côté, le désordre croît dans le sérail d'Asie, à proportion de la longueur de l'absence d'Usbek ; c'est-à-dire, à mesure que la fureur augmente, et que l'amour diminue.

S'il retient principalement cet aspect du roman, c'est que d'autres lui répugnent.

2. *Un genre soumis aux critiques de Montesquieu*

Montesquieu, dans l'ensemble, n'est pas tendre pour l'essentiel des productions se réclamant de ce genre. On peut se faire une idée des critiques qu'il formule envers le roman dans les *Lettres* elles-mêmes. La longue visite qu'effectue Rica dans une bibliothèque bien fournie — image sans doute de celle, publique, de l'abbaye de Saint-Victor à Paris — ressemble au parcours raisonné des vanités et des errances de l'esprit humain (lettres 133 à 137). La littérature y a sa place, en bout de course, après qu'on a recensé les interprétations forcées des traités de théologie (lettre 134), les approximations des ouvrages à prétention scientifique (lettre 135) ou les leçons politiques des livres d'histoire (lettre 136). Quand il s'agit des « belles-lettres » (lettre 137), les paroles de Rica sont sévères : il définit d'emblée les poètes comme « ces auteurs dont le métier est de mettre des entraves au bon sens, et d'accabler la raison sous des agréments » (p. 278). Sans surprise, le romancier n'est guère mieux loti : « Vous voyez ici les romans, dont les auteurs sont des espèces de poètes, et qui outrent également le langage de l'esprit et celui du cœur ; ils passent leur vie à chercher la nature, et la manquent toujours » (lettre 137, p. 279). Si ce jugement émane de Rica, personnage fictif, on peut supposer néanmoins qu'il reflète une bonne part des opinions de Montesquieu sur la question : il reproche certainement à nombre de romans qu'il a lus leur affectation, leur prétention à peindre fidèlement les passions.

L'esthétique du roman selon Montesquieu se construit donc à la fois positivement et négativement : en soulignant les pouvoirs de la fiction sans tomber dans l'imagination creuse, en proposant de nouvelles visées et de nouveaux modèles sans dénaturer l'intrigue.

2.

Les charmes de la fable

Dans les *Lettres persanes*, les rédacteurs des lettres sont tous orientaux : c'est ainsi, selon toute une représentation culturelle, une invitation au conte. De fait, quelques lettres mettent en évidence le charme de la fable, qui flatte à la fois l'imagination et l'intellect. La rêverie et la réflexion se conjuguent dans ce genre, qui apparaît comme un moyen ancestral de présenter des vérités. Les *Lettres*, après avoir rapidement installé les protagonistes principaux et leurs sujets d'inquiétude, proposent ainsi une première variation fabuleuse, aux confins de l'utopie, avec l'« Histoire des Troglodytes » qui occupe les lettres 11 à 14. Cette représentation fantasmée, mais critique, de la forme idéale du gouvernement et des mœurs fonctionne comme l'étalon à partir duquel évaluer les événements politiques et sociaux que les voyageurs n'auront de cesse de relater dans leurs lettres.

Le dispositif est reconduit par deux fois, et procure toujours ce versant idéal des réalités évoquées : ainsi l'« Histoire d'Aphéridon et d'Astarté » dans la lettre 67 est une allégorie des problèmes de tolérance religieuse, tandis que le « conte persan » de la lettre 141, en racontant le rêve paradisiaque de Zuléma, offre comme une

vision inversée du sérail, au moment où celui d'Usbek connaît des dysfonctionnements qui conduisent à sa chute.

Le modèle pourtant, malgré l'empreinte orientale, est certainement à rechercher dans les romans du temps. Plus précisément encore, Montesquieu se montre ici le disciple de Fénelon qui a proposé en 1699 les *Aventures de Télémaque*. Il voue à cette œuvre et à son auteur une admiration dont témoignent quelques mentions de ses *Pensées* : les *Aventures* sont désignées par deux fois comme «l'ouvrage divin de ce siècle» (nᵒˢ 115 et 2252). Fénelon utilisait le cadre antique de l'*Odyssée* pour mieux suggérer les failles de la société de son temps sous le gouvernement absolu du Roi-Soleil. Le *topos* homérique du voyage permettait de mettre en regard les sociétés en déclin et les réussites sociales : Fénelon proposait avec la Bétique son utopie rurale. De la même manière, Montesquieu décentre sa vision du monde pour mieux suggérer les défauts de la France au début du XVIIIᵉ siècle.

3.

L'illusion du précurseur : qu'est-ce qu'une « lettre » ?

Mais le trait caractéristique des *Lettres persanes*, celui dont elles vont tirer tout le parti possible, c'est d'être un roman épistolaire. Non sans une certaine fierté, Montesquieu ira d'ailleurs jusqu'à dire, dans ses *Pensées* : «Mes *Lettres persanes* apprirent à faire des romans en lettres» (*Pensées*, nᵒ 1621). Pourtant Montesquieu n'est pas le premier à faire des lettres un objet lit-

téraire. Mme de Sévigné a tracé la voie, et toute la préciosité avant elle. La fiction s'empare du genre avec les *Lettres portugaises* en 1685. Pourtant, ce n'est guère de ces devanciers que Montesquieu puisse se réclamer, et ce n'est donc pas par là qu'il se pose en initiateur.

Le modèle de lettres qui l'influence, il faut aller le chercher ailleurs. Un indice nous en est donné dans ses «Quelques réflexions...» quand il montre la remarquable plasticité du discours épistolaire (p. 8) :

> Mais, dans la forme de lettres, où les acteurs ne sont pas choisis, et où les sujets qu'on traite ne sont dépendants d'aucun dessein ou d'aucun plan déjà formé, l'auteur s'est donné l'avantage de pouvoir joindre de la philosophie, de la politique et de la morale, à un roman ; et de lier le tout par une chaîne secrète et, en quelque façon, inconnue.

Philosophie, morale et politique : les lettres offrent l'avantage, selon Montesquieu, d'élargir le champ des préoccupations romanesques. C'est par là que son roman a été apprécié et attaqué : la posture critique qui s'y développe va bien au-delà de la simple satire des usages ou des caractères. S'y précise aussi une réflexion de haut vol, confinant parfois au discours philosophique. L'exemple le plus éloquent en est le « traité sur la dépopulation » qui s'étend des lettres 112 à 122. La thèse peut faire sourire, elle est d'ailleurs fausse. L'interprétation des données historiques par Montesquieu est parcellaire ; elle s'appuie néanmoins sur un raisonnement qui se veut rigoureux. C'est là une des obsessions de sa réflexion sociale : on verra resurgir cette question du déclin démographique dans son *Esprit des lois* au crépuscule de sa carrière. L'essentiel, cependant, est la démarche spéculative qu'elle met en œuvre : le rationalisme qui s'y manifeste relève de cet esprit «phi-

losophique» typique des Lumières. C'est ce même rationalisme qui s'attaquera à des sujets encore plus délicats, qui sont alors l'apanage de la théologie. Montesquieu, à la manière de Fontenelle, s'essaie ainsi à quelques variations métaphysiques dans les lettres 69 et 83. La vision de Dieu qui s'en dégage est loin de l'orthodoxie chrétienne : par l'intermédiaire d'Usbek, Montesquieu se permet de souligner les paradoxes que soulèvent les questions de la prescience et de la justice divine (comment préserver l'image d'un Dieu parfait, qui a tout prévu pour le mieux, quand sa création, le monde tel que nous le connaissons, apparaît si manifestement rempli d'imperfections?). Le risque de toutes ces digressions à prétention philosophique est de rompre cette «chaîne secrète» du roman qui doit «lier le tout», selon les termes de Montesquieu : mais c'est aussi, inversement, un moyen pour lui de faire passer, par le recours à la fiction, une matière aride.

4.

L'empreinte du journalisme

L e modèle de l'écriture épistolaire ne vient pas, en fin de compte, de la littérature, ou comme on disait à l'époque, des «belles-lettres». C'est dans le journalisme que Montesquieu va trouver son inspiration. Le journalisme d'Ancien Régime n'est pas le journalisme moderne : il s'agit surtout, avant l'ère des grands tirages industriels, non pas de faire de l'investigation ou de l'information objective, mais bien plutôt de proposer pour un public restreint, amateur de «nouvelles», des

chroniques de la vie mondaine, littéraire. Voire sociale, quand les autorités le permettent.

Journalisme d'outre-Manche en particulier : la critique politique et sociale a trouvé avec la forme des lettres un moyen privilégié d'expression dans ce royaume où la liberté de pensée n'est pas en butte à une censure aussi sourcilleuse qu'en France. Les articles du *Spectator* anglais dans les années 1710, animé par Addison et Swift (l'auteur du *Voyage de Gulliver*), se présentent sous forme de lettres. Marivaux, connu avant tout comme auteur de pièces de théâtre, tentera d'acclimater ce modèle d'écriture à nos mœurs en lançant son *Spectateur français* : expérience qui court de 1721 à 1724, et lui permet de rendre compte des *Lettres persanes* en des termes qui ne manquent pas d'à-propos :

> Je ne puis m'empêcher de dire un mot d'un livre que je lisais ce matin, et qui est intitulé *Les Lettres persanes*, dont je n'ai encore lu que quelques-unes ; et par celles-là, je juge que l'auteur est un homme de beaucoup d'esprit ; mais entre les sujets hardis qu'il se choisit, et sur lesquels il me paraît le plus briller, le sujet qui réussit le mieux à l'ingénieuse vivacité de ses idées, c'est celui de la *Religion*, et des choses qui ont rapport à elle.

Mais c'est finalement Montesquieu, admirateur, avant même son voyage, de la pensée anglaise, qui donnera à ce genre issu du journalisme ses lettres de noblesse littéraire. Montesquieu emprunte à ses devanciers britanniques un ton caustique, une certaine irrévérence. Il tient cependant à se distinguer de ces « nouvellistes », simples diffuseurs de rumeurs en tous genres, dont, soutient Rica dans la lettre 130, « la base de leurs conversations est une curiosité frivole et ridicule » (p. 262). Dans la lancée des *Lettres persanes*, paraîtront, sous la

plume du marquis d'Argens, des *Lettres juives* (1736) et des *Lettres chinoises* (1739).

Une bonne part du plaisir des contemporains a résidé dans ces allusions pétillantes aux affaires du temps. Ainsi la fin de règne de Louis XIV est auscultée sans complaisance : le roi lui-même fait l'objet d'un portrait très critique dans la lettre 37. Sa mort (lettre 92) met au devant de la scène les parlements dont le rôle difficile est rappelé dans la lettre 140. Le personnel parlementaire, quant à lui, est épinglé dans la lettre 101. Mais c'est surtout Law qui est la cible favorite de l'ironie de Rica : la lettre 138 rappelle les renversements de fortune que le « système » financier de ce ministre a causés sous la Régence. Facétieusement, les mêmes reproches, plus enlevés, font l'objet d'un conte présenté comme un « fragment d'un ancien mythologiste » dans la lettre 141.

5.

L'esprit Régence

1. *Un tableau critique*

C'est tout un tableau qui se dessine, où la réalité sociale et mondaine se présente par touches concrètes. Les femmes en font les frais, souvent : un peu trop libres dans leurs mœurs, comme à Venise ou à l'Opéra (lettres 23 et 28), un peu trop jansénistes en religion (lettre 24), un peu trop coquettes surtout (lettre 52). Leur liberté de comportement étonne nos voyageurs, peut-être moins cependant que la servitude et la tyrannie domestiques recherchées par les Moscovites (lettres 51).

Aux yeux de nos défenseurs du sérail, les femmes occidentales sont excessives, dans la vertu comme dans la débauche (lettre 26). Mais les opinions, tout d'abord rigides, évoluent. La lettre 38 apparaît comme un véritable examen de conscience masculine orientale : on en vient, par la suite, à s'interroger sur le mariage (lettre 53), à déplorer la jalousie des hommes (lettre 55). Plus qu'Usbek, que la responsabilité du sérail écrase, c'est Rica qui s'acclimate le mieux à ces nouveaux rapports entre les sexes, jusqu'à y voir un trait gracieux de la civilisation française dans la lettre 63 sur le « badinage » : autre moyen de dire, peut-être, que ce sont finalement les femmes qui ont le pouvoir (lettre 107).

Le personnel, au fil des lettres, s'étoffe et les manières se diversifient : le plaisir des *Lettres persanes* tient aussi à cette façon de surprendre des personnages tout à la fois originaux et représentatifs de tout un temps, un milieu : on y découvre une haute société avide de plaisir, où le jeu dévore les fortunes (lettre 56), des excentriques en tous genres, tel cet amateur de pierre philosophale (lettre 45), ce membre de la noblesse de robe désinvolte (lettre 68) ou ce géomètre qui voit tout en chiffres (lettre 128). Ce défilé des « caractères » peut se concentrer dans une seule lettre, telle la lettre 48, véritable passage en revue de ce que la mondanité peut avoir de plus outré. « Caractères » : le mot renvoie à La Bruyère. Usbek en particulier adopte une posture proche d'un « moraliste » du Grand Siècle, décrivant par le menu tous les subterfuges de la vanité humaine. Rica, plus jeune, au regard neuf et ingénu, excite avant tout sa curiosité, se montrant, si ce n'est moins tranchant, tout au moins plus malléable dans ses jugements.

2. ... et un ton caustique

Ce qui fait la saveur de ces développements, c'est un certain ton qui traite les questions indifféremment sérieuses et frivoles avec la même alacrité, la même ironie et la même humeur enjouée. Les contemporains s'y sont laissé prendre, reconnaît Montesquieu lui-même, rétrospectivement : « Lorsque cet ouvrage parut, on ne le regarda pas comme un ouvrage sérieux » (*Pensées*, n° 2249). Et de qualifier son ouvrage par un registre particulier, dont on fera plus tard le trait distinctif de toute une époque : « J'ose dire que les *Lettres persanes* sont riantes et ont de la gaieté et qu'elles ont plu par là » (*Pensées*, n° 1533). C'est en effet alors que la chape de plomb moralisante de la fin de règne du Roi-Soleil a cédé que paraissent les *Lettres persanes*. Ce temps de la Régence a marqué les esprits par la liberté nouvelle qu'elle a mise dans les mœurs, le Régent lui-même, Philippe d'Orléans, donnant l'exemple. Certains contemporains diront le « mauvais exemple » : c'est à cette époque qu'une nouvelle forme de libertinage s'invente où la spéculation et les plaisirs sensuels vont de pair. Toute proportion gardée, il y a le même ébranlement chez nos Persans aux mœurs rigides découvrant la liberté des manières occidentales, que chez les tenants du classicisme austère constatant l'avidité de plaisirs qui s'est emparée de toute une classe de la société après la mort de Louis XIV. Montesquieu, quoi qu'il en pense du haut de sa dignité d'aristocrate, a participé à cette émancipation grâce à ses *Lettres*.

5.

Virtuosité épistolaire

Mais ce que les *Lettres persanes* apportent au roman par lettres, elles ne le doivent qu'à elles-mêmes. Ou disons que les *Lettres* ont nourri un genre en perfectionnant un dispositif. Ce dispositif, c'est celui du décentrement, du point de vue étranger, et disons plus précisément, du regard oriental. Dispositif hérité, au demeurant : les critiques ont reconnu depuis longtemps l'influence certaine d'un roman épistolaire à succès en six volumes qui commence à paraître en 1684. En 1710, on compte treize rééditions, augmentées. En 1756, le livre a encore du succès et atteint neuf volumes. Son titre complet est interminable : *L'Espion du grand seigneur et ses relations secrètes envoyées au divan de Constantinople, découvert à Paris pendant le règne de Louis le Grand, traduit de l'arabe en italien et de l'italien en français par ****. L'ouvrage, tout d'abord écrit par Marana, puis poursuivi par Cotolendi, est passé à la postérité sous le titre abrégé de *L'Espion turc*. Indéniablement, on y trouve aussi une source des *Lettres persanes*, du cadrage général jusqu'à certains détails. Car il n'y a pas seulement, d'un livre à l'autre, la même volonté de stigmatiser le déclin du règne du roi absolu en montrant l'étrangeté de la France d'alors à un regard non préparé, il y a aussi, à petite échelle, des emprunts quasiment littéraux. Parmi de nombreux rapprochements possibles entre les deux œuvres, qu'on compare, à titre d'exemple, la manière dont sont évoquées les femmes russes. La variation qu'en a tirée Montesquieu dans la

lettre 51 s'appuie manifestement sur ce passage de *L'Espion turc* :

> Les femmes russes ne se croient pas aimées de leurs maris, à moins qu'ils ne les battent tous les jours. Elles regardent cette correction comme une marque de l'affection que leurs époux ont pour elles. Si ces femmes simples sont fâchées ou chagrines, il n'y a point d'autre moyen de les mettre de bonne humeur que de les bâtonner. C'est là la seule preuve convaincante de l'empire des maris sur les femmes, une démonstration de leur virilité et le véritable moyen d'affermir les femmes dans l'amour et dans l'obéissance qu'elles doivent à leurs maris.

Pour une évaluation des *Lettres*, les différences comptent ici autant que les similitudes. Montesquieu affine, étoffe les indications fournies par Marana. Il les nuance aussi. En un mot, il complique le modèle de départ, ne serait-ce que parce que, dans *L'Espion turc*, toutes les lettres sont écrites par le seul héros. Dans les *Lettres persanes*, le dispositif de décentrement du regard est comme retourné de l'intérieur pour mieux en faire sentir la fécondité. La lettre 78 s'essaie à un décentrement redoublé puisque Rica recopie pour Usbek la « lettre qu'un Français qui est en Espagne a écrite ici » (p. 164). Les mœurs étrangères sont toujours étranges : comme nos Persans s'amusent de nos usages, les Français se moquent allègrement des Espagnols, de leur orgueil, de leurs moustaches et de leurs sérénades. Et de conclure, en toute logique, par ce souhait de Rica, qui suggère un mouvement infini de décentrement : « Je ne serais pas fâché, Usbek, de voir une lettre écrite à Madrid, par un Espagnol qui voyagerait en France ; je crois qu'il vengerait bien sa nation » (p. 167).

La lettre 78 a un trait qu'elle partage avec quelques

autres, c'est d'inclure elle-même une lettre. Le cas n'est pas rare, et devient même plus fréquent à mesure que le roman s'achemine vers sa fin. Dans la lettre 28, Rica insère malicieusement la lettre que lui a remise une danseuse de l'Opéra le lendemain de leur rencontre. Mais souvent les lettres citées dans les lettres ne sont pas liées à nos Persans : elles apparaissent comme des extraits empruntés à des discours reconnaissables et répertoriés. Ainsi de la lettre incluse dans la lettre 51, qu'on vient d'évoquer, mais aussi les lettres que cite la lettre 130, morceaux de bravoure de nouvellistes dénichés par Rica ; ou encore la cuistrerie de l'amateur d'antiquités cité dans la lettre 142 ; la crédulité que relate « un médecin de province à un médecin de Paris » dans la lettre suivante ; les malheurs de la condition des savants que décrit l'un d'eux dans la lettre 145.

C'est ainsi que, par le jeu des emprunts, par la multiplicité des auteurs d'une lettre à l'autre et à l'intérieur même d'une seule lettre, se construit un système complexe de voix. L'ouvrage donne toujours à entendre une voix filtrée par une autre : les phénomènes d'enchâssement des récits et des discours stimulent l'esprit critique comme ils soulèvent des difficultés d'interprétation. C'est par là que Montesquieu a voulu échapper aux accusations qu'on lui a faites concernant la formulation des questions religieuses et politiques. Non sans mauvaise foi parfois, mais non sans bonnes raisons littéraires non plus, il s'est complu à rappeler que les thèses exposées dans son œuvre ne sont, littéralement, pas de lui : elles doivent être interprétées en fonction d'une situation d'énonciation sophistiquée. Dans ce discours sans narrateur premier qu'est le roman épistolaire, il est présomptueux de déterminer où la voix de l'auteur se cache. Les *Lettres persanes* avec leurs niveaux

énonciatifs multiples accentuent encore la difficulté. La dissimulation que Montesquieu pratique est tout autant un art de se prémunir des accusations des censeurs de tout bord que la marque d'un esprit qui a toujours été sensible à la complexité des choses.

C'est par là, finalement, que les *Lettres persanes* sont un roman des Lumières : elles invitent à confronter les opinions, à déceler la voix de la raison dans les discours du préjugé. Ce que Montesquieu a apporté au roman par lettres, c'est donc une épaisseur particulière que confère le heurt des points de vue : grand roman épistolaire polyphonique — *Les Liaisons dangereuses* de Laclos, au crépuscule des Lumières, en méditeront les leçons littéraires — où Montesquieu ausculte l'art de s'aveugler soi-même plutôt qu'il n'assène des vérités.

Pour prolonger la réflexion :

Georges BENREKASSA, «Montesquieu et le roman comme genre littéraire», *Roman et Lumières au XVIIIᵉ siècle*, Paris, Éditions sociales, 1970, p. 27-37.

Jean DAGEN, «La chaîne des raisons dans les *Lettres persanes*», *Littératures*, septembre 1987.

Jean GOLDZINK, *La Politique dans les* Lettres persanes *: Théâtre de l'idéologie, scène de la fiction*, Paris, ENS Fontenay/Saint-Cloud, 1988.

Roger LAUFER, «Les *Lettres persanes*», *Style rococo, style des Lumières*, Paris, José Corti, 1963, p. 51-72.

Pierre TESTUD, «Les *Lettres persanes*, roman épistolaire», *Revue d'histoire littéraire de la France*, nᵒ 66, octobre-décembre 1966, p. 642-656.

L'écrivain
à sa table de travail
Le recueil et ses doubles

L'AVANTAGE DU ROMAN PAR LETTRES, comme celui du dictionnaire, c'est qu'il est constitué d'unités relativement courtes et discontinues. Une lettre propose un texte à part entière qu'on peut aisément isoler de la trame générale. Aussi les possibilités d'en insérer de nouvelles et d'en modifier l'ordre et le contenu s'offrent-elles immédiatement à l'écrivain, pour autant qu'il parvienne à préserver la cohérence de l'ensemble. L'« Introduction » des *Lettres persanes* met d'ailleurs en scène ce prolongement indéfini de la fiction. Le pseudo-traducteur des lettres avertit en effet, avec un sens certain de la publicité : « J'ai détaché ces premières lettres, pour essayer le goût du public : j'en ai un grand nombre d'autres dans mon portefeuille, que je pourrai lui donner dans la suite » (p. 11). Si Montesquieu n'a pas abusé de cette facilité, il n'en reste pas moins que les *Lettres persanes* que nous avons pris l'habitude de lire ne sont pas tout à fait celles que les lecteurs découvraient en 1721 : de leur parution jusqu'à aujourd'hui, elles ont livré de nombreux matériaux inédits, plus ou moins exploités par l'auteur lui-même puis par ceux qui se sont chargés d'établir les éditions.

1.

Ouverture byzantine

Du vivant de l'auteur, soit pendant toute une géné-ration, les *Lettres persanes* se présentaient sous un dehors sensiblement différent. En 1721 sort des presses hollandaises la première édition, constituée de deux volumes de petit format contenant au total 150 lettres, soit onze de moins que dans les éditions actuelles. Ne figurent pas les lettres 15, 22, 77, 91, 111, 124, 125, 144, 157, 158, 160. Le final est donc, en particulier, plus res-serré que dans notre version. Il se concentre sur la figure pathétique et héroïque de Roxane : elle affronte seule, en personnage tragique, son destin, sans béné-ficier du contrepoint de Zachi (157) et Zélis (158), deux autres épouses d'Usbek. Si l'intensité dramatique y gagne, la leçon de despotisme est moins accusée.

Curieusement est parue la même année, peu de temps après, une nouvelle édition qui se présente comme «revue, corrigée, diminuée et augmentée par l'auteur». L'intitulé surprend : on a peu l'habitude de voir une stratégie commerciale qui mise sur la coupe aussi bien que sur l'ajout. De fait, l'intitulé tient ses pro-messes : cette version ne compte que 140 lettres. Mais la soustraction n'est pas simple. L'opération se décom-pose en plusieurs temps : on a retranché de la première édition les lettres qui correspondent aux numéros 1, 5, 16, 25, 32, 41, 42, 43, 47, 65, 70, 71 de la nôtre, et donné trois supplémentaires (111, 124, 125). L'ordre, aussi, est bousculé en ouverture : la série liminaire était 6, 2, 3, 4, 7, 8. Les lettres supplémentaires sont bien l'œuvre de Montesquieu, pourtant on ne sache pas

qu'il ait pris une part volontaire à cette seconde édition. Il faut donc faire l'hypothèse d'une édition appelée en quelque sorte par le succès immédiat de la première, s'appuyant sur des matériaux fournis par l'auteur lui-même : sans doute une connivence entre éditeurs en Hollande, dans les milieux où la première édition est sortie, à partir des différentes copies qui ont circulé. Mais, en l'absence de documents décisifs sur cette ténébreuse affaire, le mystère subsiste. Deux versions concurrentes se sont donc diffusées presque simultanément, où l'auteur, malgré lui, a sa part.

2.
Le goût de l'inédit

La seule certitude, c'est que Montesquieu ne manifeste plus d'intérêt pour ses *Lettres* pendant une trentaine d'années. Il laisse les rééditions se succéder sans se soucier de leur contenu. Il soutiendra même dans ses *Pensées*, avec un peu d'affectation, que « cet ouvrage fut abandonné par son auteur dès sa naissance » (*Pensées*, n° 2033). Il ne sera même pas avisé, sans doute, de la parution de huit « lettres persanes » inédites en 1745 dans un éphémère périodique imprimé en Hollande. Thémiseul de Saint-Hyacinthe, un de ces hommes de lettres de second rang, qui a frayé aussi, pas toujours honnêtement d'ailleurs, avec Voltaire, est à la tête d'un journal hebdomadaire intitulé *Le Fantasque* : dans la cinquième livraison, il publie huit lettres, qui ne sont pas des suites apocryphes, comme la tentation était grande d'en produire, mais bel et bien des écrits sortis de la main de Montesquieu. Thémiseul a manifeste-

ment bénéficié d'une copie de bonne qualité présentant des textes que Montesquieu n'avait pas jugés dignes de figurer dans son édition. À cause de leur inachèvement pour certains, mais pas seulement. On y trouve déjà, par exemple, à quelques variantes près, ce qui constituera la lettre 91. Mais on y trouve aussi des textes qui ne seront jamais publiés tels quels, comme cette dernière des lettres inédites publiées, dont nous aurons l'occasion de reparler :

LETTRE DE RICA À ***

En matière de religion, plus le sujet de la dispute est léger, plus elle devient violente ; elle prend des forces à mesure de la petitesse du sujet, le feu manque de nourriture, mais il s'allume toujours.

L'Allemagne est agitée de mille troubles. Les Molaks catholiques et protestants ont la conscience assez timorée pour mettre le feu et la discorde partout. Les meilleures têtes de l'Europe travaillent depuis un an à terminer des différends qui dans un temps calme ne coûteraient pas un quart d'heure d'attention.

S'il s'agissait des principes fondamentaux des deux religions, peut-être pourrait-on parvenir à les faire taire. Mais il est question d'une affaire de tout autre conséquence, c'est de savoir qui aura le démenti de six jésuites ou de six ministres, et toute l'Allemagne va combattre pour l'honneur de ces six ministres et de ces six jésuites.

Rien n'a plus contribué à aigrir les esprits que quelques paroles injurieuses contre les Catholiques qui sont dans le livre sacré des Protestants. Les premiers ont voulu les faire ôter, les autres ont refusé ; sottise des deux parts.

Il est étonnant que les Catholiques aient voulu se choquer de ces injures qui sont si générales qu'elles ne peuvent porter sur personne, mais dès qu'ils ont tant

fait que de s'en choquer, il est encore plus étonnant que les Protestants aient refusé de les ôter; l'équité naturelle et la piété religieuse ne voulant pas qu'on dise aux autres des injures qui les offensent et le bon sens qu'on les dise en forme de prières.

<div style="text-align: right;">

À Paris,
le dernier de la lune de Chahban, 1720.

</div>

Disons donc qu'entre 1720 et 1750, les *Lettres persanes,* par lesquelles Montesquieu a acquis sa notoriété littéraire, ne lui paraissent plus correspondre au registre de sa démarche philosophique. Le roman cède la place au genre sérieux, dont l'*Esprit des lois* sera l'accomplissement en 1748, après vingt ans de travail. C'est d'ailleurs à la querelle que cette œuvre suscitera que l'on doit un sursaut d'ampleur dans la vie éditoriale des *Lettres.* Il faut dire que le chef-d'œuvre est en péril : un abbé janséniste du nom de Gaultier s'avise que l'auteur de l'*Esprit des lois* n'en est pas à son coup d'essai, et que les accusations d'irréligion que l'on peut porter sur cette œuvre ne datent pas d'hier. Et d'exposer cela systématiquement dans un ouvrage au titre on ne peut plus explicite : *Les « Lettres persanes » convaincues d'impiété,* qui paraissent en 1751. Gaultier n'hésite pas à soupçonner une dissimulation irréligieuse dans le masque persan adopté par Montesquieu. Il le dit nettement, en donnant une clé de lecture de l'œuvre dès l'« Avertissement » :

Quand l'auteur veut jeter un ridicule sur des choses qui le méritent, il le fait avec esprit. Quand il peint des défauts ou des vices, il emporte la pièce. Mais ce qu'il y a de bon dans les *Lettres persanes* est un piège pour une infinité de lecteurs. On ne s'attend pas qu'à la suite d'une critique juste et sensée, on va trouver des principes d'impiété. Cela est cependant, et non sans

dessein. Le bon sert à prévenir en faveur de l'Auteur :
on le lit sans défiance et l'on avale le poison sans s'en
apercevoir.

Un autre artifice : l'auteur fait parler le Persan. Si le
Persan avance quelque impiété, on dit : c'est un Persan
qui raisonne selon les principes, et quelquefois aussi
contre les principes, de sa secte, à quoi un Chrétien
paraît ne pas prendre beaucoup d'intérêt. Mais ceux
qui ont quelque usage du monde ; ceux qui savent sous
combien de formes l'impiété s'est masquée depuis
trente ans pour pulluler et s'étendre, n'ont pas besoin
qu'on leur dise que le Persan qui parle est un Français
très connu qui met dans la bouche du Persan ce qu'il
pense, lui Français, en matière de religion.

[...] Si l'on a dessein de faire une censure des livres les
plus dangereux que les impies ont mis au jour, je prie
que l'on n'oublie pas les *Lettres persanes*.

Embarrassé par ce nouveau front dans une bataille
déjà difficile, Montesquieu a l'idée de se défendre sans
pour autant répondre : il compose alors ses « Quelques
réflexions sur les *Lettres persanes* » (voir plus loin, p. 411-
414). Elles seront incluses dans un *Supplément* conte-
nant en outre onze lettres inédites (soit nos actuelles
lettres 15, 22, 77, 91, 111, 124, 144, 145, 157, 158, 160) :
ce supplément est censé compléter la nouvelle édition
qui paraît en 1754. Curieusement cependant, on ne
peut guère établir son existence qu'à partir de 1758, au
moment où paraît, après la mort de Montesquieu, l'édi-
tion des *Œuvres complètes* assurée par son fils. Dans cette
édition, les nouvelles lettres sont restituées à leur place
suivant la chronologie interne de la correspondance.
C'est cette édition qui nous suivons dans ce volume.

3.

Traces manuscrites

Les *Lettres persanes* constituent donc un ensemble aux marges fluctuantes. Certains inédits montrent des ébauches et des brouillons qui accouchent ou non d'une version définitive et publiée, avec ou sans le souhait de Montesquieu. On peut encore mieux se plonger dans ce travail de la création en se rapportant à l'imposant recueil manuscrit intitulé *Mes pensées*, qui ne paraîtra qu'après la mort de Montesquieu. C'est là qu'il a rassemblé de manière plus ou moins lacunaire, comme le titre l'indique, ses réflexions. Certaines sont des aphorismes sans lendemain qu'il a consignés en passant, d'autres sont des développements plus élaborés qui lui ont servi de tremplin pour ses œuvres en gestation.

Il existe une section de *Mes pensées* (des nᵒˢ 1609 à 1619) entièrement consacrée aux *Lettres* : elle porte le sous-titre éclairant de *Fragments de vieux matériaux des « Lettres persanes ». J'ai jeté les autres ou mis ailleurs.* C'est là qu'on surprend Montesquieu dans ses hésitations et ses repentirs, dans le rapport tendu à l'écriture : des esquisses avortées alternent avec des extraits ayant un air familier. On y perçoit l'attachement de Montesquieu à la formule qui frappe. Son effort semble bien souvent se résumer à un patient mais laborieux travail d'écrémage. Il coupe, condense et élimine les variations parasites jusqu'à trouver ce ton et ce rythme si particuliers, qui ont retenu l'attention des contemporains et qui fascinent toujours : le souffle de la phrase atteint rarement la période et préfère les effets de symé-

trie et les constructions courtes et suggestives, au prix
parfois d'une intensité qui rend le texte moins lisible.
C'est cette écriture que l'*Esprit des lois* systématisera. On
peut penser aussi que c'est un processus de création où
les contraintes physiques jouent. Montesquieu a tou-
jours élaboré en pensée ses phrases avant de les dicter
aux nombreux secrétaires qu'il a eus. Cette rumination
intérieure s'est accrue encore avec la cécité progressive
qui l'a atteint.

Prenons le fragment 1616 : il montre éloquemment
comment Montesquieu s'est astreint à sacrifier tout
développement quand il risquait de diminuer l'intensité
d'un passage. Il s'agit ici de la fameuse « Histoire des
Troglodytes », récit enchâssé dans les *Lettres* (lettres 11 à
14). Voici comment il aurait pu se poursuivre selon
l'auteur lui-même. À nous d'estimer la valeur du sacri-
fice et de nous interroger sur ses raisons :

> Page 64 des Lettres Persanes, Ier volume, j'avais pensé
> de continuer l'histoire des Troglodytes, et voilà quelle
> était mon idée. C'était un grand spectacle de voir tous
> les Troglodytes dans la joie, pendant que le Prince
> fondait en larmes. Le lendemain, il parut devant les
> Troglodytes avec un visage qui ne marquait ni tristesse
> ni joie. Il ne parut occupé que du soin du gouverne-
> ment. Mais l'ennui secret qui le dévorait le mit bientôt
> dans le tombeau. Ainsi mourut le plus grand roi qui
> ait jamais gouverné les hommes.
> Il fut pleuré pendant quarante jours : chacun crut
> avoir perdu son père ; chacun disait : « Qu'est devenue
> l'espérance des Troglodytes ? Nous vous perdons, cher
> Prince ! Vous croyiez que vous n'étiez pas digne de
> nous commander. Le ciel a fait voir que nous n'étions
> pas dignes de vous obéir. Mais nous jurons, par vos
> mânes sacrés, que, puisque vous n'avez pas voulu nous
> gouverner par vos lois, nous nous conduirons par vos
> exemples. »

Il fallut élire un autre prince, et il y eut une chose de remarquable, c'est que, de tous les parents du monarque défunt, aucun ne réclama la couronne. On choisit, dans cette famille, le plus sage, et le plus juste de tous.

Vers la fin de son règne, quelques gens crurent qu'il était nécessaire d'établir chez les Troglodytes le commerce et les arts. On assembla la Nation, et cela fut résolu.

Le roi parla ainsi : «Vous voulûtes que je prisse la couronne et me crûtes assez vertueux pour vous gouverner. Le ciel m'est témoin que, depuis ce temps, le bonheur des Troglodytes a été l'unique objet de mes inquiétudes ; j'ai la gloire que mon règne n'a point été souillé par la lâcheté d'un Troglodyte. Voudriez-vous préférer aujourd'hui les richesses à votre vertu ?»

«Seigneur, lui dit un d'entre eux, nous sommes heureux ; nous travaillons sur un fonds excellent. Oserai-je le dire ? Ce sera vous seul qui déciderez si les richesses seront pernicieuses à votre peuple, ou non. S'ils voient que vous les préférez à la vertu, ils s'accoutumeront bientôt à en faire de même, et, en cela, votre goût réglera le leur. Si vous élevez dans les emplois ou que vous approchiez de votre confiance un homme par cela seul qu'il est riche, comptez que ce sera un coup mortel que vous porterez à sa vertu, et que vous ferez insensiblement autant de malhonnêtes gens qu'il y aura d'hommes qui auront remarqué cette cruelle distinction. Vous connaissez, Seigneur, la base sur quoi est fondée la vertu de votre peuple : c'est sur l'éducation. Changez cette éducation ; et celui qui n'était pas assez hardi pour être criminel rougira bientôt d'être vertueux.

«Nous avons deux choses à faire : c'est de flétrir également l'avarice et la prodigalité. Il faut que chacun soit comptable à l'État de l'administration de ses biens, et que le lâche qui s'abaissera jusqu'à se dérober une honnête subsistance ne soit pas jugé moins sévèrement que celui qui dissipera le patrimoine de

ses enfants. Il faut que chaque citoyen soit équitable dispensateur de son propre bien, comme il le serait de celui d'un autre. »

« Troglodytes, dit le roi, les richesses vont entrer chez vous ; mais je vous déclare que, si vous n'êtes pas vertueux, vous serez un des peuples les plus malheureux de la terre. Dans l'état où vous êtes, je n'ai besoin que d'être plus juste que vous : c'est la marque de mon autorité royale, et je n'en saurais trouver de plus auguste. Si vous ne cherchez à vous distinguer que par des richesses, qui ne sont rien en elles-mêmes, il faudra bien que je me distingue par les mêmes moyens, et que je ne reste pas dans une pauvreté que vous mépriserez. Il faudra donc que je vous accable d'impôts, et que vous employiez une grande partie de votre subsistance à soutenir la pompe et l'éclat qui serviront à me rendre respectable. Je trouve à présent toutes mes richesses dans moi-même ; mais, pour lors, il faudra que vous vous épuisiez pour m'enrichir, et ces richesses dont vous faisiez tant de cas, vous n'en jouirez point ; elles viendront toutes dans mes trésors. Ô Troglodytes ! nous pouvons être unis par un beau lien : si vous êtes vertueux, je le serai ; si je suis vertueux, vous le serez. »

(*Pensées*, n° 1616)

4.

Le discours des eunuques

Autre fragment, tout aussi passionnant, le suivant selon l'ordre du manuscrit (*Pensées*, n° 1617). Il s'agit d'un projet de lettre du « grand eunuque à Janum ». Il faut le mettre en relation avec les lettres 15 et 22, mais aussi avec les lettres 9 et 64, ces deux dernières écrites par des eunuques aux responsabilités

éminentes dans le sérail : que ce soit, respectivement, le «premier eunuque» écrivant à Ibbi ou le «chef des eunuques noirs» s'adressant à Usbek, son maître. Une note de Montesquieu précise les raisons du retrait de ce texte : «Cette lettre n'a pu être mise dans les *Lettres persanes* : 1° parce qu'elles ressemble trop aux autres ; et 2° parce qu'elle ne fait que redire ce qui y est mieux dit. Je la mets ici à cause de certains fragments que j'en pourrais peut-être tirer, et quelques endroits vifs qui s'y trouvent. »

Se dessinent pourtant, des textes publiés à ce fragment non retenu, les multiples facettes de cette figure de l'eunuque, figure fascinante et suggestive pour le penseur politique qu'est Montesquieu (voir aussi p. 416). Dans ces diverses confessions ou aveux sur l'éducation d'un homme privé de sa virilité, et dans les différents conseils qui sont donnés pour garder le sérail, c'est toute une perversion politique qui se lit de manière pathétique : comment l'esclave en vient à seconder le maître dans sa recherche effrénée du pouvoir absolu. Comment aussi, réciproquement, le maître, sans le savoir, se fait l'esclave de son esclave, à trop lui déléguer l'autorité qu'il incarne. Ce sont les matériaux d'une théorie du pouvoir pervers, où le fragment non retenu apporte des éléments originaux :

LE GRAND EUNUQUE À JANUM, À ***

Je prie le Ciel qu'il te ramène en ces lieux et te dérobe à tous les dangers.

Destiné à remplir une place dans le sérail qui m'est soumis, tu iras peut-être quelque jour au poste que j'occupe ; c'est là que tu dois porter tes vues.

Songe donc de bonne heure à te former et à t'attirer

les regards de ton maître. Compose-toi un front sévère ; laisse tomber des regards sombres ; parle peu. Que la joie fuie de tes lèvres : la tristesse sied bien à notre condition. Tranquille en apparence, fais, de temps en temps, sortir un esprit inquiet. N'attends pas les rides de la vieillesse pour en montrer les chagrins. C'est en vain que tu te plieras à une lâche complaisance. Nous sommes tous haïs des femmes, et haïs jusqu'à la fureur. Crois-tu que cette rage implacable soit l'effet de la sévérité avec laquelle nous les traitons ? Ah ! elles pardonneraient nos caprices, si elles pouvaient nous pardonner nos malheurs.

Ne te pique point d'une probité trop exacte. Il y a une certaine délicatesse qui ne convient guère qu'aux hommes libres. Notre condition ne nous laisse pas le pouvoir d'être vertueux. L'amitié, la foi, les serments, le respect pour la vertu, sont des victimes que nous devons sacrifier à tous les instants. Obligés de travailler sans cesse à conserver notre vie et à détourner de dessus notre tête les châtiments, tous les moyens sont légitimes ; la finesse, la fraude, l'artifice sont les vertus des malheureux comme nous.

Si tu viens jamais à la première place, ton principal objet sera de te rendre maître du sérail. Plus tu seras absolu, plus tu auras de moyens pour rompre les brigues et la fureur de la vengeance. Il faut commencer par abattre le courage et ensevelir toutes les passions dans l'étonnement et dans la crainte. Tu n'y réussiras jamais mieux qu'en animant la jalousie de ton maître. Tu lui feras, de temps en temps, de petites confidences. Tu arrêteras son esprit sur les soupçons les plus légers. Tu l'y fixeras ensuite par quelques nouvelles circonstances. Quelquefois tu l'abandonneras à lui-même, et laisseras, pour quelque temps, flotter son esprit incertain. Tu te présenteras ensuite, et il sera charmé de trouver en toi un médiateur entre son amour et sa jalousie : il te demandera tes avis. Doux ou sévère, tu te feras une protectrice, ou tu humilieras une ennemie.

Ce n'est pas que tu puisses toujours jeter à ton gré les

soupçons de quelque intrigue criminelle : des femmes abattues sous tant de regards ne peuvent guère être accusées de certains crimes avec apparence. Mais il faut les aller chercher dans les ressources que l'amour désespéré se procure quand l'imagination furieuse va se prendre à tous les objets qu'elle trouve. Ne crains point d'en trop dire : tu peux être hardi à feindre. Depuis tant d'années que je gouverne, j'ai appris, j'ai vu même des choses incroyables. Mes yeux ont été témoins de tout ce que la rage peut inventer et de tout ce que le Démon d'Amour peut produire.

Si tu vois que ton maître, capable du joug de l'amour, détermine son cœur sur quelqu'une de ses femmes, relâche un peu à son égard de ta sévérité ordinaire ; mais appesantis-toi sur ses rivales, et tâche de lui rendre agréables et ta douceur et ta sévérité.

Mais, si tu vois que, peu constant dans ses amours, il use en souverain de toutes les beautés qu'il possède ; qu'il aime, quitte et reprenne ; qu'il détruise le matin les espérances du soir ; tu seras dans la plus heureuse situation où tu puisses être. Maître de toutes ses femmes, traite-les comme si elles vivaient dans une perpétuelle disgrâce, et ne crains rien d'une faveur qui se perd à mesure qu'elle se donne.

C'est donc à toi d'aider son inconstance. Il arrive quelquefois qu'une beauté triomphe et arrête le cœur le plus volage. Il a beau s'échapper, elle le rappelle toujours. Des retours si constants menacent d'un attachement éternel. Il faut, à quelque prix qu'il en soit, rompre tes nouvelles chaînes. Ouvre le sérail ; fais-y entrer à grands flots de nouvelles rivales ; fais diversion de toutes les parts ; confonds une superbe maîtresse dans le nombre ; et réduis-la à disputer encore ce que les autres ne pouvaient plus défendre.

Cette politique te réussira presque toujours. Par ce moyen, tu useras si bien son cœur qu'il ne sentira rien. Les grâces seront perdues ; tant de charmes secrets pour tout l'Univers le seront encore plus à ses yeux mêmes. En vain, ses femmes, à l'envi, essaieront sur lui

les traits les plus redoutables. Inutiles à l'amour, elles ne tiendront à son cœur, que par la jalousie.

Tu vois que je ne te cache rien. Quoique je n'aie jamais guère connu cet engagement qu'on appelle amitié, et que je me sois enveloppé tout entier dans moi-même, tu m'as pourtant fait sentir que j'avais encore un cœur, et, pendant que j'étais de bronze pour tous ces esclaves qui vivaient sous mes lois, je voyais croître ton enfance avec plaisir.

Je pris soin de ton éducation. La sévérité, toujours inséparable des instructions, te fit longtemps ignorer que tu m'étais cher. Tu me l'étais pourtant, et je dirais que je t'aimais comme un père aime son fils, si ces noms de père et de fils n'étaient pas plus propres à nous rappeler à tous deux un souvenir affreux qu'à nous marquer une douce et secrète sympathie.

(*Pensées* n° 1617)

5.

Archéologie du regard persan

Il existe aussi une série de lettres découvertes tardivement en 1900 dans un portefeuille manuscrit : il s'agit de feuillets détachés dans des cahiers de correction où Montesquieu mettait soigneusement au propre des versions de son œuvre. On y découvre en particulier une lettre qui se présente comme écrite par « Haggi Ibbi à Gemchid, derviche de la montagne de Jaron ». L'écho du texte que nous citions plus haut, issu des inédits publiés dans *Le Fantasque* est patent (voir p. 399) : il s'agit dans les deux cas, pour reprendre la formulation commune aux deux textes, de prouver que « En matière de religion, plus le sujet de la dispute est léger, plus elle devient violente ».

Mais la différence essentielle, et instructive, tient au déplacement du point de vue : l'inédit du *Fantasque* traite directement des querelles religieuses internes à la chrétienté. Son agressivité s'explique par le point de vue du narrateur : un Persan, qui entre dans une matière délicate sans préjugé et donc sans ménagement. Déléguer sa voix à un Persan est un bon moyen pour l'auteur de souligner les défauts de sa propre religion. Dans le texte qui suit, Montesquieu est parvenu à formuler les mêmes critiques en leur ôtant cette violence directe qui était le propre du point de vue persan. Maintenant, en effet, la critique de la religion se cantonne au monde musulman pour mieux, et sans risque, exprimer les mêmes réserves : les heurts confessionnels propres à l'islam servent de voile transparent pour formuler des reproches qui visent sans doute avant tout le monde chrétien. Mais la leçon, paradoxalement, en perdant de son agressivité directe, se radicalise : à prendre le masque oriental, Montesquieu généralise la vision pessimiste qu'il se fait du poids des querelles religieuses dans la société.

On voit ainsi à l'œuvre, de manière quasiment expérimentale, la vertu du masque persan : la critique, en se décentrant, s'intensifie, et ne laisse plus subsister la moindre illusion. Le persan accuse toute religion parce qu'il peut accuser la sienne.

<div style="text-align:center">

HAGGI IBBI À GEMCHID,
DERVICHE DE LA MONTAGNE DE JARON

</div>

Heureux Gemchid ! la loi du saint Alcoran ne t'a point été donnée en vain : tu découvres des préceptes cachés dans les moindres paroles de ce divin livre. Il semble grossir sous le nombre de tes pratiques. Tu multiplies

les sujets de l'obéissance et ajoutes sans cesse aux commandements de celui qui nous a trouvés faibles lorsqu'il nous cherchait fidèles.

Permets-moi de te dire mes pensées.

En matière de Religion, plus le sujet de la dispute est léger, plus elle devient violente. Elle prend des forces de la petitesse du sujet. Le feu manque de nourriture, mais il s'allume toujours.

Tu sais les minces sujets de nos disputes sur Hali et Abubeker. Si les sectateurs de ces grands hommes n'avaient pas été plus échauffés pour défendre leurs opinions que ces grands hommes ne le furent eux-mêmes sur leur propre intérêt, la Religion musulmane aurait été tranquille ; la Terre n'aurait pas troublé le Ciel, et le Ciel n'aurait pas troublé la Terre. Ce qui a contribué à aigrir le plus les esprits, ce sont les paroles injurieuses que la fureur a mis[es] dans les deux liturgies. Or, dès qu'une des parties a tant fait que de s'en choquer, quoique ces injures soient si générales qu'elles ne peuvent porter sur personne, cependant l'équité naturelle et la piété religieuse ordonnent de les ôter, ne voulant pas qu'on dise aux autres des injures qui les offensent, et le bon sens, qu'on les dise en forme de prières.

À Paris
le dernier jour de la lune de Chahban, 1720.

6.

Quelques réflexions
sur les « Quelques Réflexions… »

Avec tous ces matériaux, on en vient parfois à pouvoir reconstituer presque entièrement l'itinéraire d'un texte des premiers jets au résultat final. C'est le cas en particulier pour ce morceau très polémique que

constituent les «Quelques réflexions sur les *Lettres per-
sanes*». C'est une réponse, on l'a vu, aux accusations
pressantes et circonstanciées des «*Lettres persanes*»
convaincues d'impiété (1751) de Gaultier, abbé combatif
qui semble faire preuve de cet esprit qu'a stigmatisé
Montesquieu lui-même dans la lettre 36 sur les cafés lit-
téraires : en voyant les haines excitées par la querelle
opposant les partisans des Anciens aux Modernes,
Usbek se fait cette réflexion, qui a dû paraître à son
auteur véritable une anticipation de ses propres tracas
quelques décennies plus tard : «Dieu me garde de
m'attirer jamais l'inimitié des censeurs de ce poète
[Homère], que le séjour de deux mille ans dans le
tombeau n'a pu garantir d'une haine si implacable ! Ils
frappent à présent des coups en l'air ; mais que serait-
ce, si leur fureur était animée par la présence d'un
ennemi ? » (p. 80).

Mes pensées conserve deux fragments qui se suivent
(nos 2032 et 2033) portant respectivement la mention
«Apologie des *Lettres persanes*» et «Préface de l'édi-
teur». On y découvre deux versions préliminaires des
«Quelques réflexions…». La première, de moitié plus
brève que les «Quelques réflexions…», trahit un peu
trop clairement sa cible, et se met sur la défensive agres-
sivement, d'entrée de jeu. Montesquieu se retranche
derrière une ligne de défense intangible, reformulée à
satiété tout au long des six paragraphes :

> On ne peut guère imputer aux *Lettres persanes* les
> choses que l'on a prétendu y choquer la religion.
> Ces choses ne s'y trouvent jamais liées avec l'idée
> d'examen, mais avec l'idée de singularité ; jamais, avec
> l'idée de critique, mais avec l'idée d'extraordinaire.
> C'était un Persan qui parlait, et qui devait être frappé
> de tout ce qu'il voyait et de tout ce qu'il entendait.

> Dans ce cas, quand il parle de religion, il n'en doit pas paraître plus instruit que des autres choses, comme des usages et des manières de la nation, qu'il ne regarde point comme bonnes ou mauvaises, mais comme merveilleuses.
>
> Comme il trouve bizarres nos coutumes, il trouve quelquefois de la singularité dans de certaines choses de nos dogmes parce qu'il les ignore, et les explique mal parce qu'il ne connaît rien de ce qui les lie et de la chaîne où ils tiennent.
>
> Il est vrai qu'il y a quelque indiscrétion à avoir touché ces matières, puisque l'on n'est pas aussi sûr de ce que peuvent penser les autres, que de ce qu'on pense soi-même.
>
> (*Pensées*, n° 2032)

On reconnaît aisément dans cette esquisse la seconde partie des « Quelques réflexions... » à partir du paragraphe débutant par « Il y a quelques traits que bien des gens ont trouvés trop hardis » (p. 8). Mais la matière, dans la version définitive, est condensée en deux paragraphes ; les formulations ont trouvé leur équilibre : à la polémique fébrile a fait place la distance critique.

Cette distance est le fruit d'un glissement de l'optique critique opéré par Montesquieu. Le fragment 2033 en témoigne. La réplique de Montesquieu évite astucieusement la confrontation directe avec les accusations de Gaultier. L'amorce oriente la réponse sur le terrain littéraire : les pouvoirs de la fiction désamorcent les jugements de ceux qui ne savent pas lire. Ainsi toute la première partie des « Quelques réflexions... » est consacrée au genre du roman. Très proche de la version publiée, ce fragment se distingue par des choix expressifs qui mettent en évidence la maturation stylistique de l'auteur. Nous nous contenterons de citer l'*incipit*, à

titre d'échantillon révélateur : là où les «Quelques réflexions...» disent «Rien n'a plu davantage dans les lettres persanes, que d'y trouver, sans y penser, une espèce de roman» (p. 7), le fragment 2033 propose «Ce qui fait le mérite principal des *Lettres persanes*, c'est qu'on y trouve, sans y penser, une espèce de roman». Montesquieu, par la tournure impersonnelle qu'il a finalement préférée, se met à couvert d'une défense personnelle trop ostensible, qui pourrait être prise, dans la version préparatoire, pour une forme d'autosatisfaction agressive et un manquement aux exigences sociales de modestie.

Pour prolonger la réflexion

MONTESQUIEU, *Œuvres complètes*, t. I, *Lettres persanes* (sous la dir. de Jean Ehrard et Catherine Volpilhac-Auger), Oxford, Voltaire Foundation, 2004.

MONTESQUIEU, *Lettres persanes* (éd. de Jean Starobinski), Paris, Gallimard, Folio classique, nᵒ 3859, 2003.

MONTESQUIEU, *Pensées, Le Spicilège* (éd. de Louis Desgraves), Paris, Robert Laffont, 1991.

Groupement de textes

La fascination du sérail

FAISONS BREF : LE « SÉRAIL » est la boîte à fantasmes de l'Occident. Parce que c'est un monde clos, propice à toutes les fermentations imaginaires, au prix souvent de quelques approximations qui renforcent les dérives interprétatives : ainsi identifie-t-on le « sérail », qui est véritablement le centre du pouvoir, et ce qu'on nomme proprement le « harem », là où sont enfermées les femmes. Pouvoir politique et pouvoir domestique vont ainsi de concert dans une représentation radicale du pouvoir absolu : huis clos du désir de pouvoir et du pouvoir du désir.

Il y a là un monde à part qui semble recréer les conditions expérimentales de la contrainte à l'état pur. Avec ses ingrédients propres : le « sérail » se caractérise par une topologie et un personnel. Son architecture obéit à un mouvement concentrique. À la périphérie, les fonctions du pouvoir politique tournées vers l'extérieur, et puis, au centre, le domaine réservé aux femmes du prince, épouses et concubines, où nul vulgaire ne peut pénétrer s'il ne reçoit son aval. Manière de dire qu'on ne s'immisce pas dans l'intimité du prince sans y être autorisé. Le cœur du pouvoir est un secret bien gardé. Pas étonnant qu'en France, où la

centralisation du pouvoir est un mouvement pluriséculaire, cette dynamique centripète soit apparue comme une image idéale des dérives du pouvoir arbitraire.

Le sérail est peuplé de tout un personnel extrêmement hiérarchisé. Ce sont autant de représentants du despote : « vizir », ministres et conseillers au point de vue politique ; « janissaires » au point de vue militaire ; eunuques au point de vue domestique. En se démultipliant, ces substituts du despote font de lui un être à la fois partout et nulle part : l'autorité qu'ils exercent provient de lui, mais sa personne elle-même se retire le plus souvent dans le secret de son domaine réservé. Ils fonctionnent ainsi comme les *signes* de son pouvoir ; mais le signe, en l'absence de ce qu'il représente, se met à valoir par lui-même. C'est la dialectique que met si bien en évidence les *Lettres* : le maître en voyage doit s'en remettre à ses représentants, les eunuques, pour diriger le sérail. Mais ces derniers, commandant au nom du maître, finissent par lui commander sa conduite.

Montesquieu est ainsi parvenu à faire du sérail l'autre scène de son roman. Une scène en creux : son éloignement même pèse de tout son poids sur le devenir d'Usbek. Face aux mille détails sur l'Occident que rapportent nos Persans dans leurs lettres, ils ne peuvent que constater l'opacité du jeu de pouvoir qui se joue en leur absence dans le sérail. Ce dernier apparaît comme le révélateur de la philosophie politique de Montesquieu. Il a ainsi mis en scène la perversion intrinsèque du despotisme : pouvoir totalitaire, car l'image du despote est partout, et en même temps vacance du pouvoir. Le despote devrait être par excellence celui qui ne commande que de son propre chef, qui concentre dans sa seule personne tout le pouvoir, qui régit de sa seule force un empire immense. Il apparaît pourtant comme

celui qui est débordé par l'économie du pouvoir qu'il a instaurée : le pouvoir absolu est toujours en sursis, si même il existe.

Quelques autres textes de la période classique se détachent, qui mettent en évidence ces paradoxes du sérail. Derrière la volonté de «couleur locale», ce qui se dit avant tout, c'est une dynamique perverse. Où le désir, refoulé, interdit, ou littéralement «taillé», a le premier rôle.

Jean RACINE (1639-1699)
Bajazet (1672)
(Folio théâtre n° 24)

La pièce est écrite dans la foulée des «turqueries» à la mode après la visite de l'ambassadeur de la Grande Porte à Louis XIV (1670) : Molière vient d'en faire quelques-unes dans son *Bourgeois gentilhomme* (1669-1670). Dans la préface de 1675, Racine doit se justifier d'un tel choix, qui rompt avec le décor antique traditionnel des tragédies, et, astucieusement, c'est l'«étrangeté» orientale qu'il met en avant :

> Les personnages tragiques doivent être regardés d'un autre œil que nous ne regardons d'ordinaire les personnages que nous avons vus de si près. On peut dire que le respect que l'on a pour les héros augmente à mesure qu'ils s'éloignent de nous. *Major e longinquo reverentia* [«la distance accroît le respect», Tacite, *Annales*, I, 47]. L'éloignement des pays répare en quelque sorte la trop grande proximité des temps. Car le peuple ne met guère de différence entre ce qui est, si j'ose ainsi parler, à mille ans de lui, et ce qui en est

> à mille lieues. C'est ce qui fait, par exemple, que les personnages turcs, quelque modernes qu'ils soient, ont de la dignité sur notre théâtre. On les regarde de bonne heure comme anciens. Ce sont des mœurs et des coutumes toutes différentes. Nous avons si peu de commerce avec les princes et les autres personnes qui vivent dans le sérail, que nous les considérons, pour ainsi dire, comme des gens qui vivent dans un autre siècle que le nôtre.

Bien qu'il se réclame de sources autorisées (Ricaut, 1670), voire de témoignages rapprochés (le chevalier de Nantouillet), Racine s'appuie avant tout sur un canevas éminemment romanesque, puisque c'est celui de la *Zaïre* (1669) de Mme de La Fayette, l'auteur de *La Princesse de Clèves*. Moyennant quelques modifications, pour préserver la dignité tragique : ainsi Acomat, eunuque dans *Zaïre*, est promu grand vizir dans *Bajazet*.

Cette pièce de Racine s'oppose à la précédente, *Bérénice* : plus de morts et d'amours, et des révélations au lieu de secrets. L'intrigue, qui ne prétend pas tout à fait à la fidélité absolue aux mœurs, est étonnamment répétitive : Roxane — Montesquieu donnera aussi ce nom à la femme d'Usbek qui meurt en héroïne tragique à la fin des *Lettres persanes* — mène un combat intérieur interminable pour se déterminer, comme le lui demande son mari le sultan, à sacrifier Bajazet, frère de celui-ci, dont elle est amoureuse. Malheureusement, Atalide, qui sert d'interprète à Roxane dans cette relation secrète du sérail, l'a précédée dans le cœur de Bajazet. Aussi Roxane, qui a rêvé, sur les conseils d'Acomat, de prendre le pouvoir avec Bajazet, voit ses ambitions doublement bafouées : à l'intérieur par la résistance de Bajazet à leur mariage ; à l'extérieur, par la victoire d'Amurat à Babylone (1638).

Le huis clos du sérail intensifie le tragique racinien :
c'est le lieu des fantasmes de l'héroïne, alors qu'au loin
la figure absente du mari règle le bal. Désir et pouvoir :
le décor oriental est posé.

ROXANE

Prince, l'heure fatale est enfin arrivée
Qu'à votre liberté le ciel a réservée.
Rien ne me retient plus, et je puis dès ce jour
Accomplir le dessein qu'a formé mon amour.
Non que vous assurant d'un triomphe facile,
Je mette entre vos mains un empire tranquille ;
Je fais ce que je puis, je vous l'avais promis.
J'arme votre valeur contre vos ennemis.
J'écarte de vos jours un péril manifeste.
Votre vertu, Seigneur, achèvera le reste.
Osmin a vu l'armée, elle penche pour vous.
Les chefs de notre loi conspirent avec nous.
Le vizir Acomat vous répond de Byzance.
Et moi, vous le savez, je tiens sous ma puissance
Cette foule de chefs, d'esclaves, de muets,
Peuple que dans ses murs renferme ce palais,
Et dont à ma faveur les âmes asservies,
M'ont vendu dès longtemps, leur silence et leurs vies.
Commencez maintenant. C'est à vous de courir
Dans le champ glorieux que j'ai su vous ouvrir.
Vous n'entreprenez point une injuste carrière,
Vous repoussez, Seigneur, une main meurtrière.
L'exemple en est commun. Et parmi les sultans
Ce chemin à l'empire a conduit de tout temps.
Mais pour mieux commencer, hâtons-nous l'un et
 l'autre
D'assurer à la fois mon bonheur et le vôtre.
Montrez à l'univers, en m'attachant à vous,
Que quand je vous servais, je servais mon époux ;
Et par le nœud sacré d'un heureux hyménée
Justifiez la foi que je vous ai donnée.
[...]
Mais avez-vous prévu, si vous ne m'épousez,

Les périls plus certains où vous vous exposez ?
Songez-vous que sans moi tout vous devient contraire,
Que c'est à moi surtout qu'il importe de plaire ?
Songez-vous que je tiens les portes du palais,
Que je puis vous l'ouvrir, ou fermer pour jamais,
Que j'ai sur votre vie un empire suprême,
Que vous ne respirez qu'autant que je vous aime ?
Et sans ce même amour qu'offensent vos refus,
Songez-vous, en un mot, que vous ne seriez plus ?

(II, 1)

Jean-Baptiste TAVERNIER (1605-1689)

Nouvelle relation de l'intérieur du sérail
du grand seigneur

(Paris, Varennes, 1675)

C'est chez les voyageurs que les auteurs prennent leurs informations. L'objectivité n'est pas garantie pourtant, malgré la volonté affichée d'enquêter, de fournir des documents fiables. C'est qu'on ne regarde pas une réalité sociale extérieure sans la juger à l'aune de ses propres valeurs : le sérail offre un spectacle à la fois profondément original au point de vue des mœurs, et idéalement placé au cœur des dysfonctionnements politiques de l'Occident.

Quelques noms s'imposent : Pierre Ricaut, source de Racine, dont l'*Histoire de l'état présent de l'Empire ottoman* paraît à Amsterdam en traduction française en 1670, un an seulement après sa sortie à Londres. Jean Chardin, que Montesquieu a consulté, est réédité en 1711, à Amsterdam, sous le titre de *Voyages en Perse* : l'édition originale, portant le lieu de Londres, date de 1686 et s'intitule *Journal du chevalier Chardin en Perse et aux Indes*

orientales. Tournefort fait paraître sa *Relation d'un voyage du Levant* en 1717.

Les informateurs voyageurs se recopient souvent les uns les autres : c'est le cas de Jean-Baptiste Tavernier vis-à-vis de ses devanciers, et plus encore de P.J. de La Porte qui publie à Paris en 1757 un *Tableau de l'Empire ottoman* qui résume et reprend pour l'essentiel ses prédécesseurs. C'est la synthèse des Lumières sur le sujet, après un demi-siècle au moins de curiosité, souvent orientée. D'où quelques lieux communs du « sérail » sur lesquels les écrivains n'ont pas fini de broder. Parmi eux, citons notamment l'énucléation des enfants du sultan sur son ordre pour ne pas qu'ils puissent lui succéder (car, selon l'usage, un aveugle ne peut régner) : scène de cruauté terrifiante, scène primitive du despotisme. Autres scènes de mœurs fascinantes : le langage par signes des nains muets du sérail et l'attachement filial des janissaires à leur sultan. Ces derniers, tous orphelins, voient en lui une figure paternelle, tandis que la fraternité qui les lie se soutient jusqu'au sacrifice. C'est peu dire que le sérail pousse au paroxysme les passions familiales, dans la vertu comme dans la dépravation. Il y a là comme une grande famille perverse.

Mais le spectacle qui attire tous les regards, c'est celui des eunuques. Charles Ancillon écrit même un *Traité des eunuques* (1707). Le phénomène n'est pas tout à fait étranger à l'Occident : les chanteurs *castrati* de l'opéra italien ont sacrifié leur virilité à leur voix. Mais, justement, le siècle des philosophes regarde avec suspicion ces sévices « contre nature » : Rousseau fera un article « Castrato » dans son *Dictionnaire de musique* (1768) pour les dénoncer. Voltaire, plus plaisamment, mais non sans profondeur, inclut cette pratique dans la longue liste

des cruautés humaines qui fait l'objet du *Dialogue du chapon et de la poularde* (1763).

D'emblée ce qui excite le plus l'intérêt chez ces personnages inquiétants, c'est la manière qu'il ont d'inverser le rapport à la virilité : à l'effacement partiel ou total des attributs sexuels, s'ajoute le renversement des canons de la beauté. Comme si à la parodie de la virilité devait s'attacher la perte des valeurs humaines consacrées. Montesquieu tirera de ces différents facteurs toutes les harmoniques possibles. Mieux : en donnant la parole à ces laissés-pour-compte, il fera du discours de la servitude celui du ressentiment. Et dans ses *Lettres persanes*, il s'appuie sur les indications des voyageurs, tel Tavernier, pour allouer à chaque type d'eunuque, noir ou blanc, sa place dans l'économie du sérail.

> Les Eunuques font [...] deux ordres. Il y en a de blancs qu'on a simplement taillés ; et il y en a de noirs à qui l'on a tout coupé à fleur de ventre. Les uns et les autres sont sévères, bizarres et ombrageux, et traitent cruellement tous ceux qui sont sous leur charge. Il y en a un nombre prodigieux, et dans Constantinople, et dans tout l'Empire, et généralement dans tout l'Orient, où il n'y a point de particulier pour peu de bien qu'il ait, qui n'entretienne un Eunuque ou deux pour la garde de ses femmes. C'est ce qui fait ce grand commerce d'Eunuques en plusieurs endroits de l'Asie et de l'Afrique, et dans le seul royaume de Colconda où je me trouvai en 1659, on en fit cette même année jusqu'à vingt-deux mille. Je me souviens que l'Ambassadeur du Grand Mogol qui ne souffre point cette barbarie dans ses États, et qui fait venir d'ailleurs les Eunuques dont il se sert, me tira un jour à part, pour me dire qu'il lui tardait de retourner chez son maître, dans la crainte qu'il avait que ce Royaume de Colconda n'abîmât après de pareilles cruautés. La plupart des pères et mères qui sont pauvres, et n'ont point

d'amour pour leurs enfants, qu'ils craignent de ne pouvoir pas nourrir, dès qu'il survient la moindre cherté de vivres, les vendent à des Marchands qui les font couper en suite, et quelquefois leur font tout raser. Quelques uns de ceux à qui l'on n'a rien laissé, quand ils veulent uriner, sont contraints de se servir d'une canule, et de la porter au bas du ventre. Comme il n'en rechape guerre d'une opération si dangereuse, cela les rend beaucoup plus chers que les autres, et on les vend en Perse et en Turquie jusqu'à six cens écus ; cent ou cent cinquante est le prix des Eunuques ordinaires. Pour en fournir toute la Turquie, toute la Perse, toutes les Indes, et toutes les Provinces de l'Afrique, il est aisé de juger qu'il faut qu'il en vienne par milliers de divers lieux. Le royaume de Colconda dans la presqu'île au-deçà du Gange ; et ceux d'Assan, de Boutan, d'Arachan et de Pegu au-delà, en fournissent un nombre prodigieux. Tous ces Eunuques sont blancs, ou basanés. Les Eunuques noirs qui viennent d'Afrique en bien moindre quantité, sont, comme j'ai dit, beaucoup plus chers. Les plus difformes sont ceux qui coûtent le plus, leur extrême laideur leur tenant lieu de beauté dans leur espèce. Un nez plat, un regard affreux, et une grande bouche, de grosses lèvres, des dents noires et écartées les unes des autres (car d'ordinaire les Mores ont de belles dents) sont des avantages pour les marchands qui les vendent.

Marquis de SADE (1740-1814)

Aline et Valcour ou le roman philosophique
(1793)

(in *Œuvres*, tome 1, Bibliothèque de la Pléiade)

À la fin de l'âge classique, le marquis de Sade résume à lui seul toute la fascination des Lumières pour le

sérail. *Aline et Valcour*, roman épistolaire touffu, « écrit à la Bastille un an avant la Révolution de France » selon la mention de la page de titre, appartient, comme *Les Crimes de l'amour*, aux œuvres « exotériques » de Sade, les seules que le marquis reconnaît officiellement en les publiant sous son nom : aussi n'est-ce pas une œuvre pornographique à la manière des cycles de « Justine » et « Juliette ». C'est l'histoire croisée de deux couples d'amants contrariés, l'un en France, l'autre en fuite tout autour du globe. Bien que l'œuvre n'enfreigne pas à proprement parler la décence, l'imaginaire sadien est bien là : enfermement et domination trouvent les moyens de se dire de manière oblique. L'amoralisme triomphe aux quatre coins du globe. Le sérail par lequel passe une des héroïnes du roman n'est-il pas, finalement, le décor habituel de toutes les fictions débridées du marquis ? Les « boudoirs » ou châteaux retirés qui parsèment ses œuvres n'en sont-ils le substitut ?

En digérant les récits de voyage (abbé de La Porte, *Voyageur français*, 1771 ; Raynal, *Histoire des deux Indes*, Amsterdam, 1770 ; de Pauw, *Recherches philosophiques sur les Américains*, Berlin, 1768) ou leurs variations littéraires et philosophiques (Diderot, *Supplément au voyage de Bougainville*, 1773 ; J.-L. Castilhon, *Zingha, reine d'Angola, histoire africaine*, 1769), Sade mélange l'Asie et l'Afrique pour mieux décupler ses fantasmes, où pouvoir et désir se secondent. Avec l'effet démultiplicateur de l'imagination littéraire, le harem devient le lieu de tous les excès : homme, femmes et enfants n'y sont pas seulement abusés, mais aussi dévorés. C'est le propre de l'imaginaire sadien de radicaliser et tout à la fois épuiser la matière qu'il réemploie : ainsi, avec lui, le sérail perd ses caractères traditionnels de sophistication

et de luxe ; il est devenu le lieu nu et dépouillé de la violence sans restriction exercée pour le plaisir d'un seul.

Le héros du long récit enchâssé dans le roman (*Histoire de Sainville et de Léonore*) est capturé par le prince Ben Mâacoro, en Afrique. Tout en cherchant les moyens de fuir et de retrouver sa maîtresse Léonore, égarée dans cette région du monde, il se fait expliquer le fonctionnement de ce royaume despotique par Sarmiento, Portugais prisonnier, qui entretient la cour de 12 000 femmes du prince. La démesure sadienne profite du modèle du sérail pour s'exprimer à son aise :

> Tout en causant, Sarmiento me promenait de chambre en chambre, et je vis ainsi la totalité du palais, excepté les harems secrets, composés de ce qu'il y avait de plus beau dans l'un et l'autre sexe, mais où nul mortel n'était introduit.
>
> « Toutes les femmes du prince, continua Sarmiento, au nombre de douze mille, se divisent en quatre classes ; il forme lui-même ces classes à mesure qu'il reçoit les femmes des mains de celui qui les lui choisit : les plus grandes, les plus fortes, les mieux constituées se placent dans le détachement qui garde son palais ; ce qu'on appelle les *cinq cents esclaves* est formé de l'espèce inférieure à celle dont je viens de parler : ces femmes sont ordinairement de vingt à trente ans ; à elles appartient le service intérieur du palais, les travaux des jardins, et généralement toutes les corvées. Il forme la troisième classe depuis seize ans jusqu'à vingt ans ; celles-là servent aux sacrifices : c'est parmi elles que se prennent les victimes immolées à son dieu. La quatrième classe enfin renferme tout ce qu'il y a de plus délicat et de plus joli depuis l'enfance jusqu'à seize ans. C'est là ce qui sert plus particulièrement à ses plaisirs ; ce serait là où se placeraient les Blanches, s'il en avait…
>
> — En a-t-il eu ? interrompis-je avec empressement.
>
> — Pas encore, répondit le Portugais ; mais il en désire

avec ardeur, et ne néglige rien de tout ce qui peut lui en procurer… »

Et l'espérance, à ces paroles, sembla renaître dans mon cœur.

« Malgré ces divisions, reprit le Portugais, toutes ces femmes, de quelque classe qu'elles soient, n'en satisfont pas moins la brutalité de ce despote : quand il a envie de l'une d'entre elles, il envoie un de ses officiers donner cent coups d'étrivières à la femme désirée ; cette faveur répond au mouchoir du sultan de Byzance, elle instruit la favorite de l'honneur qui lui est réservé : dès lors elle se rend où le prince l'attend, et comme il en emploie souvent un grand nombre dans le même jour, un grand nombre reçoit chaque matin l'avertissement que je viens de dire… »

Pour prolonger la réflexion

Paul BOWLES, *Un thé au Sahara*, Paris, Gallimard, L'Imaginaire, n° 62.

Michel DELON, « Un monde d'eunuques », *Europe*, février 1977.

Alain GROSRICHARD, *Structure du sérail. La fiction du despotisme asiatique dans l'Occident classique*, Paris, Seuil, 1979.

Chronologie

Montesquieu et son temps

CHARLES-LOUIS DE SECONDAT, baron de Montes-
quieu et de La Brède : tel est le patronyme complet de
celui que la postérité ne connaît plus que sous le nom
de Montesquieu. Homme noble donc, et qui sera atta-
ché toute sa vie à défendre une certaine idée de la
noblesse et de l'aristocratie : idée de vertu et d'hon-
neur, où l'héritage compte moins que la pérennité
d'une certaine éthique. Mais cette exigence se vit plus
comme une liberté que comme une obligation : c'est la
possibilité accordée à un être d'exercer son pouvoir.
Montesquieu, malgré tout ce qui l'ancre dans une
conception traditionaliste des choses, sera surtout un
anticonformiste de la réflexion, parce qu'elle se veut
libre.

1.

Une tradition librement suivie

Il naît en 1689 dans une des « meilleures familles du
Bordelais », selon ses propres termes : entendons,
une famille de haute naissance, dont la situation s'est

confortée tant financièrement que socialement. Montesquieu lui-même aura toujours à cœur de faire fructifier l'héritage familial.

Il entre au collège de Juilly, en région parisienne, en 1700. Son père est soucieux de lui donner une éducation soignée, telle que l'assurent, de manière très moderne et «cartésienne», les oratoriens. En 1705, il regagne Bordeaux pour y poursuivre des études de droit, selon le vœu paternel et la tradition familiale. Pour compléter sa formation, il se rend à Paris en 1709. Période studieuse, où il rencontre ce que l'érudition peut donner de plus libre en matière de pensée : Fontenelle, secrétaire perpétuel de l'Académie des sciences, auquel il vouera toute sa vie une grande admiration, et Nicolas Fréret, secrétaire de l'Académie des inscriptions et belles-lettres. Deux figures irréprochables officiellement, qui ne craignent pas, dans la confidence des milieux lettrés, de commettre des œuvres d'une hétérodoxie qui serait poursuivie si elle s'affichait. On peut penser que Montesquieu, lui aussi attaché au respect des usages officiels, a médité, jusque dans ses choix littéraires, les leçons de dissimulation de ces deux auteurs.

Rappelé par la mort de son père dans sa région natale, il s'y marie avec Jeanne de Lartigue, de religion protestante, qui lui apporte une dot substantielle et lui donnera trois enfants. Affaires de famille qu'il prend avec rigueur mais sans passion : toute sa vie, ses amours, il l'avouera lui-même, il les trouvera hors mariage. Elles seront souvent suivies de désenchantements cruels.

Conseiller au parlement de Bordeaux en 1714, il hérite, à la mort de son oncle en 1716, de sa charge de président à Mortier. Le voilà une figure éminente de

cette capitale provinciale. La lente et progressive ascension de sa maison lui permet à la fois de tenir son rang sans rougir et de profiter d'une indépendance jalousement gardée vis-à-vis de la cour. Ce grand seigneur gère son patrimoine foncier en homme d'affaires qui préfère les revenus sûrs aux spéculations : son mépris pour les revers de fortune occasionnés dans la noblesse par le «système de Law» en 1720, perceptible dans les *Lettres persanes* (lettres 142 et 146), montre la défiance d'un homme qui entend que les privilèges soient mis à l'abri des vicissitudes politiques et sociales du temps. Il jouit à Bordeaux d'un prestige réel, rehaussé encore par son appartenance, à partir de 1716, comme nombre de parlementaires, à la jeune Académie de Bordeaux, créée en 1713. Il développe, dans ce cadre propice à la rigueur du raisonnement, une curiosité tous azimuts : politique mais aussi sciences physiques et naturelles excitent son intérêt.

Les *Lettres persanes*, en 1721, sont donc le livre d'un moraliste qui a su prendre ses distances avec les séductions et les faux-semblants du temps : regard de provincial sur une capitale en effervescence qui le fascine, regard d'un homme de bon sens sur la folie si communément répandue, regard d'un homme enraciné sur une société en déséquilibre. Le succès, immédiat, intensifie ses séjours dans la capitale, où il est recherché : il fréquente un cercle de réflexion politique, comme le «Club de l'Entresol» où l'on discute les affaires de gouvernement, mais aussi les cercles littéraires, tel celui de l'Hôtel de Soubise, un temps, par l'intermédiaire de Fréret, puis, avec plus de constance, le salon de la marquise de Lambert, «rendez-vous des hommes célèbres» comme dit un de ses familiers. On y croise Fontenelle ou Marivaux. Montesquieu doit aux

connexions de ce salon son élection à l'Académie fran-
çaise en 1728. C'est l'accomplissement d'une pratique
de la sociabilité intellectuelle où le sérieux est badin
et la galanterie grave. D'où deux œuvres, en 1725, aux
antipodes : le *Temple de Gnide*, facétie galante et poé-
tique en prose, et un *Traité des devoirs*, lu à l'Académie de
Bordeaux, et dont le manuscrit disparut au XIX^e siècle.

1689	John Locke, *Lettre sur la tolérance*.
1699	Fénelon, *Les Aventures de Télémaque*.
1713	La bulle *Unigenitus* condamne officiellement la doctrine janséniste.
1714	Relance de la « Querelle des Anciens et des Modernes » autour de la traduction d'Homère par La Motte (*Iliade en XII chants accommodée au goût du jour*) auquel Mme Dacier réplique par son *Discours sur la corruption du goût*.
1715	La mort de Louis XIV ouvre la période de la Régence assurée par Philippe d'Orléans.
1717	Création par Law de la Banque générale et de la Compagnie des Indes occidentales.
1720	Échec du papier monnaie et effondrement du « système de Law », qui prend la fuite.
1723	Majorité de Louis XV.

2.

Un philosophe voyageur

Césure de la quarantaine : en 1728, Montesquieu a
conquis une certaine stature. Mais les obligations
lui pèsent, en particulier celles de sa charge de prési-
dent, qu'il vend. Il peut alors s'engager dans un long
périple en Europe, une manière de faire le point sur sa

vie, et son orientation. Il en ramènera les provisions pour son grand œuvre. De 1728 à 1731, il traverse l'Italie, l'Autriche, l'Allemagne, les Pays-Bas et l'Angleterre. À chaque fois, c'est l'occasion de s'interroger sur les institutions politiques des pays qu'il parcourt, d'explorer les raisons qui les rendent florissants ou sur le déclin : la Hongrie lui donne l'image du féodalisme médiéval ; Venise, celle d'une république frelatée. L'Allemagne prouve la possibilité de la coexistence des religions ; l'Angleterre, celle d'une liberté politique qui est aussi une liberté d'expression : « on y écrit ce que l'on pense ailleurs », dit-il dans ses *Pensées*. C'est à Londres qu'il est à la fois élu à la *Royal Society* et initié à la franc-maçonnerie.

À son retour à Paris en 1733, Montesquieu est un habitué des salons. À celui de Mme de Lambert, qui meurt en 1733, succèdent ceux de Mmes Tencin, Geoffrin et du Deffand, cette dernière, à partir de 1745. Elle souffre d'un cécité progressive, comme Montesquieu lui-même, aussi lui écrira-t-il plaisamment : « Ce qui doit nous consoler, c'est que ceux qui voient clair ne sont pas pour cela lumineux. » Cela entretient chez elle un ennui qui est la pente naturelle de son humeur. Montesquieu, au contraire, oriente toute son énergie vers un but. Il rassemble et organise la matière de son grand ouvrage de réflexion politique et juridique, *De l'Esprit des lois*.

Avant cela, il aura pris le temps de s'arrêter sur une question qui lui tient à cœur. En 1734 paraissent les *Considérations sur les causes de la grandeur des Romains et leur décadence*. À travers le cas de la Rome antique, il s'est attelé à une recherche des lois plus générales qui régissent l'évolution des États. C'est, finalement, une ébauche de ce qu'il envisage pour l'*Esprit des lois*. Il s'en-

toure, pour le mener à bien, de secrétaires qui suppléent sa vue et l'aident à collecter les données dont il a besoin. Montesquieu sait qu'il se lance dans une entreprise au long cours, qui exige un labeur épuisant et demande un degré de cohérence rarement atteint jusqu'alors dans ce domaine. L'ambition est énorme : non pas compulser toutes les lois mais en extraire la substance pour tenter d'en expliquer la raison, les ressorts et la pertinence. Vision élargie à tout l'espace politique connu, de l'Europe à l'Asie. D'où un effort supplémentaire dans le travail de synthèse, s'il doit mener à quelque chose : « Quand un ouvrage est systématique, il faut être encore sûr que l'on tient bien tout le système », écrit-il dans ses *Pensées*. Ces dernières, qui ne sont pas publiées de son vivant, constituent le recueil de ses réflexions depuis 1720 : il y puise au besoin pendant l'écriture de ses œuvres.

L'Esprit des lois est mûrement réfléchi, pesé : il en fait une première lecture en 1745, mais c'est seulement en 1748 qu'il paraît, à Genève. On accorde à l'ouvrage une permission d'imprimer « tacite » : le pouvoir, au mieux, donc, ferme les yeux. Mais l'accueil, en général, est moins tiède. L'œuvre est à l'origine d'une querelle qui dure quatre ans et où les opposants se déchaînent. Particulièrement les religieux, jansénistes et jésuites unis dans une même opposition. On s'indigne que le livre sonde la religion sous son aspect le plus réducteur, à l'aune de son effet sur les mœurs. Quelle que soit sa répugnance pour les querelles, Montesquieu rétorque, en 1750, dans sa *Défense de l'« Esprit des lois »*, qu'un livre de droit a bien le droit de ne considérer la religion qu'en tant qu'institution humaine. Le livre même est mis à l'Index par Rome en 1751, mais la décision n'est pas diffusée.

Propulsé au devant de la scène, Montesquieu devient une personnalité en vue de ce mouvement «philosophique» en marche. Il est élu membre de l'Académie de Berlin en 1747, puis à celle du roi Stanislas à Nancy, en 1751. L'organe du mouvement philosophique est l'*Encyclopédie*, qui commence à paraître. D'Alembert fait un éloge appuyé de l'*Esprit des lois* dans le «Discours préliminaire». Montesquieu rejoint ainsi Voltaire comme figure tutélaire du clan de la libre-pensée, même si les deux patriarches se portent une estime très mesurée. Il participe, comme lui, à cette entreprise. S'il refuse d'écrire des articles comme «Despotisme» ou «Démocratie», qui sentent trop le soufre, il accepte que soit publié son *Essai sur le goût* en 1753 à la suite de l'article «Goût» de Voltaire. D'une santé qui décline, Montesquieu s'éteint d'une infection pulmonaire en 1755 : Diderot est le seul philosophe présent à son enterrement à l'église Saint-Sulpice, et d'Alembert lui rend un vibrant hommage dans son «Éloge de Montesquieu» en ouverture du tome 5 de l'*Encyclopédie*. Preuve de son aura chez la jeune génération des penseurs frondeurs.

1726	Swift, *Les Voyages de Gulliver*.
1728	Les scènes d'hystérie des «convulsionnaires» du cimetière Saint-Médard montrent l'empreinte profonde du jansénisme dans l'opinion.
1731	Fermeture du «Club de l'Entresol».
1732	Boulainvilliers, *Essai sur la noblesse de France*.
1734	Dubos, *Histoire critique de l'établissement de la monarchie française dans les Gaules*.
1741	Voltaire, *Le Fanatisme ou Mahomet le prophète*.
1746	Diderot, *Pensées philosophiques*.
1747	Burlamaqui, *Principes du droit naturel*.
1748	Traité d'Aix-la-Chapelle qui met fin à la guerre de succession d'Autriche.

1750 Rousseau, *Discours sur les sciences et les arts.*
1751 Gaultier, *Les « Lettres persanes » convaincues d'impiété.*
1755 Tremblement de terre de Lisbonne le 1er novembre.

Pour prolonger la réflexion

Louis DESGRAVES, *Montesquieu*, Paris, Mazarine, 1986.

Robert SHACKELTON, *Montesquieu, une biographie critique*, Grenoble, Presses universitaires de Grenoble, 1977 [édition anglaise : 1961].

Éléments pour une
fiche de lecture

Regarder le tableau

- Tentez de dénombrer les personnages présents en adoptant un classement que vous définirez (par exemple, ceux dont vous distinguerez le visage, les hommes et les femmes…). Commentez vos observations.
- Précisez les éléments du décor que vous voyez. Pour un spectateur contemporain de Louis XIV, est-il aisé de reconnaître le lieu où cette scène s'est tenue ?
- Vers qui le regard du spectateur est-il attiré ? Quels effets le peintre a-t-il choisis pour arriver à ce résultat ?
- Trouvez trois adjectifs pour qualifier ce tableau.

L'intrigue et les personnages

- **Chronologie et itinéraire :** les appellations des dates au bas de chaque lettre sont inspirées des indications fournies par les voyageurs en Orient que Montesquieu a lus, en particulier Chardin (voir plus haut, p. 420). On peut établir la correspondance suivante :

Maharram	= Mars	Rhegeb	= Septembre
Saphar	= Avril	Chahban	= Octobre
Rebiab I	= Mai	Rhamazan	= Novembre
Rebiab II	= Juin	Chalval	= Décembre
Gemmadi I	= Juillet	Zilcadé	= Janvier
Gemmadi II	= Août	Zilhagé	= Février

À partir de ces données, traduisez systématiquement les dates des lettres que vous étudiez. À quelle date le périple débute-t-il ? Quand finit-il ? Quelles périodes historiques et politiques de la France les héros traversent-ils ?

Reconstituez les étapes de leur voyage, et localisez sur une carte leur parcours et les régions de leurs principaux correspondants.

• **Les personnages :** Peut-on faire le portrait moral des deux auteurs principaux des lettres, Rica et Usbek ? Quelles indications les lettres fournissent-elles sur leur personnalité ? Essayez de déterminer quelques traits de caractère distinctifs. Qu'est-ce qui les différencie dans le rapport à la nouveauté, dans le rapport aux femmes ?

L'air du temps : satire et esprit Régence

• **Les affaires :** Vous ferez des recherches historiques sur les points suivants :

Qu'est-ce que le « jansénisme » ? Quelle est son évolution du XVIIe au XVIIIe siècle ? Pourquoi la bulle *Unigenitus* soulève-t-elle tant de contestation ?

Qui était Law ? Qu'a-t-il tenté de faire ? Pourquoi provoque-t-il le mécontentement de personnes comme Montesquieu ?

- **Les formes du savoir :**
 Quel regard les Persans portent-ils sur des lieux comme les cafés (lettre 36), l'Académie (lettre 73) et les salons mondains (lettres 48 et 54) ? Quels jugements portent-ils sur les « nouvellistes » (lettre 130), les poètes (lettre 137), les journalistes (lettre 108) et les compilateurs (lettre 66) ?
 En quoi la lettre 97 est-elle un éloge de la science ? Quels sont les éléments de caricature dans la lettre 128 consacrée à un géomètre ? Quelles leçons tirez-vous de la visite de la bibliothèque consacrée aux ouvrages scientifiques (lettre 135) ?

Les formes de la persuasion

- **L'utopie :** Relisez l'« Histoire des Troglodytes » (lettres 11-14). Comparez cette description d'une société idéale avec d'autres (la « Bétique » des *Aventures de Télémaque* de Fénelon, livre VII ; ou « L'Eldorado » du *Candide* de Voltaire, par exemple). Qu'est-ce qui fait la singularité de ce récit ? Les Troglodytes parviennent-ils d'emblée au bonheur ? Quelle philosophie politique s'y fait jour ? Essayez de caractériser les conditions du bon gouvernement selon Montesquieu.

- **L'essai :** Faites une étude argumentative de la séquence des lettres 112 à 122 : répertoriez les arguments, leur enchaînement et les exemples. Quelle logique conduit l'argumentation ? La thèse du déclin démographique vous paraît-elle crédible ? Quelle est la cible privilégiée de cette dissertation ? Comment Montesquieu parvient-il à justifier cette digression dans la trame de son roman ?

Jugements

- Discutez et commentez ce jugement de Paul Valéry, poète et essayiste français de la première moitié du XX^e siècle : « Le recueil délicieux des *Lettres persanes* jette moins dans les songes que dans les pensées. »
- Discutez et commentez ce jugement de Jean Ehrard, grand spécialiste des Lumières : « Les *Lettres persanes* ne sont pas un traité ou une dissertation arbitrairement morcelés, mais l'expression romanesque d'une prise de conscience politique » (*L'invention littéraire au XVIII^e siècle : fictions, idées, sociétés*, Paris, PUF, 1997).

**Quelques outils pour guider votre lecture
et vos recherches**

Annie BECQ, commente les *Lettres persanes* de Montesquieu, Paris, Foliothèque n° 77, 1999.

MONTESQUIEU, *Lettres persanes*, Choix de lettres et lecture accompagnée par C. Volpilhac-Auger, Paris, La bibliothèque Gallimard, n° 37, 1999.

Céline SPECTOR, *Montesquieu, les « Lettres persanes » : de l'anthropologie à la politique*, Paris, PUF, 1998.

DANS LA MÊME COLLECTION

MONTESQUIEU, *Essai sur le goût* (194)
Alfred de MUSSET, *Lorenzaccio* (8)
Irène NÉMIROVSKY, *Suite française* (149)
OVIDE, *Les Métamorphoses* (55)
Blaise PASCAL, *Pensées* (Liasses II à VIII) (148)
Pierre PÉJU, *La petite Chartreuse* (76)
Daniel PENNAC, *La fée carabine* (102)
Luigi PIRANDELLO, *Six personnages en quête d'auteur* (71)
Francis PONGE, *Le parti pris des choses* (170)
L'abbé PRÉVOST, *Manon Lescaut* (179)
Raymond QUENEAU, *Zazie dans le métro* (62)
Raymond QUENEAU, *Exercices de style* (115)
Pascal QUIGNARD, *Tous les matins du monde* (202)
François RABELAIS, *Gargantua* (21)
Jean RACINE, *Andromaque* (10)
Jean RACINE, *Britannicus* (23)
Jean RACINE, *Phèdre* (151)
Jean RACINE, *Mithridate* (206)
Rainer Maria RILKE, *Lettres à un jeune poète* (59)
Arthur RIMBAUD, *Illuminations* (195)
Edmond ROSTAND, *Cyrano de Bergerac* (70)
SAINT-SIMON, *Mémoires* (64)
Nathalie SARRAUTE, *Enfance* (28)
William SHAKESPEARE, *Hamlet* (54)
SOPHOCLE, *Antigone* (93)
STENDHAL, *La Chartreuse de Parme* (74)
STENDHAL, *Vanina Vanini et autres nouvelles* (200)
Michel TOURNIER, *Vendredi ou les limbes du Pacifique* (132)
Vincent VAN GOGH, *Lettres à Théo* (52)
VOLTAIRE, *Candide* (7)
VOLTAIRE, *L'Ingénu* (31)
VOLTAIRE, *Micromégas* (69)
Émile ZOLA, *Thérèse Raquin* (16)
Émile ZOLA, *L'Assommoir* (140)

Série Philosophie

Notions d'esthétique (anthologie) (110)
Notions d'éthique (anthologie) (171)

Pour plus d'informations,
consultez le catalogue à l'adresse suivante :
http://www.gallimard.fr

Composition Interligne
Impression Novoprint
le 16 juin 2011
Dépôt légal : juillet 2011
1ᵉʳ dépôt légal dans la collection : janvier 2006

ISBN 978-2-07-032043-1./Imprimé en Espagne.